U0958806

国家出版基金项目
NATIONAL PUBLICATION FOUNDATION

“十三五”国家重点图书出版规划项目
教育部人文社会科学重点研究基地重大项目

瞿林东◎主编

中国古代史学批评史

第 三 卷

中国古代史学批评的深入
（隋唐时期）

瞿林东 朱露川◎著

湖南人民出版社

主编简介

瞿林东，1937年12月生，安徽肥东人。1964年本科毕业于北京师范大学历史系；1967年研究生毕业于该系中国史学史专业，师从著名历史学家白寿彝教授。现为北京师范大学资深教授、历史学院博士生导师。全国古籍整理出版规划领导小组成员、教育部社会科学委员会委员兼历史学部召集人、中国历史研究院学术咨询委员会委员。教育部人文社会科学重点研究基地北京师范大学史学理论与史学史研究中心原主任。主要从事历史学的理论与中国史学史研究，出版《唐代史学论稿》《中国古代史学批评纵横》《中国史学史纲》《中国史学的理论遗产》《史学在社会中的位置》等专著、论集；主编《历史文化认同与中国统一多民族国家》（五卷本）、《中国古代历史理论》（三卷本）、“马工程”教材《中国史学史》、《中华大典·历史典·史学理论与史学史分典》（三卷本）等书；发表《中国史学的遗产、传统和当前发展趋势》《论中国马克思主义史学的史学观》《历史学的理论成就与中国史学史研究的发展》《关于当代中国史学话语体系建构的几个问题》等论文、评论四百余篇。2017年9月，北京师范大学出版社出版《瞿林东文集》（十卷本）。

总　目

第一卷　中国古代史学批评的开端
（先秦秦汉时期）
第二卷　中国古代史学批评的初步发展
（魏晋南北朝时期）
第三卷　中国古代史学批评的深入
（隋唐时期）
第四卷　中国古代史学批评的兴盛
（五代两宋时期）
第五卷　中国古代多民族史学发展与史学批评
（辽夏金元时期）
第六卷　中国古代史学批评的拓展
（明时期）
第七卷　中国古代史学批评的集大成
（清时期）

总　序

◎瞿林东

一、中国古代史学批评史研究的对象

中国古代史学批评史是一个新兴的学科，我们只有在明确了它的研究对象与研究范围之后，才可能对其学术定位作出某种设想或建议。这就要求我们从什么是中国古代史学批评史谈起。

什么是中国古代史学批评史？顾名思义，它是指在中国古代史学上，那些具有批评意识的史学家、思想家、政治家或其他学人，针对史学发展中出现的各种问题而提出自己的看法。这些看法中既包含相同或相近的意见，也存在分歧和异趣，甚至完全相反的观点。对这些意见、分歧、观点进行互相讨论、辩难的史学活动、史学现象，我们称之为史学批评。史学批评既不是“挑眼”，也不是“吹捧”，不论是相同的意见还是不同的意见，均重在“发现”并提出问题；对问题的阐说，则启发时人与后人，或加以发扬，或引以为戒，这就是史学批评的产生及其意义。如此一个个史学批评个案之间的联系，构成了某一时期或某一时代的史学批评史；一个个时代的史学批评史，构成连续不断的中国古代史学批评史。对中国古代史学批评史进行研究，可以揭示批评者与被批评者的异同，可以概括某一时期或某一时代史学批评的特点，并以此探索、揭示中国古代史学批评史发展的全貌及其规律，进而为提炼出理论问题提供依据。

中国古代史学批评史研究的范围，从纵向上看，大致说来，上起春秋时期，下迄清代；从横向上看，它包括史学家、思想家、政治家及各方面学人对史学的批评，其涉及的文献亦不限于史部，经部、子部、集部也在考察范围之内。我们希望在研究中能够发掘一些有关史学批评的新资料和以往较少涉及的知识领域，尤其希望在研究中提出一些新的问题，并对其作出合理的阐述，从而通过集体的努力，使中国古代史学批评史成为一门外延清晰、内涵丰富、特色鲜明的学科。

那么，怎样为中国古代史学批评史作学科定位呢？第一，从宏观领域来看，中国古代史学批评史属于“中国历史”一级学科范围。第二，从研究内容与特点来看，中国古代史学批评史与中国古代史学史关系密切，离开中国古代史学史，中国古代史学批评史就成了无源之水、无本之木，也就无从谈起；同时，史学批评中提出的问题及相关的论述，都可能涉及理论上的分析，而脱离了史学理论的史学批评，就会成为没有思想、没有内涵的材料堆砌。有鉴于此，可以认为，中国古代史学批评史是“史学理论与史学史”这个二级学科之下的一个三级学科。

为了明确中国史学史的研究与撰述同中国史学批评史的研究与撰述之联系及区别，以凸显中国史学批评史的性质和特点，我们有必要对此作进一步的阐述。概括说来，中国史学史研究，是研究中国史学发展的面貌及其规律；中国史学批评史研究，是研究中国史学史上存在于其间的一个最活跃的内部动因即批评与反思，包含批评的意识、批评的思想、批评的理论与方法及各方面成果（思想成果和著述成果）。尽管史学批评史同史学史存在密切的关联，但毕竟是两个不同的研究对象，因而提出问题的方式和视角不同，撰述的主要内容也有所不同。这一联系与区别，是不应模糊的。

具体说来，史学批评史研究不同于史学史研究之处，主要有以下几点：

第一，具有更为广泛的史料来源。这是因为，史学批评不仅十分关注史家群体的史学观点，而且对于非史家群体之史学观点也十分关注，展示出比一般史学史研究更为丰富的内容和史料来源。

第二，是考察认识史学社会影响力的重要根据。史学成果在受众中的种种反映，一方面成为史学批评研究的对象，另一方面也是史学工作者借以进一步认识史学之社会影响力的根据。

第三，促进史学概念内涵的深化和理论的生成、发展。这是因为，史学批评所展开的范围必然涉及一定程度上的“主题重复”，如春秋时期的“良史”与汉唐时期的“良史”以及宋以后的“良史”，自有内在的联系，但其内涵却大大丰富了，史学批评对此作进一步研究，无疑会促进这一领域的理论研究。又如从司马迁论“古今之变”到郑樵论“会通之义”，再到章学诚论“通史家风”，也是如此，等等。

本书题为《中国古代史学批评史》而未以“评论史”命名，也是意在突出研究者提出问题的方式和视角。记得十几年前，有位记者问我：您的《中国古代史学批评纵横》一书，为什么不用“评论”而用“批评”？我一时语塞，觉得很难回答这个问题，说明自己并不很清楚它们之间有何异同，再说我另有一本论集，书名就是《史学与史学评论》。由于《中国古代史学批评纵横》这本小书受到一些同行尤其是中青年朋友的关注，这些年来，研究史学批评的学人逐渐多了起来，似乎用“批评”一词也就习以为常了，因而很少有人再提出这样的问题。但对于我来讲，却没有放下这个问题，总想对此作一点探究。其间，也翻阅了几本从理论上讨论学术批评的书，有中国学者写的，也有外国学者著作的中译本，但它们都是立足于文学批评而展开的，有的还是从解释学的视角对文学批评作阐说的。更重要的是，它们的讨论多是建立在西方学术文化中所谓“原生质”的、“科学”的“批评”与“评论”概念基础上展开的。这对我提高理论上的认识都有不同程度的帮助，但由于学科的不同，特别是由于文化渊源上的差异，难以获得所需要的借鉴。这就促使我从“传统”中去寻求认识问题的路径。

中国古代学人使用“评论”一词说事，当不晚于魏晋之际。

三国魏人王肃所注《孔子家语》中记述叔孙武叔这个人有个缺点，“多称人之过，而己评论之”[①]，因而受到颜回劝告。又《三国志》裴注引王隐《晋书》记：“然天下之至慎，其惟阮嗣宗乎！每与之言，言及玄远，而未曾评论时事，臧否人物，真可谓至慎矣。”[②] 这里说的专就别人之“过”发表评论或一味回避评论，均不可取。与此不同的是，王隐《晋书》还有另外的记载：“刘毅字仲雄，东莱掖人，汉城阳景王后也。亮直清方，见有不善，必评论之，王公大人望风惮之。”[③] 这里说的敢于“评论”是赞扬之意。上举数例所谓“评论”，都是指评论时事，评论人之秉性。此外也有说到评论史书的。如葛洪《抱朴子内篇》记：

> ……而班固以史迁先黄老而后六经，谓迁为谬。夫迁之洽闻，旁综幽隐，沙汰事物之臧否，核实古人之邪正。其评论也，实原本于自然，其褒贬也，皆准的乎至理。不虚美，不隐恶，不雷同以偶俗。刘向命世通人，谓为实录；而班固之所论，未可据也。[④]

这里说的“评论”，即是关于司马迁及其所著《史记》的评

---

① 王肃注：《孔子家语》，王国轩、王秀梅译注本，中华书局2011年版，第240页。

② 陈寿：《三国志》卷一八《魏书·李通传》裴注引王隐《晋书》，中华书局1959年版，第536页。又见刘义庆：《世说新语·德行》，刘孝标注引，杨勇《世说新语校笺》本，中华书局2006年版，第16页。

③ 刘义庆：《世说新语·德行》，刘孝标注引，杨勇《世说新语校笺》本，中华书局2006年版，第18页。

④ 葛洪：《抱朴子内篇》卷一〇《明本》，王明《抱朴子内篇校释》本，中华书局1985年版，第184页。

论。又如，五代时，刘昫等修《旧唐书》说到唐太宗时重修的《晋书》，这样写道："参考诸家，甚为详洽。然史官多是文咏之士，好采诡谬碎事，以广异闻；又所评论，竞为绮艳，不求笃实，由是颇为学者所讥。"①

上述这两则关于史书的评论，前者是肯定的评论，后者是借用时人之语发表了包含负面评价的评论。又有明人郭孔延撰《史通评释》，其序称，"向以己意为之评论，虽未必合作者之意"云云②。显然，这是对评论者的评论。

至于中国古代学人使用"批评"一词，至晚见于葛洪所著、邵雍辑佚的《梦林玄解·占梦》："占曰：梦殊砂，为官爵，为文章，为批评，为银财之本，为血气，为良药。"③ 此处所讲"批评"，没有明确指向，不便妄测。而元代学人是较早从学术的意义上使用"批评"一词的。据钱大昕《补元史艺文志·总集类》著录，有仇远《批评唐百家诗选》一书，其"别集类"著录仇远《金渊集》六卷。④ 仇远精于诗，时人称为"仇远先生"，《元史·张翥传》记：

> 翥少时，负其才隽，豪放不羁，好蹴鞠，喜音乐，不以家业屑其意，其父以为忧。翥一旦翻然改曰："大人勿忧，

---

① 刘昫等：《旧唐书》卷六六《房玄龄传》，中华书局1975年版，第2463页。

② 郭孔延：《史通评释序》，上海古籍出版社2006年版，第1页。

③ 葛洪：《梦林玄解》卷一二《文墨·五色颜料》，宋邵雍纂辑，明陈士元增删，明何栋如重辑，见《续修四库全书》第一〇六四册，上海古籍出版社2002年版，第24页。

④ 参见《二十五史补编》第六册，中华书局1955年版，第8425、8435页。

> 今请易业矣。”乃谢客，闭门读书，昼夜不暂辍，因受业于李存先生。存家安仁，江东大儒也，其学传于陆九渊氏，翥从之游，道德性命之说，多所研究。未几，留杭，又从仇远先生学。远于诗最高，翥学之，尽得其音律之奥，于是翥遂以诗文知名一时。已而薄游维扬，居久之，学者及门甚众。[①]

从这一简略的记载，大致可以得知仇远在唐诗研究上的造诣，乃有《批评唐百家诗选》之作，在中国古代学术批评史上留下了自己的印记。

值得注意的是，明代学人在奏疏与书信中亦往往使用“批评”一词。如魏允贞《条陈救弊四事乞赐采纳以弘治道疏》中有这样的话：“分别式样，以授主司，圈点批评，列置卷首，后先及第，海内士人，无不愤叹。”[②] 这反映了明朝科举考试的弊端。李贽的《寄答留都》写道：“前与杨太史书亦有批评，倘一一寄去，乃足见兄与彼相处之厚也。”[③] 陈衎对“批评”的功能有深刻的认识，认为：“所谓批评者，一则能抉古人胸中欲吐之妙，以剖千古不决之疑；一则援引商略，判然详尽，以自见其赅博。”[④] 徐芳的《与高自山》一文中更是有这样轻松的话语：“诗文传阅，取笑批评，烂如圈点，互相诒炫。”[⑤] 由此可知，在明

① 宋濂等：《元史》卷一八六《张翥传》，中华书局1976年版，第4284页。

② 参见陈子龙等辑：《明经世文编》卷三八七，中华书局1962年版，第4195页。

③ 参见张建业主编：《李贽文集》第一卷《焚书一·增补一》，社会科学文献出版社2000年版，第258页。

④ 陈衎：《与邓彰甫》，周亮工纂：《尺牍新钞》卷一，上海杂志公司1935年版，第5页。

⑤ 参见黄宗羲编：《明文海》卷一六二，中华书局1987年版，第1630页。

代的公私文件中，多有“批评”一词的使用。

综观上述所举事例，可以认为，大约在1700年前，中国学人已将“评论”和“批评”的概念置于不同学术领域之中，以此表述和阐说各自的学术见解，并在日常生活中也有所表现。这种现象在元明以后显得更加广泛。由于前人在使用“评论”和“批评”一词时，并未对其作出明确的解释，故难以从实质上划清二者的界限。但中国学人有重视字义和慎于遣词造句的传统[①]，由此仍可略知“评论”和“批评”的一点区别：“评论”是评量和议论，意在对事物作出适当的评价；“批评”则兼有批点和评论之意，即既包含正面评价也包含负面评价的双重目标，因而具有鲜明的反思意识。从学术的观点来看，“评论”多用于泛指，“批评”则与学术讨论的关系更为密切。

在获知古代学人对“评论”和“批评”有更明确的定义或阐述前，姑作此说。

二、发展大势与主要问题

中国古代史学批评发展大势是怎样的？其间有哪些主要问题是需要展开讨论的？这是本书需要明确的问题。

这里讲的“发展大势”，上起春秋时期，下迄清代，两千五

① 如杜佑自谓：“凡义有经典文字其理深奥者，则于其后说之以发明，皆云‘说曰’。凡义有先儒各执其理，并有通据而未明者，则议之，皆云‘议曰’。凡先儒各执其义，所引据理有优劣者，则评之，皆云‘评曰’。”（《通典》卷四二，中华书局1988年版，第1167页）《说文解字》：“论，议也。”段注：“凡言语循其理得其宜者谓之论。”凡此，均可参考。

六百年的历史。根据我们的理解和撰述工作的需要，可以将中国古代史学批评划分为七个阶段看待。由于中国历史和中国史学发展的连续性特点，这七个阶段是前后衔接、上下贯通的，同时又各具特点。

第一阶段：中国古代史学批评的开端（先秦秦汉时期）。孔子评晋国史官董狐以及孟子和《左传》作者评《春秋》，揭开了中国古代史学批评的序幕。此后，史家修养和史学与社会的关系成为中国史学上人们关注的两个重大问题。司马谈、司马迁父子对《春秋》的评论与继承、发展，班彪、班固父子对司马迁及其《史记》的批评，先后产生了《史记》《汉书》两部宏伟著作。这是中国古代史学批评开端最重要的标志。同时，刘向、刘歆父子校书并对各类历史文献作出评论，分别写出了《别录》和《七略》，为班固《汉书·艺文志》的撰述提供了资料上的准备。东汉末年，汉献帝认为纪传体《汉书》繁冗难读，由是荀悦乃有编年体《汉纪》之作，显示出史学批评对史书撰述的引导作用，从而为这一时期史学批评画上句号。

这时期在史学批评方面提出的主要概念和观念有：良史，书法不隐和史书三要素论（事、文、义），“其文直，其事核，不虚美，不隐恶”的“实录”论，以及立典五志论（达道义，彰法式，通古今，著功勋，表贤能），等等。

第二阶段：中国古代史学批评的初步发展（魏晋南北朝时期）。在史学多途发展的学术背景下，学术思想的活跃推动了史学批评的广泛展开。关于《史记》《汉书》的批评，开这一时期史学批评之先河，同时反映了与前一时期史学批评的衔接；关于《三国志》的批评，则表明时人对它的关注。有关上述三部“正史”的批评，对后世均有一定的影响。同时，史学家们关于“史例”及国史“条例”的讨论，推动了有关史书编撰形式的评论。其中，关于史书起源问题的讨论，可谓时代特点使然，对后世多有启发。值得注意的是，关于史书内容和史家修养的各种批评意见，构成这时期史学批评的主要部分。而刘勰《文心雕龙·史传》篇，在总结此前史学发展历史的基础上，提出了史学发展中的一些重要问题，可视为一篇史学批评史论纲，堪为中国史学批评初步发展阶段的标志性成果。

这时期在史学批评方面提出的主要概念和观念是：素心，信史，烦省，评论，以意为主、以文传意，以及由立典五志论演变而来的书契五善论（达道义，彰法式，通古今，表功勋，旌贤能）和注史四旨论（以补其阙，以备异闻，以惩其妄，有所论辩），等等。

第三阶段：中国古代史学批评的深入发展（隋唐时期）。唐初关注对以往众家晋史与南北朝时期所撰正史的批评，反映了在政治统一局面下历史撰述的新的要求，由此奠定了这一时期史学批评的宏大气势。《隋书·经籍志·史部》对十三类历代史书的评论，是中国史学批评史上最早的和最全面的总结；其史部大序对史官职责的表述，反映了史家对历史撰述的高度重视。关于“史才三长”学说的提出与“良史”观念的发展，增进了人们对史学主体的认识；关于治学宗旨的讨论，凸显了经世致用的史学思想；关于史注家的史学批评意识，在这个时期的《史记》注、《汉书》注和《后汉书》注中，均有所发挥。以上这几个方面，均可视为史学批评深入发展的表现。而作为最有代表性的标志性著作，则是刘知幾的《史通》一书。这部“其为义也，有与夺焉，有褒贬焉，有鉴诫焉，有讽刺焉”① 的书，是一部成系统的史学批评著作，也可以看作是一部提出了许多重要问题的史学理论著作。它的重要性可用一句话概括，这就是刘知幾同时代人徐坚说的：“居史职者，宜置此书于座右。”②

这一时期在史学批评方面提出的主要概念和观念有：直书，曲笔，鉴识，探赜，疑古，惑经，以及史学功用论，史才三长论（才、学、识），史之有例犹国之有法论，史之称美者以叙事为先论，史官辨职论，编年纪传论，师古与随时（稽古与随时）论，行状不实论，等等。

第四阶段：中国古代史学批评的兴盛（五代两宋时期）。从五代后晋开运二年（945）《旧唐书》面世，至宋仁宗嘉祐五年（1060）《新唐书》撰成刊行后，围绕两《唐书》、两《五代史》的修撰与比较而展开的史学批评，受到学人的关注。而《资治通鉴》的撰成则直接促进了史学批评的发展，不论是司马光的自述，还是宋神宗的评论，都产生了很大影响。由此“通鉴学”勃然兴起，朱熹、杨万里的相关评论又昭示了新的史书体裁，即纲目体、纪事本末体的出现。郑樵、李焘的史学批评，前者上承

① 刘知幾：《史通·自叙》，浦起龙《史通通释》本，上海古籍出版社2009年版，第271页。
② 刘昫等：《旧唐书》卷一〇二《刘子玄传》，中华书局1975年版，第3171页。

司马迁，后者接续司马光，进一步丰富了史学之“通”的观念。《册府元龟》国史部总序及各门小序，对史学的由来、社会功用、史官职责、作史原则、撰述流程中的种种情况等作了概括和评论，显示了类书中蕴含的史学批评思想，凸显出“史学事业”的新观念。晁公武称：“日夕躬以朱黄，雠校舛误。终篇，辄撮其大旨论之。”[①] 这是目录学家、文献学家之学术批评思想积累以至形成的艰辛历程。高似孙的《史略》一书，以重视评史书、论史学而显示出自身特色，表明了鲜明的史学批评意识。欧阳修不理会他人对其爱好金石学的嘲讽，坚持《集古录》的研究和撰述；而赵明诚《金石录序》进而申言，“盖史牒出于后人之手，不能无失，而刻词当时所立，可信不疑”，具有“考其异同”的作用；赵明诚夫人李清照在此书后序中写道，此书“是正讹谬，去取褒贬，上足以合圣人之道，下足以订史氏之失者，皆载之，可谓多矣”[②]。综上，类书、目录书和金石之学中包含的史学批评，是这时期史学批评的特点。宋代学人撰写了大量的史料笔记，其中多有自觉的补史意识和史学批评思想，是这时期史学批评走向兴盛的一个重要方面。宋代文学之士关注史学，通观其所批评，往往得失两存，但有胜于无，重在分析和判断。

这时期在史学批评方面提出的主要概念和观念有：公正，议论，记注，疏谬，不实，非才，法世，会通，以及信史论，史学

---

① 晁公武：《郡斋读书志》衢本序，孙猛《郡斋读书志校证》本，上海古籍出版社 2011 年版，第 15 页。

② 赵明诚：《金石录》，金文明《金石录校证》本，广西师范大学出版社 2005 年版，第 1、531 页。

源起论，良史“四足”论（明、道、智、文），纪事本末论，史法论，作史三原则论（事实、褒贬、文采），等等。

第五阶段：中国古代多民族史学发展与史学批评（辽夏金元时期）。中国是一个多民族国家，自秦汉起成为不断发展的统一的多民族国家。因地理条件、历史环境、文明进程的差别，各民族史学的发展迟速不一。由于文字的困难和文献的不足，我们对民族史学尚缺乏较深入的研究。本书第五卷凭借汉文的有关记载，试图在民族史学与史学批评领域作初步的研究，俾使这时期的史学批评占有其特定的位置。应当强调的是，这时期的史学批评既受中原文化的影响，也有各民族的文化基础。民族史学在史学思想、史学批评意识方面，或许在针对性和具体表述上存在一定的差异，但在本质上却是一致的。中国史学上的经典文献、著名史家以及史学观念和史学研究方法等，都是民族史学发展中的评论对象。《辽史・文学传上・萧韩家奴传》记：辽兴宗“又诏译诸书，韩家奴欲帝知古今成败，译《通历》《贞观政要》《五代史》”[①]。这里自然包含萧韩家奴对这些历史著作的评论。同书《列女传》记：“耶律氏，太师适鲁之妹，小字常哥。幼爽秀，有成人风。及长，操行修洁，自誓不嫁。能诗文，不苟作。读《通历》，见前人得失，历能品藻。”[②]《通历》是中唐晚期史家马总所撰的一部简明的编年体通史，耶律常哥读而又能“品藻”，说明对其有深刻的认识。《金史・世宗本纪中》记：“上谓

① 脱脱等：《辽史》卷一〇三《文学传上》，中华书局1974年版，第1450页。
② 脱脱等：《辽史》卷一〇七《列女传》，中华书局1974年版，第1472页。

宰臣曰：‘近览《资治通鉴》，编次累代废兴，甚有鉴戒，司马光用心如此，古之良史无以加也。’”[①] 同书《世宗本纪下》记：“上谓宰臣曰：‘朕近读《汉书》，见光武所为，人有所难能者。……此其度量盖将大有为者也，其他庸主岂可及哉。’”[②] 这里所记当指范晔《后汉书》所叙史事。金世宗对《资治通鉴》《后汉书》的评论当不止于此。《元史·仁宗本纪一》记：仁宗为皇太子时“有进《大学衍义》者”，仁宗认为“‘治天下，此一书足矣。’因命……刊行，赐臣下”。[③] 这个评论虽有些夸张，但表明了元仁宗对此书的重视。又，《元史·察罕传》记元仁宗同史官察罕有这样一段对话：

> 帝尝问张良何如人。对曰：“佐高帝，兴汉，功成身退，贤者也。”又问狄仁杰。对曰：“当唐室中衰，能卒保社稷，亦贤相也。”因诵范仲淹所撰碑词甚熟。帝叹息良久曰：“察罕博学如此邪！”尝译《贞观政要》以献。帝大悦，诏缮写遍赐左右。且诏译《帝范》。[④]

上文举出的几个实例，生动地反映出中国历史上的历史文化认同之思想传统的真实存在，同时也反映了与民族史学相关联的记述中史学批评思想的真实存在。

---

① 脱脱等：《金史》卷七《世宗本纪中》，中华书局 1975 年版，第 175 页。
② 脱脱等：《金史》卷八《世宗本纪下》，中华书局 1975 年版，第 202 页。
③ 宋濂等：《元史》卷二四《仁宗本纪一》，中华书局 1976 年版，第 536 页。
④ 宋濂等：《元史》卷一三七《察罕传》，中华书局 1976 年版，第 3311 页。

元初，马端临著《文献通考》，其《经籍考》多引“晁氏曰”“陈氏曰”，反映了对前人史学批评的重视。马端临对前人著述抱有宽厚、平实的态度，认为“编简浩如烟埃，著述自有体要，其势不能以两得也”，“时有古今，述有详略”。[①] 这是表明史书体裁不同和时代不同，著述亦自不同，不应苛求前人，显示出实事求是的史学批评方法论。

这时期在史学批评方面提出的主要概念和观念是：“史笔天下之大信”论，“宁可亡人之国，不可亡人之史”论，“自古帝王得失兴废，班班可考者，以有史”论，“事”与“道”关系论，文献论，“理”（义理、事理、文理）“情”（人情）评判标准论，“心术”为修史之本论，等等。

第六阶段：中国古代史学批评的拓展（明时期）。这时期的史学批评，从洪武元年（1368）明太祖朱元璋诏修《元史》，至明末朱明镐《史纠》面世，贯穿了整个明朝的历史。关于前朝正史的修撰与评论，由《元史》上溯元修三史、两《五代史》、两《唐书》，直至《史记》，显示出中国古代史学批评史之连续性的特点。关于修撰本朝史过程中的评论，既表明时人对史学认识的深入，也表明存在各种歧见。随着思想史研究的发展，辩证思维在史学批评领域也有突出的表现。王世贞论国史、野史、家史的得失可谓经典之论，凸显了中国古代史学批评在方法论上的成就。关于刘知幾《史通》的研究和评论在这时期形成第一个

① 马端临：《文献通考序》，中华书局 2011 年版，书首第 1 页。

高潮，而相关专书的问世，凸显了批评之批评的活力。与此相关的是多种有关史学批评、史学理论的文献整理汇编的成果涌现出来，以及对有关概念的讨论等。以上这几个方面，不仅可以使人们看到明代史学批评的开拓、进展，同时也可以使人们看到以往被长期忽略的一个积极的史学倾向：明代学人对理论的兴趣。正是这几个方面，使人们看到中国古代史学批评发展的前景。

在明代学人所编的目录书中，用“批评”一词冠以书名者，并不是偶然现象，如《批评后汉书》《批评自警编》[①]，前者是批评史书，后者应是就自我修养而作。

尤其值得关注的是，明朝末年，学人在书名上冠以“批评”一词的现象更为普遍。据明崇祯刻本张溥所著《历代史论》中，二编目录附《正雅堂古今书目》所载，冠以“批评”一词的书名有：

批评二十一史全部（嗣出）

批评仪礼经传集解

批评礼书乐书

批评文献通考

批评通志略

批评杜氏通典

① 参见祁承㸁：《澹生堂读书记》《澹生堂藏书目》，郑诚整理本，上海古籍出版社2015年版，第355、373页。

批评函史[①]

此外，还有与“批评”相类，但以“批论”或“评选”等为名的书目。

这些批评类书籍的出现在一定意义上并非偶然。在明代科举考试中，考试官须在试卷上写下批语以示去取。这些批语有时即称为“批评”。例如，史书记载，张居正诸子参加科考时，非但请人代考，而且“临场监试官又加意誊朱、分别式样，以授主司圈点批评，列置首卷”[②]。批评试卷成为当时普遍存在的现象。山西人孔天胤因“善批评试卷”[③] 而有所闻名。

或许正是这个原因，这些在书名上常有“批评”字样的书，在《明史·艺文志》中少有著录。尽管如此，前述书目表明，至迟在晚明至明末，学人在治学与撰述中，在书名上冠以“批评”一词，已经不是个别现象了。

这时期在史学批评方面提出的主要概念和观念有：“人恣”与“蔽真”、“人臆”与“失真”、“人谀”与“溢真”，史权，平心，公议，公实，笔正，历史评价无是非论，“经史一物”论，“六经皆史”论，评史著四旨论（据、实、慎、忠），史家修养五要素论（才、学、识、公心、直笔），“务成曩美，毋薄前修”论，等等。

---

① 张溥：《历代史论》二编目录附《正雅堂古今书目》，杭州大学图书馆藏明崇祯刻本。

② 魏允贞：《条陈救弊四事乞赐采纳以弘治道疏》，陈子龙等辑：《明经世文编》卷三八七，明崇祯平露堂刻本。

③ 李乐：《见闻杂记》卷一一，明万历刻、清修补本。

第七阶段：中国古代史学批评的集大成（清时期）。不论从成果上看，还是从思想上和理论上看，这都是中国古代史学批评的集大成时期。开一代学术风气的顾炎武，为有清一代的史学批评确定了新的起点；章学诚继续阐述“六经皆史”的观念，进一步打开了人们从史学的视角评论经书的思路；浦起龙的《史通通释》把《史通》研究推至新的高峰，在史学批评领域产生重大影响。四库馆臣所撰《四库全书总目》史部书“提要”包含了丰富的史学批评思想，值得认真发掘，合理继承。其“史评类”兼收历史评论与史学批评之书，这是需要厘清并分别进行研究的。这时期的考史名家各具风采：有的高擎“商榷”的旗帜，显露出批评的锋芒；有的则于平静和严谨的考史中，轻轻拂去前人著作中的讹误的“灰尘”，为的是显示出这些著作的“真”与“美”；有的则由疑古而批评，意在廓清古史书中的“迷雾”；有的则在考史和批评中，显露出历史理性精神，给治史者诸多启发。中国古代史学理论的集大成者章学诚提出了许多重要见解：以“史德”论补充刘知幾“史才三长”说；以“心术”论提醒治史者对历史的解释要保持在合理的范围之内；以“史意”同“史法”相对待，强调思想的重要；以“撰述”“记注”分史学两大“宗门”，表明“圆神”“方智”各有所长；以“通史家风”阐发中国史学“通古今之变”的传统；以“别识心裁”推重创新精神，显示出中国古代史学理论的多方面成就；等等。这时期，政论家、史论家、文章家和诗人龚自珍，站在通向近代历史之路的门槛，他的“欲知大道，必先为史”[①] 的庄严启示，可视为对中国古代史学成就及其功能最中肯的评论。

从整体的和发展的眼光来看，如果说刘知幾《史通》创造了史学批评的理论体系的话，那么清代的史学批评成就，则全面地、深入地把这一理论体系推进到一个新的阶段。

这时期在史学批评方面提出的主要概念和观念有：史德，史释，释通，通史家风，别识心裁，记注与撰述，史法与史意，尊史，以及“于序事中寓论断”论、“欲知大道，必先为史”论、“史者，垂于来今以作则”论、“史非一家之书，实千载之书，祛其疑，乃能坚其信”“指其瑕，益以见其美”论，等等。

中国古代史学的连续性发展为中国史学批评史提供了丰富的资料，中国古代史学批评史的存在又推动了中国史学的发展，也为中国古代史学理论的积累提供了思想遗产。中国史学就是在这种互动中不断开辟新的发展前景。

中国古代史学批评在其发展过程中，在不同阶段都会提出一些问题，而有些问题也可能是具有普遍性或规律性的，对于这些问题的研究与阐说，我们视之为横向上的会通。在许多问题中，下面这几个问题是比较重要的。

第一，史学批评作为一种史学现象，它产生的原因何在？刘知幾《史通·鉴识》篇认为“物有恒准，而鉴无定识”[②]，这着眼于批评的主体而言，说明不同的批评者对同一事物会有不同的

① 龚自珍：《龚自珍全集》第一辑《尊史》，上海古籍出版社1975年版，第81页。
② 刘知幾：《史通·鉴识》，浦起龙《史通通释》本，上海古籍出版社2009年版，第189页。

认识和评论；《史通·探赜》篇又说，“古之述者，岂徒然哉！或以取舍难明，或以是非相乱”[①]，这着眼于批评的客体而言，说明事物本身是复杂的，批评者面对复杂的事物难以确定取舍而作出是非判断。其《曲笔》篇着眼于主体，讲的是另外一些原因，主要指为史者的史风不正以致心术不正；其《采撰》篇着眼于客体，讲的也是另外一些原因，即“异辞疑事”本是客观存在。当然。不论着眼于主体的分析，还是着眼于客体的分析，或许还有更复杂的原因，这是史学批评研究者必须关注的；同样，对史学批评者的批评，也不能不顾及这些复杂的因素。

第二，怎样看待和分析史学批评主体提出问题的主要根源。如班彪、班固父子批评司马迁及其《史记》，是否根源于政治？唐太宗批评众家晋史，是否根源于社会？李大师、李延寿父子批评南北朝所修三部正史，是否根源于历史？刘知幾撰《史通》，把以往史学作为批评对象，是否根源于学术？柳宗元的《非国语》，是否根源于思想？这些原因之间存在怎样的联系？这是史学批评研究者不能不考虑并予以深究的。

第三，怎样看待史学批评的成果及其思想的社会意义、学术意义和理论意义。这是认识史学批评的本质所在，是史学批评史研究者需要运用自身的研究所得加以说明的。举例说来，自东汉以后，人们对司马迁《史记》的评论，如何影响中国人对自身历史的认识？《史记》对中国统一多民族国家的巩固、发展产生

---

① 刘知幾：《史通·探赜》，浦起龙《史通通释》本，上海古籍出版社2009年版，第194页。

了何等重要作用？司马迁提出的“究天人之际，通古今之变，成一家之言”的著史宗旨，对中国学术的发展具有怎样的学术意义和理论意义？等等。毋庸置疑，对于这些问题的深入阐释，史学批评的意义由此可以看得更加清楚。历史上的“汉书学”“通鉴学”及许多史学名著的批评史，都在不同程度上具有广泛的意义。中国古代史学批评史的研究，要努力发掘和阐说这方面的成果及其意义。

第四，怎样看待史学批评中出现的偏颇。如班彪、班固批评司马迁《史记》“是非颇缪于圣人”[①]。刘知幾《史通·古今正史》篇接受《北齐书·魏收传》的说法，认为魏收的《魏书》“世薄其书，号为‘秽史’”[②]，直至章学诚亦承此说。郑樵在力倡“会通之义”时，极力贬低断代为史，以至斥责班固是“浮华之士也，全无学术，专事剽窃”[③]。叶适《习学记言序目》批评司马迁破坏了古之“史法”，“古史学止于此矣”[④]。吴缜《新唐书纠谬》是为名作，其序文具有理论上的建树，但序文中批评《新唐书》“抵牾穿穴，亦已太甚”“修书之初，其失有八”[⑤]等，似有言过其实之嫌。张岱批评明代史学说：“有明一代，国史失诬，家史失谀，野史失臆，故以二百八十年，总成一诬妄之世界。”[⑥] 王鸣盛《十七史商榷》批评李延寿“学浅识陋”，所撰

① 班固：《汉书》卷六二《司马迁传》，中华书局1962年版，第2737-2738页。
② 刘知幾：《史通·古今正史》，浦起龙《史通通释》本，上海古籍出版社2009年版，第339页。
③ 郑樵：《通志总序》，见《通志二十略》，中华书局1995年版，第2页。
④ 叶适：《习学记言序目》卷一九《史记一》，中华书局1977年版，第264页。
⑤ 吴缜：《新唐书纠谬序》，《丛书集成初编》本，中华书局1985年版，第1页。
⑥ 张岱：《石匮书自序》，《琅嬛文集》，岳麓书社1985年版，第18页。

《南史》《北史》“疵病百出，不可胜言”，又说李延寿是“自谓于旧锦机中织出新花样”。[①] 王鸣盛还写了一篇很长的文章批评杜佑所撰《通典》，认为《通典》“既以刘秩书为蓝本，乃自序中只字不及，复袭取官书攘为己有，以佑之笔力，撰集非难，而又取之他人者若是之多，则此书之成亦可云易也”。又说：杜佑“所云‘辄肆荒虚，诚为亿度’者，佑每自蹈之”[②]，等等。类似这样的一些批评，从今天的学术观点看来，是否有偏颇以至错误之处？如有，则不仅需要指出错在哪里，还要指出何以会出现偏颇以致错误的。这就是说，不仅知其然，还要知其所以然，把主观的、客观的原因都考察明白，这样的史学批评史才近于史学发展的真实，才具有学术价值，才能给人以深刻的启示。

中国古代史学批评史上存在的问题不止于此，上面提到的几个问题是我们要多加关注，并力图给以清晰的阐说和中肯的评论的。我们在研究和撰述中，还会遇到其他的问题，均须根据本课题的宗旨和本书撰写的原则，具体问题具体分析，才可作出合理的论述。

三、研究的方法和研究的意义

任何一种科学研究，都应当重视研究的方法和研究的意义，

① 王鸣盛：《十七史商榷》卷五三“《新唐书》过誉南北史”条、卷六八“并合各代每一家聚为一传”条，上海古籍出版社2013年版，第630、914页。

② 王鸣盛：《十七史商榷》卷九〇“杜佑作《通典》”条，上海书店出版社2005年版，第817页。

方法是通向研究的目标并取得相应成果的途径。从一定意义上讲，方法的正确选择与始终坚持，是科学研究成功的关键。史学史研究如此，史学批评史研究也是如此。

说到研究方法的重要，这使我们想起1948年毛泽东致历史学家吴晗的一封信，信中针对吴晗所著《朱元璋传》写道：

> 大著阅毕，兹奉还。此书用力甚勤，掘发甚广，给我启发不少，深为感谢。有些不成熟的意见，仅供参考，业已面告。此外尚有一点，即在方法问题上，先生似尚未完全接受历史唯物主义作为观察历史的方法论。倘若先生于这方面加力用一番功夫，将来成就不可限量。[①]

信中用语很严谨，很讲究分寸，说“先生似尚未完全接受历史唯物主义作为观察历史的方法论”，说明《朱元璋传》的作者吴晗先生主观上开始关注历史唯物主义了，所以这里用了“尚未完全”，并在“完全”二字下方加了着重号。这封信给我们的启发是，如果能够自觉地运用“历史唯物主义作为观察历史的方法论”，在这方面多下功夫，那么在研究历史和研究史学方面，定能取得更大的进步和更好的发展。

历史唯物主义方法论对于历史研究具有重要的和广泛的指导意义。这里，我要强调两点，一是对历史的基本认识，二是把所

---

① 毛泽东：《致吴晗》（一九四八年十一月二十四日），中共中央文献研究室编：《毛泽东书信选集》，中央文献出版社2003年版，第284页。

研究的问题置于一定的历史范围内予以考察。

关于对历史的基本认识，恩格斯有这样一段论述：

> 正像达尔文发现有机界的发展规律一样，马克思发现了人类历史的发展规律，即历来为繁芜丛杂的意识形态所掩盖着的一个简单事实：人们首先必须吃、喝、住、穿，然后才能从事政治、科学、艺术、宗教等等；所以，直接的物质的生活资料的生产，从而一个民族或一个时代的一定的经济发展阶段，便构成基础，人们的国家设施、法的观点、艺术以至宗教观念，就是从这个基础上发展起来的，因而，也必须由这个基础来解释，而不是像过去那样做得相反。①

这就说明，人类的历史活动中第一位的是经济活动，上层建筑和意识形态都是在这个基础上得以建立和发展，因而也必须从经济活动的角度去加以解释。史学工作者不仅首先应当懂得这个道理，而且应当在这个理论指导下从事历史研究和史学活动。在这方面，侯外庐先生是我们学习的榜样，他在总结自己的治史道路和治史方法时，首先写道："从历史唯物主义观点来看，思想是存在的反映。历史从哪里开始，思想进程也应从哪里开始。因此，社会历史的演进与社会思潮的发展是相一致的。例如，西周的官学、春秋时代的搢绅之学、战国时代的诸子并鸣之学、两汉

① 恩格斯：《在马克思墓前的讲话》（1883 年 3 月 17 日），《马克思恩格斯文集》第三卷，人民出版社 2009 年版，第 1002 页。

的经学、魏晋的玄学、隋唐的佛学、宋明的理学、明清之际的早期启蒙思潮以及近代的各种社会思潮，都是和中国历史自身的演进相联系的。因此，我的具体方法是，在研究社会史的基础上，注重对社会思潮作比较全面的考察，力图把握社会思潮与社会历史的联系及其所反映的时代特点，进而研究不同学派及其代表人物的思想特色和历史地位。”[①] 概括说来，这段话的核心思想是指出思想史的研究应当以社会史研究为基础，这一方面是使思想史的研究有了社会基础，另一方面也能更好地说明不同历史时期的思想的特点。这是非常明确的和具体的以历史唯物主义方法论为指导，提出了中国思想史研究的方法和步骤。中国史学史、中国史学批评史研究，同样应当以对中国社会史的认识为基础；对于史学史、史学批评史的解释，也应当以对社会史的认识为主要依据。必须承认，史学史研究者和史学批评史研究者在这方面还应当下大功夫、用大气力，把研究工作不断向前推进，而本书的撰述就是一个很好的机会。

把所要研究的对象置于相应的历史范围之内进行考察，这是历史研究与史学研究实事求是的表现，是历史唯物主义方法论的原则之一，即“在分析任何一个社会问题时，马克思主义理论的绝对要求，就是要把问题提到一定的历史范围之内”[②]。简而言之，这个“绝对要求”，就是强调历史地看待历史的方法。就以中国史学批评史的研究来说，历史上的批评者们所批评的对

① 侯外庐：《侯外庐史学论文选集自序》（上），人民出版社 1987 年版，第 12 页。
② 列宁：《论民族自觉权》，《列宁全集》第二十五卷，人民出版社 1988 年版，第 229 页。

象，大多是历史上的存在；而史学批评史的研究者所研究的批评者，自亦都是历史上的存在。对于前一种“历史上的存在”，我们不能对当时的研究者提出“绝对要求”，此当毋庸置疑；而对于后一种“历史上的存在”，我们作为研究者就应当自觉地遵循这一“绝对要求”。这种区别，正是反映了“要把问题提到一定的历史范围之内”的原则。在这个问题上，马克思主义理论之所以提出“绝对要求”，是因为只有这样才能获得对历史真相至少是近于历史真相的认识；如果离开了这一“绝对要求”，其结果必然是脱离了认识历史真相的路径。史学批评史的研究只有把历史上的批评者置于其所在历史范围之内进行考察，才能获得真知。因此，对于“绝对要求”的“绝对”遵循，就是十分自然的事情了。

在历史唯物主义方法论的指导和运用前提下，我们还要借鉴前人提出来的有益的方法。如刘知幾重视体例而且善言体例，他强调说：“史之有例，犹国之有法。国无法，则上下靡定；史无例，则是非莫准。”[①]《史通》全书尤其是内篇，大多在论述史书的体例和修史的体例，在讲体例的过程中广泛地涉及史学的其他问题。史学批评史的研究也要重视体例：一是判断研究对象的体例和体例思想；二是要求我们自身在撰述中遵循既定的体例，既要关注局部的体例，也要关注局部之体例与全局之体例的协调及其一致性。总之，刘知幾的体例思想是应当借鉴的。此外，刘知

① 刘知幾：《史通·序例》，浦起龙《史通通释》本，上海古籍出版社2009年版，第81页。

幾提倡全面看问题的方法，也是值得借鉴的。刘知幾认为，历史撰述应坚持“爱而知其丑，憎而知其善，善恶必书，斯为实录”[①] 的原则。这种具有一定的辩证思维的方法，在史学批评领域的运用具有特殊的重要性，它是帮助史学批评史研究者避免走向武断和片面的忠诚“卫士”。

再如章学诚关于知人论世的思想和方法，同样是值得借鉴的。他举出人们所熟知的正统问题为例，说明处在不同时期的人，一般都会有当时的认识和处置的方法，这是研究者与批评者所必须注意的。他这样写道：

> 昔者陈寿《三国志》，纪魏而传吴、蜀，习凿齿为《汉晋春秋》，正其统矣。司马《通鉴》仍陈氏之说，朱子《纲目》又起而正之。“是非之心，人皆有之。”不应陈氏误于先，而司马再误于其后，而习氏与朱子之识力，偏居于优也。而古今之讥《国志》与《通鉴》者，殆于肆口而骂詈，则不知起古人于九原，肯吾心服否邪？陈氏生于西晋，司马生于北宋，苟黜曹魏之禅让，将置君父于何地？而习与朱子，则固江东南渡之人也，惟恐中原之争天统也。诸贤易地则皆然，未必识逊今之学究也。是则不知古人之世，不可妄论古人文辞也。知其世矣，不知古人之身处，亦不可以遽论其文也。身之所处，固有荣辱隐显、屈伸忧乐之不齐，而言

---

① 刘知幾：《史通·惑经》，浦起龙《史通通释》本，上海古籍出版社 2009 年版，第 374 页。

之有所为而言者，虽有子不知夫子之所谓，况生千古以后乎？圣门之论恕也，“己所不欲，勿施于人”，其道大矣。今则第为文人，论古必先设身，以是为文德之恕而已尔。[①]

章学诚的这一段论述，有事实、有分析，不仅指出了陈寿、司马光同习凿齿、朱熹在正统问题的认识上和处置上的不同，而且从历史环境的差异指出二者不同的原因。这样，就做到了不仅知其然而又知其所以然。章学诚把这种思想和方法概括为“论古必恕”。这就是我们前面已经说到的“要把问题提到一定的历史范围之内”。以马克思主义理论的“绝对要求”同中国史学批评史上名家的认识相结合，这个问题的重要性及其方法论意义显得越发清晰和易于理解。

历史是复杂的，史学批评的现象也是复杂的。这就要求我们在研究和撰述过程中，针对具体问题作具体的分析。比如：

——对同一批评对象有所肯定，有所否定。这种情况，在中国史学批评史上所见甚多，如班彪、班固父子评论司马迁《史记》，范晔评论班固《汉书》，都属于这种情况。从他们的批评中，对其肯定与否定之方方面面，都会激起人们的思考，不论赞成或不赞成这些肯定与否定，人们都会凭借自己的认识提出一些根据，这些认识和根据一旦写成文字，流传开来，又会引起更多的人的思考，从而促进了人们对历史、对史学的深入认识。在这

① 章学诚：《文史通义·文德》，叶瑛《文史通义校注》本，中华书局2014年版，第324-325页。

方面，刘知幾的《史通》和王鸣盛的《十七史商榷》，给人们提供了足够的思考空间。从整体面貌来说，这两部书在有所肯定也有所否定方面，显得很突出。如《史通·二体》篇论编年、纪传的长处和短处时，讲得很辩证；其《直书》《曲笔》则是对两种不同的作史态度进行分析；而《杂述》篇又对各种短书小说的文献价值作了全面的评论；等等。这些都给人以深刻的启示。刘知幾说他的《史通》是"商榷古今"，这种"商榷"的理念和态度是极可取的。王鸣盛的《十七史商榷》和赵翼的《廿二史札记》，都是在"正史"范围内进行商榷，是其所是，非其所非，给后人留下了许多启发和许多可以进一步研究、探索的问题。

——对同一批评对象中的缺点，作有根据的否定。这在史学批评现象中也是常见的，从史学史来看，吴缜的《新唐书纠谬》和《五代史纂误》可视为代表作。当然，这决不是说，吴缜的这两部书没有任何缺点，但总的来说，吴缜所"纠"之"谬"、所"纂"之"误"，大多可以成立，有一定的参考价值。

——对比较研究的对象作全面的、辩证的分析。如果说上一种史学批评方法给我们以某种警示，那么这里说的比较研究中的方法，则给我们以深刻的启示。明代史家王世贞比较国史、野史、家史的长短得失时，很客观地考虑到它们各自产生的条件，以及由于这种不同的条件使它们自身各具特点，并对此作了辩证的分析。这不仅在史学批评的方法论上给人们很大启发，而且在理论上也提出了很有价值的结论，至今仍有重要的参考意义。

当然，在史学批评中，也有一些不妥当的，甚至是错误的做法。比如：

有一种情况是，对比较的对象作绝对肯定与绝对否定的评价。比较研究，是开展史学批评的一个必要的和有效的方法。正确的态度，应当是对比较的对象作全面的分析，从而得到较公允的结论。在中国史学上，有的比较研究者，对比较的对象进行评价时陷于绝对肯定与绝对否定的境地，虽然在理论上也有所建树，但毕竟其运用的这种研究方法是一种片面的方法。如郑樵是一位很有成就的史学家，他的《通志二十略》具有重要的开创性意义。但是，我们注意到他那篇影响极大的《通志总序》，对司马迁《史记》作绝对的肯定，对班固《汉书》作绝对的否定，在比较研究的方法上，以及对评论对象的全面认识上，都给人留下了不少遗憾。

还有一种情况是，对同一评论对象从整体上作无根据的全部否定。这在史学批评上也时有所见。北齐魏收《魏书》被斥为“秽史”，唐太宗全部否定当时所见十八家晋史，明代学人不满本朝史学以至于说明朝无史学，等等，都应作具体分析。

这里，还有必要提到章学诚关于“文辞”的见解，尽管这并不是一个直接涉及治史的方法问题，但多少还是和方法有一定的联系。章学诚认为：“文辞非古人所重，草创讨论，修饰润色，固已合众力而为辞矣。期于尽善，不期于矜私也。”① 章学

① 章学诚：《文史通义·说林》，叶瑛《文史通义校注》本，中华书局1994年版，第347页。

诚引用春秋时期郑国大夫子产等人重视文辞而共同努力的典故,[①] 所以说这是“期于尽善,不期于矜私”。换言之,孔子说到这件事,正是肯定子产等人的“合众力而为”所带来的成功。这是不是也可视为重视文辞的一种表现?尤其是志同道合的一个群体对同一领域进行研究,其著述真正做到了“合众力而为辞”,同样是值得称道的。而“期于尽善”正是大家共同努力的目标。

进而言之,在中国史学上,“文辞”为古人所重而又期于“矜私”者,并非无人。历来认为,班固是极重文辞的史学家,他认为自己所著《汉书》具有“函雅故,通古今,正文字,惟学林”[②] 的特点,就含有重文辞的因素。《后汉书》作者范晔也是重“文辞”的史学家,他自称“吾杂传论,皆有精意深旨,既有裁味,故约其词句”[③]。范晔的这几句话,当是也包含着讲究“文辞”的意蕴。班、范在这方面的成就,在以下叙述的事实中可以得到证明,即南朝梁人萧统在《文选》序中特意讲道:“至于记事之史,系年之书,所以褒贬是非,纪别异同,方之篇翰,亦已不同。若其赞论之综缉辞采,序述之错比文华,事出于沉思,义归乎瀚藻,故与夫篇什。”[④] 萧统在《文选》的卷四十九和卷五十专设“史论上”和“史论下”,分别收入班固的《汉书·公孙弘传》赞一首,干宝的《晋武帝革命论》一首、《晋

---

① 参见《论语·宪问》,杨伯峻《论语译注》本,中华书局 1958 年版,第 154 页。
② 班固:《汉书》卷一〇〇《叙传》,中华书局 1962 年版,第 4271 页。
③ 沈约:《宋书》卷六九《范晔传》,中华书局 1974 年版,第 1830 页。
④ 萧统编:《文选》,李善注本,中华书局 1977 年版,第 2 页。

纪》总论一首，范晔《后汉书·皇后纪》论一首（以上“史论上”），以及范晔《后汉书》“二十八将传论”一首、《宦官传》论一首、《逸民传》论一首，沈约《宋书·谢灵运传》论一首、《恩倖传》论一首，班固《汉书》述《高祖纪》赞一首、述《成纪》赞一首和述“韩、彭、英、卢、吴传”赞一首，范晔《后汉书·光武纪》赞一首。[①] 这不仅表明萧统对“史论”的重视，也包含他对所收入之论、赞的欣赏。近代学人如鲁迅称赞《史记》是“史家之绝唱，无韵之离骚”[②]，梁启超感叹司马光《资治通鉴》把历史写得“飞动”起来[③]，都是大家所熟知的评论。如此看来，章学诚说的“文辞非古人所重”的论断，似非确论。

20世纪70年代末，白寿彝先生主编《中国通史纲要》一书，对文字表述提出一个总的原则：平实。而平实的具体要求是：明白、准确、凝练。明白是基础，准确是关键，凝练是提高。[④] 可以认为：一个学术群体，可以尝试以平实为风格，以明白、准确、凝练为要求，在史学著作的文字表述上，探索一条“合众力而为辞”的新路径。

在中国史学批评史上，还有一种现象也是值得关注的，这就是史学批评者的历史命运及身后影响。如刘知幾撰《史通》，有

---

① 萧统编：《文选》，李善注本，中华书局1977年版，第686–707页。

② 鲁迅：《汉文学史纲要》，见《鲁迅全集》第九卷，人民文学出版社1981年版，第420页。

③ 梁启超：《中国历史研究法补编》，《饮冰室合集》专集之九十九，中华书局1989年版，第27页。

④ 参见瞿林东：《白寿彝与二十世纪中国史学》，高等教育出版社2012年版，第339页。

人“深重其书”，认为“居史职者，宜置此书于座右”[①]。而唐末人柳璨则认为“刘子玄所撰《史通》讥驳经史过当”，于是“纪子玄之失，别为十卷，号《柳氏释史》，学者伏其优赡”。时人“以其博奥，目为‘柳箧子’”[②]。《旧唐书》作者如此称赞柳璨，自亦影响对刘知幾的评价，说刘知幾“工诃古人而拙于用己”[③]就是“顺理成章”的事情了。然而，经过明代学者郭孔延撰《史通评释》、王惟俭撰《史通训故》和清代学者浦起龙撰《史通通释》，《史通》的学术地位经过学术史的检验而逐步得到提高，为学界所认可。

再如柳宗元著《非国语》，目的在于“救世之谬”。他在《非国语序》中写道：“余惧世之学者溺其文采而沦于是非，是不得由中庸以入尧舜之道，本诸理作《非国语》。”[④]然而，《非国语》问世后，既有人反其道而行之作《是国语》[⑤]，更有人针锋相对地作《非〈非国语〉》。如宋人江惇礼撰《〈非国语〉论》，苏轼表示赞同说：“鄙意素不然之，但未暇为书尔。”[⑥]元人虞集之弟槃“尝读柳子厚《非国语》，以为《国语》诚非，而柳子之说亦非也，著《非〈非国语〉》”[⑦]。这些，反映了宋元

① 刘昫等：《旧唐书》卷一〇二《刘子玄传》，中华书局1975年版，第3171页。
② 刘昫等：《旧唐书》卷一七九《柳璨传》，中华书局1975年版，第4669-4670页。
③ 欧阳修、宋祁：《新唐书》卷一三二《刘知幾传》，中华书局1975年版，第4542页。
④ 柳宗元：《柳河东集》卷四四，上海人民出版社1974年版，第746页。
⑤ 脱脱等：《宋史》卷二〇二《艺文志一·春秋类》著录：“叶真《是国语》七卷”，中华书局1977年版，第5058页。
⑥ 苏轼：《与江惇礼秀才》，见张志烈等主编：《苏轼全集校注·文集八》第十七册，河北人民出版社2010年版，第6264页。
⑦ 脱脱等：《元史》卷一八一《虞集传附虞槃传》，中华书局1976年版，第4182页。

学人对《非国语》的指摘。

明人黄瑜在其《双槐岁钞》一书中，归纳上述史事，作《非〈非国语〉》小札，写道：

> 宋刘章尝魁天下，有文名，病王充作《刺孟》、柳子厚作《非国语》，乃作《刺〈刺孟〉》《非〈非国语〉》。江端礼亦作《非〈非国语〉》。东坡见之曰："久有意为此书，不谓君先之也。"元虞槃亦有《非〈非国语〉》，是《非〈非国语〉》有三书也。同邪异邪，岂绍述而剿取之邪？求其书，不可得，盖亦罕传矣。今以子厚之书考之，大率辟庸蔽怪诬之说耳，虽肆情乱道时或有之，然不无可取者焉。[①]

黄瑜一方面说柳宗元《非国语》"大率辟庸蔽怪诬之说"，另一方面又说《非国语》"肆情乱道时或有之"，但他毕竟承认《非国语》"不无可取者"，比前人已进了一步。

著名历史学家侯外庐先生就《非国语》中的一篇《三川震》的理论价值写道：

> 柳宗元不仅肯定"天地"为物质的自然存在，而且在自然运动问题上提出了"自"的观点，即自然自己运动的观点。……

① 黄瑜：《双槐岁钞》卷六，中华书局 1999 年版，第 122 页。按：江端礼疑为江惇礼之误。

> 按“自”这一范畴，取之于道家，王充以来的旧唯物主义者对它作了唯物主义改造，以与“天”意的“故”作（有目的有意志的最初推力）对立起来。柳宗元的这种自然自己的运动观，更含有朴素辩证法因素。在自然界运动的根源问题上，他继承并发展了王充的传统，肯定无穷的阴阳二气在宇宙间不断运动，必然呈现出各种形态（如“动”与“休”、“峙”与“流”等等），它们并不受任何意志力的支配，而是“自动自休，自峙自流”，“自斗自竭，自崩自缺”，这八个“自”的四对命题是超越前人的理论。[①]

这是从思想史上对柳宗元所提出的“自”的范畴之极高的评价，也在一定程度上对柳宗元《非国语》在中国古代思想史和史学批评史上的地位作了明确的肯定。

上述事例表明，史学批评家的“历史命运”往往是曲折多变的。但史学批评史确也表明，凡有价值的史学批评，终究是站得住的，是有生命力的。

四、探索学科话语体系的构建

在本书的撰述过程中，我们要努力探索在唯物史观指导下，为中国史学批评史话语体系的构建作知识上和理论上的积累。

① 侯外庐：《柳宗元哲学选集》序，中华书局香港分局1976年版，书首。

首先，是如何对待中国史学遗产问题，这是首要问题。其中道理很简单，因为是讲的中国史学批评史，其话语体系构建的基本素材、内容、概念体系自亦建立在中国史学遗产的基础之上。早在八十多年前，毛泽东在《中国共产党在民族战争中的地位》一文中强调指出：

> 学习我们的历史遗产，用马克思主义的方法给以批判的总结，是我们学习的另一任务。我们这个民族有数千年的历史，有它的特点，有它的许多珍贵品。对于这些，我们还是小学生。今天的中国是历史的中国的一个发展；我们是马克思主义的历史主义者，我们不应当割断历史。从孔夫子到孙中山，我们应当给以总结，承继这一份珍贵的遗产。这对于指导当前的伟大的运动，是有重要的帮助的。①

毛泽东是在全面抗日战争初期民族危机深重的历史条件下写下的这段话。今天，在中华民族走向伟大复兴的征程中，我们重温这段话，更加深刻地领会到毛泽东的高瞻远瞩和对中华民族前途的坚定信念。从毛泽东的上述论点来看，重视史学遗产的研究，应是中国史学批评史话语体系构建中的第一个层面，没有这个层面的研究，则上述构建云云，说得严重一点，也只能是纸上谈兵。

---

① 毛泽东：《中国共产党在民族战争中的地位》，《毛泽东选集》第二卷，人民出版社 1991 年版，第 533–534 页。

其次，从史学遗产研究中揭示或提炼出与相关学科密切联系的概念和观念，是构建该学科话语体系的重要环节。马克思主义认为：

……概念、判断和推理的阶段，在人们对于一个事物的整个认识过程中是更重要的阶段，也就是理性认识的阶段。认识的真正任务在于经过感觉而到达于思维，到达于逐步了解客观事物的内部矛盾，了解它的规律性，了解这一过程和那一过程间的内部联系，即到达于论理的认识。重复地说，论理的认识所以和感性的认识不同，是因为感性的认识是属于事物之片面的、现象的、外部联系的东西，论理的认识则推进了一大步，到达了事物的全体的、本质的、内部联系的东西，到达了暴露周围世界的内在的矛盾，因而能在周围世界的总体上，在周围世界一切方面的内部联系上去把握周围世界的发展。

这种基于实践的由浅入深的辩证唯物论的关于认识发展过程的理论，在马克思主义以前，是没有一个人这样解决过的。马克思主义的唯物论，第一次正确地解决了这个问题，唯物地而且辩证地指出了认识的深化的运动，指出了社会的人在他们的生产和阶级斗争的复杂的、经常反复的实践中，由感性认识到论理认识的推移的运动。①

① 毛泽东：《实践论》，《毛泽东选集》第一卷，人民出版社1991年版，第285-286页。

这是马克思主义关于人的认识发展的科学的、精辟的论说。我们的先人不可能达到这样的认识高度，但从人的认识发展规律来看，他们也会自觉或不自觉地提出一些概念和观念，而后人则可根据这些概念和观念并结合自身所处的时代，考察这些概念和观念是怎样被提出来的，这些概念和观念是在怎样的程度上反映了那个时代的社会状况和人们的思想面貌的。

如《左传·宣公二年》记："赵穿攻灵公于桃园。宣子未出山而复。大史书曰：'赵盾弑其君。'以示于朝。宣子曰：'不然。'对曰：'子为正卿，亡不越竟，反不讨贼，非子而谁？'宣子曰：'呜呼！《诗》曰：我之怀矣，自诒伊戚。其我之谓矣。'孔子曰：'董狐，古之良史也，书法不隐。赵宣子，古之良大夫也，为法受恶。惜也，越竟乃免。'"[①] 从史学批评史的视角来看，这一记载中提出的重要概念，一是"良史"，一是"书法不隐"。这两个概念在中国史学史上有很大影响。但是，人们对这两个概念被提出来的历史背景却讨论得不多，以至于产生了种种歧义：有的观点认为，孔子只是表彰董狐"书法不隐"，并未称赞赵盾；有的观点认为，赵盾本是杀死晋灵公的幕后指挥与同党，不应受到赞扬；还有的观点认为，赵盾的罪名不论其"越境"与否，都是免不了的，《左传》这种记载表明《左传》作者见识的低下。[②] 笔者甚至还曾见过一篇未刊稿，认为董狐是在曲笔记载史事，因为赵盾并未"弑君"。上述诸多歧见的出现，多

---

① 《左传·宣公二年》，杨伯峻《春秋左传注》本，中华书局 1981 年版，第 662–663 页。

② 参见傅隶朴：《春秋三传比义》，中国友谊出版公司 1984 年版，第 151–154 页。

是因为没有对这一事件发生的时代及其特点作出考察，而是就事论事。其实，只要把这一事件放到它所处的春秋时期加以考察，董狐、赵盾、孔子的言行，都可迎刃而解，而这个“刃”就是“礼”。“礼”是当时的社会伦理准则，在“礼”的笼罩之下，董狐反驳赵盾的话是合于“礼”的，孔子赞扬董狐“书法不隐”也是合于“礼”的，孔子惋惜赵盾“为法受恶”则是从另一个角度来维护“礼”的。总之，把《左传》的这一记载置于当时历史条件下来看，自然是合理的。准此，则对于孔子提出的“良史”和“书法不隐”这两个概念就应作历史的看待。这从后人对司马迁的评价中可以看出有关概念内涵的变化。《汉书·司马迁传》记：“然自刘向、扬雄博极群书，皆称迁有良史之材，服其善序事理，辨而不华，质而不俚，其文直，其事核，不虚美，不隐恶，故谓之实录。”① 这里说的“良史”，包含了多种因素，已不同于“礼”笼罩下的“良史”；这里说的“其文直，其事核”等，也不同于“礼”笼罩下“书法不隐”所记载的史事。

然而，问题在于，上述概念在古人那里往往是模糊的，如《周书·柳虬传》记史官柳虬上疏写道：“古者人君立史官，非但记事而已，盖所以为监诫也。动则左史书之，言则右史书之，彰善瘅恶，以树风声。故南史抗节，表崔杼之罪；董狐书法，明赵盾之愆。是知直笔于朝，其来久矣。”② 又如刘知幾《史通·直书》篇写道：“如董狐之书法不隐，赵盾之为法受屈，彼我无

---

① 班固：《汉书》卷六二《司马迁传》，中华书局1962年版，第2738页。

② 令狐德棻：《周书》卷三八《柳虬传》，中华书局1971年版，第681页。

忤，行之不疑，然后能成其良直，擅名今古。”“若南、董之仗气直书，不避强御；韦、崔之肆情奋笔，无所阿容。”[①] 文中还有“征诸直词”“务在审实”等说法。由此可以看出，不论是柳虬还是刘知幾，对于“董狐书法”或“书法不隐”与“直笔于朝”或“征诸直词”之间的界限是模糊不清的。

上述事例表明，概念和观念是重要的，但只有考察清楚它们产生于或应用于一定时代的史学研究与社会条件时，才能显示出其重要性。正因为如此，学科话语体系的构建是一个艰难的过程，也是一个绕不过去的“关口”。

再次，对史学批评史上有关的概念、观念作创造性的转化和创新性的发展，使之构建成合理的体系。[②] 为此，要努力做好两件事。

第一，研究和阐述有关概念、观念提出的社会条件与历史根源。马克思、恩格斯指出：“不是意识决定生活，而是生活决定意识。”[③] 如上所述，对于相同概念、观念应用于不同的历史条件与社会环境，其内涵往往有所不同，故必须研究、阐述清楚，使之有可能进入相关的概念或观念体系。对于不同历史条件和社会环境下提出的概念或观念，自应作同样的研究和阐述，并关注此概念或观念与彼概念或观念的关系，以丰富概念或观念的体系构成。

第二，根据唯物史观关于人的认识发展规律和基本原理，重

---

① 刘知幾：《史通·直书》，浦起龙《史通通释》本，上海古籍出版社2009年版，第179、180页。

② 参见习近平：《在哲学社会科学工作座谈会上的讲话》，《人民日报》2016年5月19日。

③ 马克思、恩格斯：《德意志意识形态》，《马克思恩格斯文集》第一卷，人民出版社2009年版，第525页。

点考察中国史学批评史上那些具有某种合理因素的概念、观念，对其作出合理的解释，使之焕发出新的生命力。如前述刘知幾引用前人的观点用以评论史书，指出："夫史官执简，宜类于斯。苟爱而知其丑，憎而知其善，善恶必书，斯为实录。"[①] 这是包含了朴素辩证思想的观念。又如杜佑在评论前人的有关争论时，强调不可"将后事以酌前旨"，认为那是"强为之说"的做法。[②] 这是包含了历史地看待历史的思想，可以看作朴素的历史主义观念。再如章学诚在讲到历史撰述如何处理"天"与"人"的关系时，这样写道："盖欲为良史者，当慎辨于天人之际，尽其天而不益以人也。尽其天而不益以人，虽未能至，苟允知之，亦足以称著述者之心术矣。而文史之儒，竞言才、学、识，而不知辨心术以议史德，乌乎可哉?"[③] 这可以看作是怎样处理历史撰述中史学家的主观意识与客观历史的关系，而其核心是尽可能反映客观（尽其天）又尽可能不加入人的主观（不益以人）；同时章学诚又指出，尽管达不到这样的境界，只要努力这样去做，也可以说是懂得著述的要求了。只有做到这种程度，才可称为史德。章学诚的这个观念，用今天的话来说，就是如何理解和处理历史撰述中的主、客体关系。

上述这些事例，在不同程度上都具有一定的合理因素，也都可以在唯物史观指导下给予合理的阐述，使其融入当今的史学研

---

① 刘知幾：《史通·惑经》，浦起龙《史通通释》本，上海古籍出版社2009年版，第374页。
② 参见杜佑：《通典》卷三一《职官十三·王侯总序》，中华书局1988年版，第850页自注。
③ 章学诚：《文史通义·史德》，叶瑛《文史通义校注》本，中华书局2014年版，第258页。

究而获得新的生命力。

准此，如果我们在上述几个层面用大气力、下大功夫，并不断取得成就，即是为创新性发展打下坚实的基础。

应当着重说明的是，概念和观念固然是学科话语体系构建中不可缺少的要素，但我们在认识、解说、运用它们的时候，应当用学科发展的历史以至社会发展的历史加以说明，而不是用它们来说明学科发展的历史以至社会发展的历史。这样，就可避免一种理论上的错误，即恩格斯所批评的那样："不是概念应当和对象相适应，而是对象应当和概念相适应了。"[①] 在中国史学批评史上，刘知幾认为司马迁《史记》为项羽立本纪、为陈涉立世家不合于体例，即意在历史应当适应于体例，而不是体例应当适应于历史，就是类似这种理论上的错误。同时，我们还应当关注恩格斯提出的如下这一观点，即："从我们接受了进化论的时刻起，我们关于有机体的生命的一切概念都只是近似地与现实相符合。"[②] 这里，恩格斯说的是自然科学方面的问题，在哲学社会科学领域也可以作为参考。如在中国史学批评史上很早就出现了"信史""实录"这样的概念，它们反映了中国史学求真的优良传统，但若以此为依据，认为"信史"绝无错误，"实录"绝无不实之处，这就过于绝对了；反之，如若发现"信史"也有错误记载、"实录"也有不妥之处，就认为无"信史""实录"可

① 恩格斯：《反杜林论》，《马克思恩格斯选集》第三卷，人民出版社2012年版，第473页。
② 恩格斯：《恩格斯致康拉德·施米特》（1895年3月12日），《马克思恩格斯选集》第四卷，人民出版社2012年版，第668页。

言，这就走向历史虚无主义了。可见，对于类似这样的概念，应持有合理的认识和批判。总之，学科话语体系构建，既要大胆探索，又必须谨慎推进。

*　　　　*　　　　*

关于中国史学批评史的研究，现在尚处于起步阶段，我们的认识水平，也处于起步阶段，尤其是史学批评史研究的历史意义、社会意义、学术意义和理论意义，我们现在只有一点粗浅的认识，它的深刻的意义和重要价值，都有待于进一步的发掘、梳理和阐述。一方面我们在研究中要注意从宏观上把握史学批评的大势和发展中提出的重大问题，另一方面也要重视对于个案的分析判断。这样可以使全局同局部相联系、宏观与微观相联系，庶几写出一部比较深入的中国史学批评史。

2017 年 8 月初稿

2019 年 6 月改定

目　录

前　言 …… 1
一、时代特点与史学面貌 …… 1
二、概说史学批评的深入 …… 8

第一章　史学批评推动正史撰述 …… 13
第一节　隋文帝诏命魏澹重撰北魏史 …… 14
一、魏澹《魏书》对魏收《魏书》的改变 …… 14
二、魏澹《魏书》的“义例” …… 16
三、魏澹对史书“立论”的批评 …… 20
第二节　唐高祖《修六代史诏》的宏大格局 …… 30
一、唐高祖《修六代史诏》的历史价值取向 …… 30
二、《修六代史诏》的宏大格局 …… 33
三、“五代史纪传”的批判色彩 …… 35
第三节　唐太宗的史学批评锋芒与新修《晋书》 …… 37

一、唐太宗对前史的评论 …… 37
二、唐太宗《修晋书诏》批评众家晋史 …… 42
三、新修《晋书》是一部怎样的晋史 …… 49
第四节　李大师的史学批评与李延寿的追终先志 …… 53
一、李大师对南北朝所修正史的批评 …… 53
二、李延寿追终先志撰《南史》《北史》 …… 56
三、《南史》《北史》的大一统思想 …… 58

第二章　《隋书·经籍志》史部诸序与史学批评史雏形的出现 …… 63

第一节　广阔的史学批评空间 …… 63
一、"四部"书的由来 …… 63
二、《隋书·经籍志》总序的批判色彩 …… 67
三、史部十三类史书的构成与史学批评的广阔空间 …… 71
第二节　关于正史渊源与传承的评论 …… 79
一、正史渊源与评论 …… 79
二、关于《汉书》的评论 …… 83
第三节　评古史、杂史、霸史 …… 91
一、古史、杂史、霸史产生的原因 …… 91
二、古史的史学价值 …… 95
三、关于杂史特点的评论 …… 99
四、霸史的意义 …… 102
第四节　评杂传、谱系的社会性 …… 106
一、评杂传的社会性 …… 106

二、评谱系篇之社会性及其历史影响 …………………………………… 110
第五节　地理书及其他各篇的批评 ………………………………… 116
一、评地理与社会、民生的关系 ………………………………………… 116
二、《隋志》史部关于其他各篇的批评 ………………………………… 121

第三章　刘知幾的史学批评与史学自身体系的构成………… 125
第一节　关于史学批评 ……………………………………………… 126
一、刘知幾史学批评思想的渊源 ………………………………………… 126
二、史学批评的必要性、方法和目的 …………………………………… 130
第二节　评史学渊源、流别与史学功用………………………… 133
一、论史书的渊源流别 …………………………………………………… 133
二、评史学功用 …………………………………………………………… 139
第三节　史书编著批评论 …………………………………………… 141
一、评纪传体史书的体例和内容 ………………………………………… 141
二、评编撰方法 …………………………………………………………… 145
三、评史书撰述的原则和史文表述 ……………………………………… 148
第四节　史官建置批评论 …………………………………………… 157
一、评史官价值 …………………………………………………………… 157
二、评史官历史 …………………………………………………………… 159
三、评史官的品德、职责与社会贡献　 ………………………………… 163

第四章　杜佑和柳宗元的史学批评思想………………………… 167
第一节　杜佑《通典》史论的史学批评特色…………………… 167
一、《通典》的主旨与李翰的《通典》评论 ……………………………… 167

二、《通典》史论的多层次区分及其内涵 …………………………… 172
三、《通典》史论的史学批评特色 …………………………………… 179
四、杜佑论史学批评的原则 …………………………………………… 184
第二节　柳宗元的史学批评思想 ………………………………………… 187
一、柳宗元《非国语》的主旨 ……………………………………… 187
二、柳宗元《非国语》提出的问题 ………………………………… 189
三、柳宗元之史官论的史学批评思想境界 ………………………… 197

第五章　“良史”观和“三长”说与史家主体批评论 …… 202
第一节　史学发展需要“史才”与“良史” …………………………… 203
一、“良史”的由来及其含义 ……………………………………… 203
二、重视史官的选拔与任用 ………………………………………… 213
三、《晋书》卷八十二提升史学家的自身地位 …………………… 220
第二节　“史才三长”说的提出及其理论意义 ……………………… 226
一、“良史”难得之忧 ……………………………………………… 226
二、为何“文士多而史才少”？ …………………………………… 228
三、刘知幾“史才三长”说的理论意义 …………………………… 231
第三节　关于史书体裁的辩难和“良史”观的新发展 ……… 236
一、关于编年、纪传优劣的辩难 …………………………………… 236
二、唐代史家对“良史”的种种表述 ……………………………… 243

第六章　史注家的史学批评意识 ……………………………… 252
第一节　史注家提出的问题 ……………………………………………… 252
一、颜师古《汉书叙例》提出的问题 ……………………………… 252

二、《后汉书》李贤注的学术传统和现实关怀 …………………… 258
三、司马贞、张守节提出的问题 …………………………………… 264
第二节 “两汉书”注与史学批评 ………………………………… 269
一、隋唐之际的“汉书学” ………………………………………… 269
二、《汉书》颜师古注中的史学批评 ……………………………… 277
三、《后汉书》李贤注中的史学批评 ……………………………… 290
四、“两汉书”注史学批评之比较 ………………………………… 294
第三节 《史记》注与史学批评 ………………………………… 300
一、“史记学”在唐代的兴起 ……………………………………… 300
二、《史记索隐》《史记正义》中的史学批评 …………………… 302
三、《史记索隐》《史记正义》史学批评的特点与联系 ………… 316

第七章 诸多领域史学批评的广泛展开……………………… 320
第一节 正史撰述史与史学批评 ………………………………… 320
一、刘知幾关于古今正史的批评 …………………………………… 320
二、魏收《魏书》评价的一桩史学公案 …………………………… 329
三、关于《史记》的批评 …………………………………………… 335
第二节 《唐会要》所载史学批评事例 ………………………… 341
一、评史官修史态度及其利弊得失 ………………………………… 341
二、评修史所据文献与史书体例 …………………………………… 348
三、评帝王不亲览起居注 …………………………………………… 355
第三节 杂史、笔记与史学批评 ………………………………… 359
一、史学意识与史学批评意识 ……………………………………… 359
二、评史家、史书 …………………………………………………… 365

三、评学术之史与专门之学及世风与文风 …………………………… 369

结　语 ………………………………………………………………… 375

主要参考文献 ………………………………………………………… 380

索　引 ………………………………………………………………… 387

前　言

一、时代特点与史学面貌

隋文帝开皇九年（589），隋南下灭陈，统一全国。唐继隋而起并有更大发展。隋唐皇朝是继秦汉之后又一个蝉联的大一统皇朝。隋朝短祚，只存在三十多年，但它结束了自三国以来近三百七十年的分裂割据局面（其间只有西晋的短期统一），重建盛大的政治统一气象，在经济、文化、对外交往等方面都取得新的成就，对中国历史发展作出了重大贡献。在隋末动乱中建立的唐皇朝，继承了隋朝的统一事业，并把这一盛大气象发展到前所未有的高度。从唐太宗的“贞观之治”到唐玄宗的“开元盛世”，经过近百年的持续发展，唐皇朝成为当时亚洲以至于世界上最为繁盛的国度。唐玄宗天宝末年（755）爆发的“安史之乱”，重挫了唐皇朝发展的势头，使其在中晚期呈现出衰落的趋势。宦官专权、朋党之争、藩镇割据成为晚唐政治的三个赘瘤，终于导致唐末大乱。唐哀帝天祐四年（907），藩镇朱温废帝自立，国号梁，唐朝灭亡。

从公元589年至公元907年的三百一十九年中，隋唐时期的史学尤其是唐朝的史学，取得了许多新的成就，其中有的成就是前所未有的、开创性的，在中国史学发展史上占有突出的地位。

隋代的史学在前朝史撰述和本朝史撰述方面，都有所开展，如李德林撰《齐史》，[①] 王劭著《齐书》（亦作《齐志》）并与辛德源、刘炫、王孝籍、刘焯等同修隋史，[②] 魏澹著《魏书》，[③] 牛弘作《周史》（亦作《周纪》），[④] 许善心著《梁书》，[⑤] 等等。这些撰述涉及的朝代有南朝齐、梁、陈和北朝北魏、北齐、北周以及隋七个朝代。然而这些撰述大多没有完成，即使有的撰述已成完帙，如魏澹《魏书》，但在唐初以后也逐渐散佚。

在中国古代，地理书是归属于史书范围的。隋代学人在有关本朝地理方面的撰述是有所作为的，写出了《隋区宇图志》一百二十九卷、《隋诸州图经集》一百卷、《隋诸郡土俗物产》一百五十一卷、《隋西域图》三卷等，[⑥] 显示出统一多民族国家辽阔的疆域。

但是，隋朝在史学上的成就毕竟是有限的，这是因为：第

---

① 魏徵等：《隋书》卷四二《李德林传》，中华书局1973年版，第1208页。

② 分别见魏徵等：《隋书》卷六九、五八、七五，中华书局1973年版，第1605、1422、1719、1724页。

③ 魏徵等：《隋书》卷五八《魏澹传》，中华书局1973年版，第1417页。

④ 魏徵等：《隋书》卷三三《经籍志二》，中华书局1973年版，第956页。

⑤ 魏徵等：《隋书》卷五八《许善心传》，中华书局1973年版，第1429–1430页。

⑥ 魏徵等：《隋书》卷三三《经籍志二》，中华书局1973年版，第987页。

一，隋朝短祚，加上没有宏观上的考虑和设计，难得有显著成就。第二，隋朝史家有的来自北齐、北周，有的来自南朝陈朝，难以形成关系密切的群体，加之并无共同的撰述目标，难以产生有影响的史学成果。第三，朝廷禁止私家撰集国史、臧否人物的举措产生了消极影响。开皇十三年（593），隋文帝下诏："人间有撰集国史、臧否人物者，皆令禁绝。"① 由北齐入北周继而入隋的史官王劭就遭遇到有关的经历："高祖受禅，授著作佐郎。以母忧去职，在家著《齐书》。时制禁私撰史，为内史侍郎李元操所奏。上怒，遣使收其书，览而悦之。于是起为员外散骑侍郎，修起居注。"王劭所撰是《齐书》并非国史，亦不允许，可见当时所禁严厉而宽泛，其影响可以想见。第四，朝廷任非其人，也是一个重要原因。如王劭是一个渊博的学者，但于史学非其所长，史载："劭在著作，将二十年，专典国史，撰《隋书》八十卷。多录口敕，又采迂怪不经之语及委巷之言，以类相从，为其题目，辞义繁杂，无足称者，遂使隋代文武名臣列将善恶之迹，堙没无闻。初撰《齐志》，为编年体，二十卷，复为《齐书》纪传一百卷，及《平贼记》三卷。或文词鄙野，或不轨不物，骇人视听，大为有识所嗤鄙。"② 唐初史家这样评价王劭，认为："王劭爰自幼童，迄乎白首，好学不倦，究极群书。搢绅洽闻之士，无不推其博物。雅好著述，久在史官，既撰《齐书》，兼修隋典。好诡怪之说，尚委巷之谈，文词鄙秽，体统繁

① 魏徵等：《隋书》卷二《高祖纪下》，中华书局1973年版，第38页。
② 魏徵等：《隋书》卷六九《王劭传》，中华书局1973年版，第1601、1609-1610页。

杂。直愧南、董，才无迁、固，徒烦翰墨，不足观采。”[①] 这种政治氛围和学术格局，使隋代史学难得有更好的局面。

唐代史学完全是另一番气象，它不仅拥有近三百年的历史，而且成为中国古代史学发展史上的一个重大转折。这具体表现在：

——史学受到皇家高度重视，建立了专门的历史撰述机构：史馆。配备了专职的与兼职的修史人员，制订了史馆工作条例，责成宰相为监修国史，全面负责修史事宜，这在制度层面保障了修史工作，为唐以后历代皇朝所继承，是中国史学上的一座里程碑。

——在前朝史撰述方面，以唐高祖李渊的《命萧瑀等修六代史诏》和唐太宗李世民的《修晋书诏》为推动力，唐初史家群体先后撰成梁、陈、齐、周、隋“五代史”（含“五代史纪传”和“五代史志”）和新修《晋书》，加上李延寿继承家学而撰成的《南史》《北史》，凡八部前朝史均为“正史”，占今存“二十四史”的三分之一。

——在典制史撰述方面，中唐政治家、史学家杜佑以三十六年的工夫撰成《通典》二百卷，开创了一种新的史书体裁——典制体。而《通典》一书则开辟了史学经世致用的新路径，受到时人与后人的高度评价。

——在历史笔记撰述方面，唐代学人的撰述是其走向成熟的

---

① 魏徵等：《隋书》卷六九后论，中华书局 1973 年版，第 1613 页。

标志，具有较高的史学意境。如李翰《唐国史补序》表明作者的撰述旨趣是“虑史氏或阙则补之意”，李德裕《次柳氏旧闻序》强调作者意在“以备史官之阙”，郑綮《开天传信记序》进而申言作者“搜求遗逸，必于必信”的史学宗旨，等等。这就把历史笔记撰述的品位建立在很高的起点上，对后世作者有深远的影响，使其在史学领域内呈现出由“小邦”渐次走向“大国”的趋向。

——在历史理论撰述方面，虞世南、魏徵、李百药、朱敬则等发宏论于盛唐，而中唐时期的杜佑、柳宗元、李德裕等应之以卓识，推动历史理论走向新的高峰。

——在史学理论撰述方面，盛唐时期刘知幾所撰《史通》一书，是中国史学上第一部有体系的史学理论著作（也是一部有体系的史学批评著作），作者在探求史学之“通”上用力甚深，全书反映了作者关于史学构成的思想，关于史学渊源与流别，关于史学功用，关于史书编著，关于史学主体，关于史学批评，都有精辟论述，是中国古代史学理论的标志性成果之一。刘知幾同时代人徐坚这样评价《史通》：“居史职者，宜置此书于座右。”[①] 这个评价，就是在今天，也还是适用的。唐宪宗元和年间，刘肃论史学功用与史家修养，李翱论“行状”作为史料的危害，皇甫湜论史书体裁之优劣兼及“良史”的标准等，形成一股探索史学理论的思潮，足以和刘知幾的《史通》相呼应。

① 刘昫等：《旧唐书》卷一〇二《刘子玄传》，中华书局1975年版，第3171页。

此外，唐代学人关于谱牒之学的撰述，关于史注的撰述，关于“会要”的编纂等，也都各有成就、独具特色，是唐代史学格局中的重要部分。

唐代的史学成就受到时人和后人的高度评价。唐太宗在梁、陈、齐、周、隋“五代史”修撰完成后，对史臣们说：“朕……将欲览前王之得失，为在身之龟镜。公辈以数年之间勒成五代之史，深副朕怀，极可嘉赏！”[①] 司马光则对《南史》《北史》有很高的评价，他这样写道：“光少时惟得《高氏小史》读之，自宋讫隋并《南·北史》，或未尝得见，或读之不熟。今因修南北朝《通鉴》，方得细观，乃知李延寿之书亦近世之佳史也。虽于禨祥诙嘲小事无所不载，然叙事简径，比于南、北正史，无繁冗、芜秽之辞。窃谓陈寿之后，惟延寿可以亚之也。”[②] 由此可见司马光在编纂《资治通鉴》时，是认真参考了《南史》《北史》的。

对于杜佑《通典》，清朝乾隆皇帝从关于治国理政的重要性角度作了这样的评价：“此书则佑自言征于人事，将施有政，故简而有要，核而不文。观其分门起例，由食货以讫边防，先养而后教，先礼而后刑，设官以治民，安内以驭外，本末次第，具有条理，亦恢恢乎经国之良模矣。所必资，岂以供博览而已哉！爰揭之以告读是书者。”[③] 这是一个政治家的见解。清代史学家章

---

① 王钦若等编：《册府元龟》卷五五三“恩奖”，中华书局1960年版，第6657页。
② 马端临：《文献通考》卷一九二《经籍考》“正史类”，中华书局2011年版，第5582页。
③ 见杜佑：《通典》附录，中华书局1988年版，第5513页。

学诚盛赞《通典》一书，认为它是“史部之通”的代表性著作，其特点是“以典故为纪纲”。[①] 他尤其感叹于《通典·礼典》的撰述思想，指出：“然叙典章制度，不异诸史之文，而礼文疑似，或事变参差，博士经生，折中详议，或取裁而径行，或中格而未用，入于正文，则繁复难胜，削而去之，则事理未备；杜氏并为采辑其文，附著礼门之后，凡二十余卷，可谓穷天地之际，而通古今之变者矣。”[②] 此后乃有“三通”“九通”乃至“十通”之说，而《通典》实为开创之作。对于柳宗元的史论，后人也有很高的评价。宋人苏轼读罢柳宗元的《封建论》，写道：“昔之论‘封建’者，曹元植、陆机、刘颂及唐太宗时魏徵、李百药、颜师古，其后则刘秩、杜佑、柳宗元。宗元之论出，而诸子之论废矣，虽圣人复起，不能易也。”[③] 苏轼的评论具有通论的性质，尤其值得重视。对于柳宗元《天说》《天对》有关“天”的认识，马克思主义史学家侯外庐指出：“很明显，柳宗元将运动的主体归结为‘元气’本身对事物‘交错’的作用，这在中国唯物主义史上是值得大书特书的见解。”[④] 而关于柳宗元《贞符》《封建论》的理论价值，侯外庐指出：柳宗元“对神学天命论的斗争，从自然一直贯穿于历史观”，从而展开了“对神学历史观的批判”。[⑤]

---

① 章学诚：《文史通义·释通》，叶瑛《文史通义校注》本，中华书局2014年版，第434页。

② 章学诚：《文史通义·书教中》，叶瑛《文史通义校注》本，中华书局2014年版，第47–48页。

③ 苏轼：《论封建》，见张志烈等主编：《苏轼全集·文集一》第十册，河北人民出版社2010年版，第524页。

④ 侯外庐：《柳宗元哲学选集》序，中华书局香港分局1976年版，书首。

⑤ 参见侯外庐主编：《中国思想史纲》上册，中国青年出版社1981年版，第263–265页。

二、概说史学批评的深入

隋唐时期史学批评的发展，是由以下几个原因所促成的。

首先是史学自身发展的推动。这主要表现为魏晋南北朝时期史学的多途发展，史书的种类和数量急剧增加，尤其是皇朝史撰述数量的增多，引发隋唐史学家的批评热情和撰述的积极性。隋朝魏澹批评北齐史家魏收《魏书》，隋唐之际李大师、李延寿父子批评南北朝正史，就属于此类情况。

其次是历史文献整理工作的推动。唐初史家所撰写的《隋书·经籍志》将史部书居四部书的第二类，而史部又划分为 13 个类别。其史部有大序，各类有小序，备言史官职守、史书流别及评论，可视为一部史学学术史大纲，也可看作是一部史学批评史的雏形。

再次是史学反思之传统的推动和学术批判精神的张扬，以及文学理论的影响，这些因素促使刘知幾撰成了具有系统的史学批评专书《史通》，是为中国古代史学批评史上的里程碑。当然，这同刘知幾本人“喜谈名理”之治学宗旨的内在因素自有密切的关联。

还有一点是至关重要的，即最高统治者的直接参与。在这个问题上，隋、唐两朝的史学开局之景象大相径庭：隋文帝有禁私家撰集国史之诏，而唐高祖、唐太宗则发布撰写或重修前朝史的诏书，其思想影响和修史局面自有所不同。

史学批评的发展，还同人们思想观念的变化、修史活动的扩大、史家主体的自觉意识以及对研究对象与所据文献的辨析等，都有密切关系，而这些因素则是贯穿于史学批评的整个过程之中，可以看作是发展中的常态。

由于上述原因，隋唐时期（以唐代为主）史学批评的成就突出地表现在以下几个方面。

第一，对前代历史的评论或对已有皇朝史的批评，极大地推动了正史撰述。隋文帝因不能赞同以东魏为正统的魏收《魏书》，乃命魏澹重撰北魏史。魏澹所撰《魏书》则以西魏为正统，并在其书体例表述中对魏收《魏书》有所批评。唐高祖重视前朝历史，诏修梁、陈、魏、齐、周、隋“六代史”，未成；唐太宗继其旨，命史臣撰成梁、陈、齐、周、隋“五代史纪传”。唐太宗晚年，因不满意众家晋史，给予严厉批评，并命史臣重修《晋书》，是为“新晋书”。唐初士人李大师批评南北朝正史中南北互相诋毁，而且所载史实也有不确之处，立志重撰南北朝史，“编年以备南北”，未就而离世，其子李延寿“追终先志”，著成《南史》《北史》。

以上由史学批评而推动历史撰述，魏澹《魏书》已佚，而唐初八史流传至今，成为著名的“二十四史”的重要组成部分。

第二，《隋书·经籍志》史部诸序提出了丰富的史学批评史资料。由《隋书·经籍志》史部大序与诸小序所作评论构成的史学学术史之梗概，也是一部史学批评史大纲。其特点是分类阐述了各类史书的源流、存佚、得失，叙述简明、条理清晰，对后世有久远的影响。

第三，具有系统性的史学批评专书问世。刘知幾《史通》的面世，是这个时期史学批评最重要的成就，也是中国史学批评史上的重要成就。其学术价值和历史意义在于：一是对史学渊源、史书流别、正史撰述作了系统的考察和评论；二是对史书体裁体例、撰述原则、史料采辑的规范以及相关史家、史书作出评论；三是从历史认识和历史借鉴方面论述了史学的社会功用，并把它提到“生民之急务”“国家之要道”的高度加以强调；四是关于史家修养的评论，包括知识构成、鉴识高下、审美意识、语言表述等；五是《史通》提出和使用的概念体系，具有开创性的意义和深远的影响。

第四，杜佑和柳宗元的史学批评及其思想境界。杜佑的史学批评在宏观和微观两个方面都有鲜明的特点。在宏观方面，他批评“莫探政经”的学术著作而强调历史撰述经世致用的学术宗旨。杜佑本人对此作了明确的阐述，而时人李翰为《通典》撰写的序文，则是阐发此意的一篇史学批评宏文。在微观方面，杜佑史论中蕴含的史学批评的层次感与分寸感，启发史学批评者自身应具有怎样的修养和造诣。柳宗元对传世文献《国语》的批评（即《非国语》），充分显示了他作为一个唯物主义思想家的卓越见识和高度的社会责任感；而他的《与韩愈论史官书》，言之切、意之深，可谓一篇史官批评论的典范。这一书一文，反映了柳宗元史学批评的深度和高度，在中国史学批评史上占有重要的位置。

第五，“良史”观和“三长”说丰富了史学批评的内涵。自孔子赋予董狐以“古之良史”的赞扬后，“良史”之称在中国史学上始终未曾中断。在唐代史学批评史上，可以说“良史”之论不绝于时。这一方面反映出史学批评展开的广泛和深入，为表明对某一位史家或某一部史书的赞许，“良史”这个概念和词汇必然会常常被提起；另一方面则表明史学家的自我意识、自我要求以及人们对“良史”的期待。总之，“良史”这个概念浓缩了太多的含义，它的频频出现，表明史学发展和史学批评的发展达到了新的高度，同时也预示着还将达到更高的程度。

在人们思考和谈论“良史”之时，刘知幾提出了“史才三长”说，不论是从史家自身修养来看，还是从史学批评主体来看，都可以把它视为对“良史”的理论概括，其影响力贯穿于此后的史学发展和史学批评的不断深入之中。

第六，史注家史学批评意识的进一步发展。为史书作注，由来已久，尤其是《史记》《汉书》受到注家的更多关注。当然，史注不仅仅是疏通、训释文字，间或也反映出注家的史学批评意识与思想，这从《三国志》的裴松之注中可以看得十分清楚。在前代注家的基础上，唐代史注家对《史记》《汉书》《后汉书》三部史学名著分别作注，即《汉书》颜师古注、《后汉书》李贤注、司马贞《史记索隐》、张守节《史记正义》。在中国史学史上，这四部史注也都成为名注。名著与名注相附而行，对史学的发展与传播发挥了重大作用。值得关注的是，这四部史注虽各有特点，但它们都不似《三国志》裴注在史实上加重原书的分量，而是在原著的体裁体例方面和所论人物、史事是否准确与评论是否中肯方面作出注释，从而显示出史注家们的史学批评意识和严谨的治史精神。

第七，其他诸多领域史学批评的展开，从不同侧面显示出这一时期史学批评的广度和深度。如关于对正史撰述史的批评，不仅涉及诸多正史评价的不同观点，而且揭示了史学发展是在对一些重大问题的辩难中前行的。又如，从《唐会要》中所见史学批评，可以看到编撰者谨慎地保存原始材料的良苦用心，在一定程度上“再现”了唐代史馆修史活动的方方面面。再如，唐代的杂史、笔记从私人撰述的广阔天地展现了学人的历史意识、史学意识、史学批评意识，其所述、所评，所是、所非，言人人殊，各有个性，但不论是补史还是评史，多以追求信史为目标，反映了众多杂史、笔记作者思想的共性。

隋唐时期的史学批评论著，还散见于文集、书信等文献，在本书的撰述中或有所征引，不一一尽举。

第一章　史学批评推动正史撰述

隋、唐两朝建立后，都从史学批评着眼推动了正史撰述，但其背后的动机却不相同。隋文帝认为北齐史家所撰《魏书》“褒贬失实”乃命本朝史官魏澹撰写《魏书》，根本在于新修《魏书》当以西魏为正统，以符合北魏—西魏—北周—隋这一政权传承的系统。唐初则是另一番考虑，唐初的第一道修史诏书是唐高祖命大臣们撰写梁、陈、魏、齐、周、隋“六代史”，虽不免也含有以明“正统”之意，但历史视野、修史气势都宏大得多。唐太宗贞观十年（636）大臣们撰成了梁、陈、齐、周、隋“五代史”。其后，唐太宗的《修晋书诏》，批评已往众家晋史而促成了新修《晋书》的问世。

尤其令人钦佩的是，生活在隋唐之际的士人李大师胸怀撰史志向，不满于南北朝所撰正史（即《宋书》《南齐书》《魏书》）中南北互相以“索虏”“岛夷”相贬的现象，决心写一部编年以备南北的南北朝史。其子李延寿撰成《南史》《北史》，实现了父亲的心愿，成为史学史上的一段佳话。

第一节 隋文帝诏命魏澹重撰北魏史

一、魏澹《魏书》对魏收《魏书》的改变

北齐史家魏收（506—572）于北齐天保五年（554）撰成《魏书》一百三十卷，参撰者有房延祐、辛元植等。魏收《魏书》记北魏一朝史事，下限止于东魏而兼及西魏。隋朝继北周而立，而北周出于西魏，故隋文帝命史官魏澹另撰《魏书》。史称：

> 高祖以魏收所撰书，褒贬失实，平绘为《中兴书》，事不伦序，诏澹别成魏史。澹自道武下及恭帝，为十二纪，七十八传，别为史论及例一卷，并《目录》，合九十二卷。澹之义例与魏收多所不同……澹所著《魏书》，甚简要，大矫收、绘之失。上览而善之。[①]

据唐代史家刘知幾《史通》称，参与魏澹《魏书》的修撰者有颜之推、辛德源。[②] 又据《隋书·薛道衡传》所记："道衡……从子德音，有隽才，起家为游骑尉。佐魏澹修魏史，史成，迁著作佐郎。"[③]

---

① 魏徵等：《隋书》卷五八《魏澹传》，中华书局 1973 年版，第 1417、1419 页。

② 刘知幾：《史通·古今正史》，浦起龙《史通通释》本，上海古籍出版社 2009 年版，第 339 页。

③ 魏徵等：《隋书》卷五七《薛道衡传》，中华书局 1973 年版，第 1414 页。

关于魏澹《魏书》，唐代学人有三次重要的评论。第一次评论，是唐初众史家于贞观三年（629）在唐太宗指示下讨论重修前朝史时提出来的，史载：

> 贞观三年，太宗复敕修撰，乃令德棻与秘书郎岑文本修周史，中书舍人李百药修齐史，著作郎姚思廉修梁、陈史，秘书监魏徵修隋史，与尚书左仆射房玄龄总监诸代史。众议以魏史既有魏收、魏澹二家，已为详备，遂不复修。①

值得注意的是，这里说的是“众议以魏史既有魏收、魏澹二家，已为详备，遂不复修”。这就是说，肯定两部《魏书》的成就，是唐初史家的共识。

第二次重要评论，见于贞观十年（636）修成的《隋书·魏澹传》，已如上述。第三次重要评论，见于唐中宗景龙四年（710）成书的刘知幾《史通》，书中写道：“澹以西魏为真，东魏为伪，故文、恭列纪，孝靖称传。合纪、传、论、例，总九十二篇。”② 刘知幾借用隋文帝敕书中的话，要求魏澹《魏书》“矫正”魏收《魏书》之“失”。

从上述三次重要评论来看，唐初学人对魏澹《魏书》的评价，是以肯定为主要倾向的。可惜的是，魏澹《魏书》在北宋

---

① 刘昫等：《旧唐书》卷七三《令狐德棻传》，中华书局1975年版，第2598页。

② 刘知幾：《史通·古今正史》，浦起龙《史通通释》本，上海古籍出版社2009年版，第339页。

以前已经亡佚。[1] 现今所能见到魏澹《魏书》之最重要的文字，是《隋书·魏澹传》中所保留的魏澹《魏书》的五条“义例”，以及魏澹关于史书“立论”的撰述思想，由此可以约略窥见魏澹的著述旨趣。也正是这部分遗留下来的文字，引发了后人包括今人的不同评论。

二、魏澹《魏书》的“义例”

魏澹《魏书》的五条“义例”，第一条是有关“讳皇帝名，书太子家”，以明“尊君卑臣”之礼。第二条是有关拓跋魏之先世历史问题。第三条是有关太武、献文之死的真实原因问题，进而涉及史书能否坚持“直书”原则问题。第四条是有关少数民族首领寿终书法问题。第五条是有关史书体裁尊纪传还是尊编年的问题。

在上述五条“义例”中，魏澹并未直接说到“真”“伪”问题，而是刘知幾点明了这一点：“澹以西魏为真，东魏为伪。”其实，《隋书·魏澹传》中有“澹自道武下及恭帝，为十二纪”云云，已表明魏收《魏书》撰于北齐，该书以东魏为正统，自不待言，而他自己撰写的《魏书》撰于隋朝，自当以西魏为正统，从正统的观点来看，二者都是“合理”的，故于“义例”中无需为此作出说明。上引唐初史家群体“众议”承认两部

① 宋刘攽等《旧本魏书目录叙》称：魏澹《魏书》以及魏澹之孙魏克己所撰《魏书》十志十五卷、张士素所撰《后魏书》一百卷、裴安时所撰《元魏书》三十卷等“今皆不传。称魏史者，惟以魏收书为主焉”。（魏收：《魏书》书末，中华书局 1974 年版，第 3064 页）

《魏书》的成就而不计较其尊东魏还是尊西魏的区别，显示出宏大的包容气势。

然而正是这个“真”“伪”问题，引起了后人的误解而遭到激烈的批评。如有的研究者认为：

> 隋文帝所以对魏收之书不满，而命魏澹另行撰修，并不是为了从中吸取经验教训，以为他统治天下的借镜；而是为了争正统，正名分，惧乱臣，以巩固他的统治，而使天下之人绝对服从他隋王朝的专制政权。魏澹始而从齐入周，继而由周入隋，原是一个两度亡国遗臣，一切只有仰承猜忌成性的新君——隋文帝的鼻息。另修之书的义例，自是“与魏收多所不同”，从而也就博得了“上览而善之”的欢心。[①]

这些话，对于隋文帝来说，或近于是，而对于魏澹来说，似乎言重了。隋人撰《魏书》以西魏为正，正如北齐人撰《魏书》以东魏为正，道理是一样的，唐初史家可以认同，今人自亦可以理解。

至于魏澹《魏书》的几条“义例”得以保存下来，十分宝贵，说明当时史学家的义例思想很是明确，由此也可见两部《魏书》在撰述思想上的差异。如第一条强调“讳皇帝名，书太子家，欲以尊君卑臣”，后人深表赞同。文中还提及班固、范

---

① 张孟伦：《隋代史学》，《史学史研究》1982年第3期。

晔、陈寿、王隐诸家，足见魏澹对这一义例的重视。第二条、第三条主要反映出魏澹撰史的求实风格与直书精神。魏收《魏书》设立《序纪》篇，置于本纪之前，自魏太祖拓跋珪“远追二十八帝，并极崇高”。魏澹对此提出质疑，认为平文、昭成写入魏史是合理的，“自兹以外，未之敢闻”，[①] 反映了他求实的撰史风格。诚然，魏收《魏书·序纪》所记，当来自拓跋族的远古传说，从求实的观点来看，未必妥帖，但有关传说在一定的意义上也反映了拓跋族所具有的历史意识的特点和传统。至于魏收《魏书》书太武、献文之死“不异天年，言论之间，颇露首尾”，而魏澹《魏书》所记，则“分明直书，不敢回避”，[②] 反映出了魏澹的直书精神。由于魏收撰《魏书》，去东魏之亡较近，而魏澹撰《魏书》，距西魏之亡已远，或许是二书记述不同的原因之一。

魏澹《魏书》的第四条“义例”反映了魏澹的民族史观，具有重要的意义。其原文如下：

> 其四曰，周道陵迟，不胜其敝，楚子亲问九鼎，吴人来征百牢，无君之心，实彰行路，夫子刊经，皆书曰卒。自晋德不竞，宇宙分崩，或帝或王，各自署置。当其生日，聘使往来，略如敌国，及其终也，书之曰死，便同庶人。存没顿殊，能无怀愧！今所撰史，诸国凡处华夏之地者，皆书曰

---

① 魏徵等：《隋书》卷五八《魏澹传》，中华书局 1973 年版，第 1418 页。
② 魏徵等：《隋书》卷五八《魏澹传》，中华书局 1973 年版，第 1418-1419 页。

卒，同之吴、楚。[①]

从这一条“义例”中，可以看出魏澹认为与东晋并立的北方各族所建政治实体同中原皇朝及北魏的关系，大致同于春秋时期周王室与边远地区诸侯国的关系。他明确指出，“今所撰史，诸国凡处华夏之地者，皆书曰卒，同之吴、楚”。是否可以认为，在当时的历史条件下，这是一种认同多民族历史的表现，是隋朝统一的形势下“天下一家”历史观点在历史撰述上的反映。

如果说第四条“义例”的价值主要在于历史观方面的话，那么第五条“义例”的价值则主要在于史学观方面。这一条“义例”涉及史学家对史书体裁及其渊源的认识。魏澹从“董仲舒、司马迁之意，本云《尚书》者，隆平之典，《春秋》者，拨乱之法，兴衰理异，制作亦殊”的观念出发，认为“纪传之体出自《尚书》，不学《春秋》，明矣”。由此，他进而引证范晔关于编年、纪传的论断：“范晔云：‘《春秋》者，文既总略，好失事形，今之拟作，所以为短。纪传者，史、班之所变也，网罗一代，事义周悉，适之后学，此焉为优，故继而述之。’”范晔的这一关于史书体裁的论断，不见于《宋书·范晔传》，是范晔论史书体裁的一段佚文，有重要的史学价值。魏澹当是见到过范晔著《后汉书》的有关体例的说明的，[②] 其本意是赞成范晔的论

① 魏徵等：《隋书》卷五八《魏澹传》，中华书局 1973 年版，第 1418-1419 页。

② 范晔：《狱中与诸甥侄书》称：“纪、传例为举甚大略耳，诸细意甚多。”（见沈约：《宋书》卷六九《范晔传》，中华书局 1974 年版，第 1831 页）

断，但他却又批评范晔："观晔此言，岂直非圣人之无法，又失马迁之意旨。"质言之，范晔不应批评《春秋》，而应当认可纪传本于《尚书》。显然，这是魏澹在强词夺理。

当然，魏澹的这一条"义例"最直接的批评对象还是魏收。魏澹指出："魏收云：'鲁史既修，达者贻则，子长自拘纪传，不存师表，盖泉源所由，地非企及。'虽复逊辞畏圣，亦未思纪传所由来也。"[①] 这是对魏收的直接批评。然而，这还不是症结所在，魏收的荒唐处，在于他指斥司马迁"自拘纪传，不存师表"，而他却采用纪传体著《魏书》，可见其言不由衷。魏收在《魏书》的《前上十志启》这样写道："昔子长命世伟才，孟坚冠时特秀，宪章前哲，裁勒坟史，纪、传之间，申以书、志，绪言余迹，可得而闻。"[②] 这同上文所引魏收批评司马迁"自拘纪传，不存师表"云云，可谓大相径庭。由此可以进一步看到魏收史学思想的混乱，魏澹的批评自有其根据和道理。

三、魏澹对史书"立论"的批评

《隋书·魏澹传》在列举魏澹《魏书》的五条"义例"外，还有一段关于史书"立论"的议论，甚所论之对应者应是司马迁《史记》，反映了魏澹对史书撰述的这一环节的认识，其中是非得失，也可一议。

---

① 以上关于第五条"义例"之言论，均见《隋书》卷五八《魏澹传》，中华书局 1973 年版，第 1419 页。

② 魏收：《魏书·前上十志启》，中华书局 1974 年版，第 2331 页。

《隋书·魏澹传》在列举五条“义例”后，接着写道：

澹又以为司马迁创立纪传以来，述者非一，人无善恶，皆为立论。计在身行迹，具在正书，事既无奇，不足惩劝。再述乍同铭颂，重叙唯觉繁文。案丘明亚圣之才，发扬圣旨，言“君子曰”者，无非甚泰，其间寻常，直书而已。今所撰史，窃有慕焉，可为劝戒者，论其得失，其无损益者，所不论也。①

这段叙述虽在五条“义例”之外，实际上也是一条关于史书如何“立论”的“义例”，不仅涉及司马迁和魏收，还涉及史学家如何看待史书中的史论地位。这里，有几个问题必须要略作辨析。

第一，南北朝以至唐初，史学家重视史论是一突出的史学现象。首先是范晔宣称史论在历史撰述中的地位，他写道：

本未关史书，政恒觉其不可解耳。既造《后汉》，转得统绪。详观古今著述及评论，殆少可意者。班氏最有高名，既任情无例，不可甲乙辨。后赞于理近无所得，唯志可推耳。博赡不可及之，整理未必愧也。吾杂传论，皆有精意深旨，既有裁味，故约其词句。至于《循吏》以下及《六夷》

① 魏徵等：《隋书》卷五八《魏澹传》，中华书局1973年版，第1419页。

诸序论，笔势纵放，实天下之奇作。其中合者，往往不减《过秦》篇。尝共比方班氏所作，非但不愧之而已。欲遍作诸志，《前汉》所有者悉令备。虽事不必多，且使见文得尽。又欲因事就卷内发论，以正一代得失，意复未果。赞自是吾文之杰思，殆无一字空设，奇变不穷，同合异体，乃自不知所以称之。[1]

这是中国史学上较早谈论史论的一段文字，大致包含了以下几层意思：一是当他对史书“转得统绪”有所认识后，认为“古今著述及评论，殆少可意者”，可见其自视甚高；二是认为班固《汉书》“后赞于理近无所得”；三是认为本人所撰《后汉书》的“传论”及“诸序论”，“皆有精意深旨”，“笔势纵放，实天下之奇作”；四是计划“因事就卷内发论，以正一代得失”，但这一计划并未实现。概括说来，范晔对前人的史论和自身的史论，以及史论的意义和作用等，都论到了。这在中国史学的史论认识上，具有突出的重要性。

第二，魏收《魏书》也是重视史论的。《北史·魏收传》记：魏收《魏书》“合一百三十卷。分为十二表，其史三十五例，二十五序，九十四论，前后二表一启，皆独出于收”[2]。由此可以看出，魏收是很重视序和论的。查阅魏收《魏书》，今存

---

① 沈约：《宋书》卷六九《范晔传》，中华书局 1974 年版，第 1830–1831 页。
② 李延寿：《北史》卷五六《魏收传》，中华书局 1974 年版，第 2030–2031 页。

九十三论，[①] 据此可见魏收史论风格，即简括而空泛是其特点。其《前上十志启》略同于沈约《宋书·志序》，反映出魏收对书志的认识，他写道："窃谓志之为用，网罗遗逸，载纪不可，附传非宜。理切必在甄明，事重尤应标著，搜猎上下，总括代终，置之众篇之后，一统天人之迹。……时移世易，理不刻船，登阁含毫，论叙殊致。《河沟》往时之切，《释老》当今之重，《艺文》前志可寻，《官氏》魏代之急，去彼取此，敢率愚心。"[②] 这一段关于志的论述，对于正史中书志的价值以及《释老志》《官氏志》在《魏书》中的重要地位都有讲到，在一定意义上显示出北魏社会历史的特点，堪为一篇重要的史论。

第三，南朝萧统编撰《文选》，于卷四十九、卷五十，设"史论上""史论下"两目，分别辑入班固、干宝、范晔、沈约等史家的论、赞十余首。其中，干宝的《晋纪》总论，对一个朝代的兴亡作总体上的评论，尤其值得关注。萧统在《文选》序文中指出："至于记事、系年之书，所以褒贬是非，纪别异同，方之篇翰，亦已不同。若其赞论之综缉辞采，序述之错比文华，事出于沉思，义归乎翰藻，故与夫篇什杂而集之。"[③] 一部文学总集，注意到史学家撰写的史论并收入总集之中，足见史论在当时的社会影响。

第四，南北朝史家对史论的重视，至唐初有了进一步的发

① 中华书局点校本《魏书》（1974 年版），在卷八八、九二、九三、九四之后，均有"史臣曰"字样，并注明"阙"，其中或有讹误，注以备考。

② 魏收：《魏书·前上十志启》，中华书局 1974 年版，第 2331 页。

③ 萧统编：《文选》，李善注本，中华书局 1977 年版，书首第 2 页。

展。表现之一，唐太宗诏修梁、陈、齐、周、隋“五代史”时，魏徵“受诏总加撰定，多所损益，务在简正。《隋史》序论，皆徵所作，梁、陈、齐各为总论，时称良史”[①]。魏徵为唐太宗时重臣，协助房玄龄“总加撰定”诸史并撰写《隋书》纪、传史论，又撰梁、陈、北齐三史总论，充分显示了唐初史学家、政治家对史论的高度重视。表现之二，唐太宗贞观二十年（646）下诏重修《晋书》，两年后成书，唐太宗为《晋书·宣帝纪》和《武帝纪》，以及《陆机传》和《王羲之传》，撰写了四篇史论，题为“制曰”。当朝皇帝为史臣所修前朝史撰写史论，在中国史学史上极为罕见，这一方面反映了唐太宗本人的旨趣，另一方面也反映了时人对史论在史书尤其是“正史”中重要地位的认识。表现之三，唐人史论不仅篇幅较长，而尤其重在总结历史经验。如魏徵撰写的《隋书·高祖纪》后论、《炀帝纪》后论与卷七十后论，可视为总结隋朝兴亡的大文章。其篇幅短则五六百字，长则千余字。而所论“稽其乱亡之兆，起自高祖，成于炀帝，所有来远矣，非一朝一夕”[②]，“其隋之得失存亡，大较与秦相类”[③]，这都是极中肯的历史结论。至于唐太宗撰写的长篇《晋书·宣帝纪》后论，更是从历史演进的一般法则，论到晋宣帝的“辅佐之心，何前忠而后乱？”并借晋明帝、石勒而刺讥司马懿“耻欺伪以成功”“笑奸回以定业”[④] 的为人；于《晋书·武帝纪》

① 刘昫等：《旧唐书》卷七一《魏徵传》，中华书局 1975 年版，第 2550 页。
② 魏徵等：《隋书》卷二《高祖纪下》，中华书局 1973 年版，第 56 页。
③ 魏徵等：《隋书》卷七〇后论，中华书局 1973 年版，第 1636 页。
④ 房玄龄等：《晋书》卷一《宣帝纪》后论，中华书局 1974 年版，第 21 页。

后论，则指出，晋武帝司马炎“不知处广以思狭，则广可长广；居治而忘危，则治无常治”[①]。对于最高统治者来说，这无疑是一个政治哲理。表现之四，唐初所修八部正史，大致每部都有史家撰写的史论，并未采纳魏澹之论。

依据上述诸点，可知南北朝至唐初，史论实为史家撰述历史的重要部分，不仅是史家阐述“史意”的重要方面，同时也是史书表现形式的一个部分，似不可据已意或存或无。因此，魏澹批评司马迁《史记》“人无善恶，皆为立论”，以及他自我肯定的“今所撰史，窃有慕焉，可为劝戒者，论其得失，其无损益者，所不论也”云云，非为确论，且大有可议之处。

首先，司马迁创立纪传体史书，自有严格的体例，各卷有序或论，是其体例之一。而序或论所要阐说的，并不像魏澹所概括的那样，认为“司马迁创立纪传以来，述者非一，人无善恶，皆为立论”。这显然是对《史记》纪传中的“太史公曰”的极片面的认识：其一，纪传中的立论，涉及广泛的内容，非只是论“善恶”而已。以本纪来说，《五帝本纪》的后论，涉及文献的鉴别、抉择，关乎“本纪书首”即古史开篇的问题。《秦始皇本纪》后，司马迁引贾谊《过秦论》，总结从秦国孝公到秦朝二世兴亡成败的历史经验，是为传世的不朽之作，从中也反映了司马迁深刻的历史见识。《项羽本纪》后论是论述一个“自矜攻伐，奋其私智而不师古，谓霸王之业，欲意思力征经营天下”的英

① 房玄龄等：《晋书》卷三《武帝纪》后论，中华书局1974年版，第81页。

雄人物的悲剧结局。这两篇史论，都是就历史进程的大格局发表评论，非一般“善恶”可以与之相比。再看列传的后论，如《苏秦列传》《张仪列传》后论，是讨论人的智谋、权变在历史进程中的作用，《儒林列传》序是评论孔子“论次《诗》《书》，修起礼乐”，“因史记作《春秋》，以当王法”及儒学兴起之由。凡此，亦非“善恶”可以概括得了的。其二，不同时代的史学家，有属于他那个时代的价值判断和是非标准，比如在司马迁看来是必须作出评论的，而在魏澹看来却没有评论的必要，因此，在“善恶”的判断上有时也会产生歧义。这正如班固评论司马迁那样：“其是非颇缪于圣人，论大道则先黄老而后六经，序游侠则退处士而进奸雄，述货殖则崇势利而羞贱贫，此其所蔽也。”[①] 依同样的道理，范晔批评班彪、班固父子对司马迁的指责是不对的，他写道：“彪、固讥迁。以为是非颇谬于圣人。然其论议常排死节，否正直，而不叙杀身成仁之为美，则轻仁义，贱守节愈矣。”[②] 不同的史学家在价值判断上可能有所不同，怎么能确指司马迁是“人无善恶，皆为立论”呢？

其次，历史事件纷繁复杂，历史人物多种多样，史家撰写历史自当有所抉择，而这种抉择自有其一定的标准。一般说来，史学家不会选择那些“人无善恶”、事无意义的人和事入史，因为此类人和事实在难以一一入史。因此，在史学家的史笔之下，人总是一定的道德的、法律的或某一重要事件的承担者与关涉者。

---

① 班固：《汉书》卷六二《司马迁传》后论，中华书局1962年版，第2737-2738页。

② 范晔：《后汉书》卷四〇下《班彪列传下》，中华书局1965年版，第1386页。

魏澹所说史书纪传中“人无善恶”的现象是极少存在的，他这样看待司马迁《史记》的纪传，更是荒唐可笑的。

再次，史学家面对丰富的、变化着的社会历史，所要记述的和评论的人物、史事、世风等，固然包含着“善恶”，但绝不止限于“善恶”，而是多方面、多视角的。诚如王夫之在《读通鉴论》的叙文中解释了“通”（按指历史的内容）之后，又讲到“论”，他说：“引而伸之，是以有论；浚而求之，是以有论；博而证之，是以有论；协而一之，是以有论；心得而可以资人之通，是以有论。”① 在王夫之看来，史论所包含的内容和道理是非常广泛而丰富的。

最后，魏澹以《左传》的“君子曰”来衬托司马迁《史记》的“太史公曰”的失当，认为“案丘明亚圣之才，发扬圣旨，言‘君子曰’者，无非甚泰，其间寻常，直书而已”。魏澹此论，尤为不伦不类。把《左传》看作是左丘明所作，又把左丘明视为“亚圣”，进而奉“君子曰”为“发扬圣旨”等，这里不作深究，更不必苛求古人。但是有一点是必须指出来的，《左传》的“君子曰”对《史记》的“太史公曰”必有启示的作用，换言之，《史记》的“太史公曰”是对《左传》“君子曰”的继承和发展。二者之不同处在于，《左传》是编年体史书，《史记》是纪传体史书。在体裁、体例上有所不同：《左传》编年记事而发论，《史记》以人物经历、言行为主旨而发论，岂能

① 王夫之：《读通鉴论·叙论四之二》，中华书局1975年版，第1115页。

以后者模仿前者？显然，魏澹对此并未深察而轻易点论。

不知魏澹是否关注过荀悦《汉纪》、袁宏《后汉纪》，也不知魏澹对“荀悦曰”“袁宏曰”的频频出现会作何评论。但荀悦自己说得明白，他在《汉纪》结末处写道：“凡《汉纪》其称年本纪、表、志、传者，《书》家本语也。其称论者，臣悦所论，粗表其大意，以参得失，以广视听也。”① 可见荀悦对于“论”的理解和撰写，思路是很开阔的。这里，顺便还要指出，观魏澹所说的“计在身行迹，具在正书”“再述乍同铭颂，重叙唯觉繁文”等语，似是史家撰写史书只需叙事而已，不必再作论议，这与上引自司马迁以下诸家所论相悖，这种似是而非的说法，显然不符合历史撰述的原则和要求。

由于魏澹《魏书》久已亡佚，无法详考他所说的“今所撰史，窃有慕焉，可为劝诫者，论其得失，其无损益者，所不论也”的具体做法。但是有一点是可以肯定的，即魏澹除以西魏为正统外，不能脱离魏收《魏书》，从体例、内容到史论，概莫能外。其中，史事、人物极难有很大变动，故于体例提出几条不同于魏收《魏书》之处；于史论尤难处置：袭用固就不可，改作更非易事，这或许是魏澹之所批评司马迁《史记》“人无善恶，皆为立论”为口实，实则矛头乃指向魏收《魏书》的“九十四论”，同时也为自己的“其无损益者，所不论也”的做法制造“理由”。然不知其中之究竟者，或许会以魏澹所论极是，以

① 荀悦：《汉纪》书末，《两汉纪》上，中华书局2017年版，第547页。

讹传讹，造成对“史论”的种种误读。正因为如此，笔者不惮其烦，一一为之辨析，以证魏澹之论之谬。

上文讲到，魏收在北齐时撰《魏书》，因北齐承东魏，故魏收《魏书》以东魏为正统；魏澹在隋朝撰《魏书》，而隋承北周，北周承西魏，故魏澹《魏书》以西魏为正统。从当时来看，二者都有其合理性。降至唐初，李延寿合魏、齐、周、隋四史而撰《北史》，他面对两部各有正统的《魏书》，当以何为主要依据？依理，唐承于隋，自当以魏澹《魏书》为依据。然而据清代史家赵翼比对、考订，李延寿《北史》中魏史部分主要依据魏收《魏书》而撰。赵翼写道：

> 李延寿修北史时，魏收、魏澹二书并存。史称澹书义例极严，则延寿魏史自应以澹书为本。今乃与魏收书一一核对，惟道武、太武、献文之殂及以西魏为正统……其他纪传，则多本魏收书，但删繁就简耳。……于是收书独存。而魏澹续修，亦仅能改其义例之不当者。而年月件系事实，则固不能舍收书而别有所取也。是知澹书已悉本收书，延寿又在澹后，自不得不以收书为本，故叙事大略相同也。①

赵翼的考订是有意义的。文中说到李延寿《北史》以西魏为正统，主要反映在《魏本纪》记北魏孝武帝永熙三年（534）

① 赵翼：《廿二史札记》卷一三“北史魏书多以魏收书为本”条，王树民《廿二史札记校证》本，中华书局2013年版，第286页。

北魏分裂后，首记西魏文帝大统元年（535），直至西魏灭亡；次记东魏孝静帝天平元年（534）至孝静帝武定八年（550）东魏灭亡止。其记西魏事，不书“西魏”字样，记东魏事，则书“东魏”字样，以示正统与否的区别。

在上引赵翼这段话中，两次提到魏澹《魏书》的“义例”问题，一为“史称澹书义例极严”，一为“亦仅能改其义例之不当者”。怎样看待魏澹《魏书》所制定的“义例”，尤其是怎样看待魏澹对司马迁《史记》中的“太史公曰”以至史书的论议，正是本书撰述的主旨所在。笔者无意对赵翼的上述说法进行辨析。只是希望本书的撰述，有益于今天的读者和研究者，对魏澹《魏书》的“义例”包括对于史书中史论的看法，有更加明确的认识。

第二节　唐高祖《修六代史诏》的宏大格局

一、唐高祖《修六代史诏》的历史价值取向

唐高祖武德四年（621），史官令狐德棻向唐高祖建议修撰前朝史，认为：

> 窃见近代已来，多无正史，梁、陈及齐，犹有文籍。至周、隋遭大业离乱，多有遗阙。当今耳目犹接，尚有可凭，如更十数年后，恐事迹湮没。陛下既受禅于隋，复承周氏历数，国家二祖功业，并在周时。如文史不存，何以贻鉴今

古？如臣愚见，并请修之。[①]

令狐德棻是唐初第一个向最高统治者提出修撰前朝历史的史学家，他强调修撰前朝“正史”的重要性，尤其是与唐有直接联系的北周和隋朝的“正史”更为重要；他申言“文史”有“贻鉴今古”的作用，担心岁月流逝使历史事迹“湮没”。可见，这是一个有历史意识、政治意识和忧患意识的史学家。

令狐德棻的建议，有理有据；对于唐皇朝来说，它不仅是正确的，而且是重要的和紧迫的。因此，唐高祖采纳了这个建议，并在武德五年（622）十二月下达了《命萧瑀等修六代史诏》。诏书写道：

司典序言，史官记事，考论得失，究尽变通，所以裁成义类，惩恶劝善，多识前古，贻鉴将来。伏羲以降，周、秦斯及，两汉传绪，三国受命，迄于晋、宋，载籍备焉。自有魏南徙，乘机抚运，周、隋禅代，历世相仍，梁氏称邦，跨据淮海，齐迁龟鼎，陈建皇宗，莫不自命正朔，绵历岁祀，各殊徽号，删定礼仪。至于发迹开基，受终告代，嘉谋善政，名臣奇士，立言著绩，无乏于时。然而简牍未编，纪传咸阙，炎凉已积，谣俗迁讹，余烈遗风，倏焉将坠。朕握图驭宇，长世字人，方立典谟，永垂宪则。顾彼湮落，用深轸

① 刘昫等：《旧唐书》卷七三《令狐德棻传》，中华书局1975年版，第2597页。

悼，有怀撰次，实资良直。……务加详核，博采旧闻，义在不刊，书法无隐。①

这道诏书有很强的理论性和逻辑性，它从修史的重要性说到修史的传统，从魏晋南北朝的政治局面说到“周、隋禅代”并肯定这些皇朝及其作为，最后突出修撰前朝史的必要性。总之，这是在评论前朝历史的基础上提出修撰前朝正史的要求，显示了最高统治者的政治远见和历史器识。

李渊在诏书中还对修撰前代各史的作者作了任命：中书令萧瑀、给事中王敬业、著作郎殷闻礼修魏史，侍中陈叔达、秘书丞令狐德棻、太史令庾俭修周史，兼中书令封德彝、中书舍人颜师古修隋史，大理卿崔善为、中书舍人孔绍安、太子洗马萧德言修梁史，太子詹事裴矩、兼吏部郎中祖孝孙、前秘书丞魏徵修齐史，秘书监窦琎、给事中欧阳询、秦王文学姚思廉修陈史。这个由中书令、侍中等高官参与的修撰群体可谓盛大至极，不难想象当时热烈的修史氛围。但由于全国政局尚未安定、组织工作不力，加之有的承担者先后离世，这次修史活动并未取得成功。尽管如此，这道修史诏书及其所发动的群体修史活动，却显示出唐初统治者对于修撰前朝历史有一种宏大的气魄。这种气魄是由对历史的认识而产生对史学的认识，而这正是史学评论的原动力。

---

① 《旧唐书》卷七三《令狐德棻传》，中华书局1975年版，第2597–2598页。据《唐大诏令集》卷八一在文字上作了几处订正；又见《唐会要》卷六三《史馆上·修前代史》，上海古籍出版社2006年版，第1287页。

二、《修六代史诏》的宏大格局

尽管唐高祖时期，《修六代史诏》的具体任务因全国时局尚未安定以及有的修史责任人的离世，未能得以实现，但令狐德棻的修史建议与唐高祖修史诏书的下达，把人们的修史观念提到了前所未有的高度，并在修史活动上开辟了宏大的格局，为此后的史学活动奠定了广阔的基础。

首先，看令狐德棻的修史建议所提出的几个重要问题。第一，提出修撰"正史"的建议。须知此时《隋书·经籍志》远未开始修撰，令狐德棻率先提出"正史"，比《隋书·经籍志》采用"正史"概念早了三十多年。第二，唐承于隋，一般说来，唐立国后着手修撰隋朝历史，应是正常的，但令狐德棻却提出了梁、陈、北齐、北周、隋五朝历史的修撰问题，其视野开阔、胸襟广大，非一般史家可比。第三，敢于作为且有急迫感。同修五朝历史，工程浩大，没有胆识是提不出来的；同时还考虑到"犹有文籍""耳目犹接"等有利条件，故应尽早着手修撰。第四，以历史的和政治的眼光，强调北周、隋、唐三朝的关联。第五，指出文史传承的意义在于"贻鉴今古"。具有如此卓识的史学家，真不愧是唐代史学的开山。[①]

其次，再看唐高祖的《命萧瑀等修六代史诏》。第一，增修魏史，这是跟令狐德棻修五朝史最显著的不同之处。可见唐高祖

① 参见瞿林东：《令狐德棻和唐初史学》，《人文杂志》1982 年第 1 期。

在令狐德棻建议的基础上，考虑得更远一些。第二，起首突出了史学的社会功用并概括了历代史的撰述史，从而明确了朝代的系统和历史撰述的系统，反映了唐高祖的远见卓识。第三，这是最重要的一点，即对南北朝各个朝代的历史存在给予正面的评价，这在历史上确乎少见，凸显唐皇朝统治者的恢宏器识和广阔的政治胸襟。在重建统一多民族国家的最初年代，这种修史活动中的历史意识，必将反转过来促进现实的历史发展。第四，唐高祖表明，他作为一个统一多民族的新皇朝的首创者有一种历史责任，要把这些前朝的历史保存下来，“有怀撰次，实资良直”，于是对六部史书的撰述一一作了安排。第五，修撰前朝史的基本原则是“务加详核，博采旧闻，义在不刊，书法无隐”。

令狐德棻和唐高祖在唐初修史活动上高瞻远瞩，密切配合，创建出如此宏大的修史格局，在中国史学史上是空前的。其中，蕴含着批评意识、忧患意识和创造意识。这一宏大的修史格局，在政治责任上由唐太宗继承下来并加以发展，在史学责任上则由令狐德棻配合朝廷重臣和史官们一步一步描绘出这一宏大格局的真实存在：由“五代史纪传”到《晋书》，由“五代史志”到《南史》《北史》。《旧唐书》作者评价令狐德棻，这样写道：“令狐德棻贞度应时，待问平直。征旧史，修新礼，以畅国风；辨治乱，谈王霸，以资帝业。‘元首明哉，股肱良哉’，其斯之谓欤！”①

① 刘昫等：《旧唐书》卷七三《令狐德棻传》，中华书局1975年版，第2604页。

三、“五代史纪传”的批判色彩

唐太宗贞观三年（629），朝廷在“禁中”设立史馆，这是中国历史上第一次设立了由朝廷管理的修史机构，表明最高统治集团对修史工作的高度重视。史馆的主要任务是修撰前朝史和国史（即本朝史）。就在当年，唐太宗下诏重启修撰“六代史”事宜。经史臣们讨论，认为北魏史有北齐魏收所撰《魏书》（以东魏为正统）和隋朝魏澹所撰《魏书》（以西魏为正统）二家，“已为详备，遂不复修”。唐太宗表示同意并作了新的分工：令狐德棻修北周史，李百药修北齐史，姚思廉修梁史、陈史，魏徵修隋史，以房玄龄、魏徵为监修，以令狐德棻具体指导和协调诸史撰述工作。七年后，即贞观十年（636），五史俱成，是为“五代史”。它们是：《梁书》五十六卷，《陈书》三十六卷，《北齐书》五十卷，《北周书》五十卷，《隋书》五十五卷，共二百四十七卷。是时，“五代史”全为纪传而无书志，故亦称“五代史纪传”。“五代史”的撰成，唐太宗极为高兴，他勉励史臣们说：

> 朕睹前代史书，彰善瘅恶，足为将来之戒。秦始皇奢淫无度，志存隐恶，焚书坑儒，用缄谈者之口。隋炀帝虽好文儒，尤疾学者，前世史籍，竟无所成，数代之事，殆将泯绝。朕意则不然，将欲览前王之得失，为在身之龟镜。公辈

以数年之间勒成五代之史，深副朕怀，极可嘉尚！[①]

唐太宗的这番谈话，意义极为深刻。首先，他明确地表明，史书所述史事“彰善瘅恶”，对于后人具有鉴戒的作用。言外之意，他本人重视修史，即是以这一认识为前提。同时他激烈地批评秦始皇的“焚书坑儒”和隋炀帝的“尤疾学者”，其后果或是“缄谈者之口”，或是使史事“泯绝”。其次，他表明自身对待史书的态度是“览前王之得失，为在身之龟镜”，这是一个最高统治者对待史书、对待历史的真诚态度，这在以往未曾有过。最后，他对史臣们所撰“五代史”给予肯定，“深副朕怀，极可嘉尚”。[②]

这一段话，谈古论今，围绕史书功用和修史工作而展开评论，事实上是把秦始皇、隋炀帝、唐太宗三人放在历史的天平上加以衡量：秦始皇害怕史官“开口”，隋炀帝不愿看到史家有作为，唐太宗则是坦然对待历史、史书和史家。这种对比之中的评论，或是评论之中的对比，留给后人许多思考。

---

① 《册府元龟》卷五五四《国史部·恩奖》，中华书局 1960 年版，第 6657 页。

② “五代史”修成后，稍晚，与刘知幾同时代的史学家吴兢“尝以梁、陈、齐、周、隋五代史繁杂，乃别撰《梁》《齐》《周史》各十卷、《陈史》五卷、《隋史》二十卷，又伤疏略”。（见刘昫等：《旧唐书》卷一〇二《吴兢传》，中华书局 1975 年版，第 3182 页）欧阳修、宋祁等《新唐书》卷一三二《吴兢传》称：“兢叙事简核，号良史。晚节稍疏牾，时人病其太简。”（中华书局 1975 年版，第 4529 页）

第三节　唐太宗的史学批评锋芒与新修《晋书》

一、唐太宗对前史的评论

唐太宗对史书有广泛的接触，这在他的诗赋、文章、谈话中有所反映。贞观初年，唐太宗与大臣李大亮关系密切，可以说是建立了君臣间的友谊。李大亮在凉州都督任上，遇到这样一件事："尝有台使到州，见有名鹰，讽大亮献之。"李大亮乃上表唐太宗，称："陛下久绝畋猎，而使者求鹰。若是陛下之意，深乖昔旨，如其自擅，便是使非其人。"这是对唐太宗提出批评。唐太宗给李大亮下书，写道：

> 以卿兼资文武，志怀贞确，故委藩牧，当兹重寄。比在州镇，声绩远彰，念此忠勤，无亡寤寐。使遣献鹰，遂不曲顺，论今引古，远献直言。披露腹心，非常恳到，览用嘉叹，不能便已。有臣若此，朕复何忧！宜守此诚，终始若一。古人称一言之重，侔于千金，卿之此言，深足贵矣。今赐卿胡瓶一枚，虽无千镒之重，是朕自用之物。

从这通下书中，可以看出唐太宗对李大亮的高度评价"兼资文武，志怀贞确"，"论今引古，远献直言"，等等。李大亮在越州任上"写书百卷"，在凉州"以惠政闻"。对于这样的大臣，唐太宗自是格外器重，于是又赐李大亮《汉纪》一部，并有第二通下书，唐太宗写道：

> 卿立志方直，竭节至公，处职当官，每副所委，方大任使，以申重寄。公事之闲，宜寻典籍。然此书叙致既明，论议深博，极为治之体，尽君臣之义，今以赐卿，宜加寻阅也。[①]

由于唐太宗和李大亮的这种君臣交谊，引出了唐太宗的这通下书，从而引发了唐太宗对荀悦《汉纪》的评论。作为一个皇朝的最高统治者，唐太宗对《汉纪》的评论自有其独到之处，这是史学批评研究所必须关注的。

在中国古代帝王当中，重视历史经验、重视史学功用，当无出于唐太宗之右者。他建议李大亮“公事之闲，宜寻典籍”，并推荐荀悦《汉纪》一书，令其研读，只是其中一例而已。唐太宗为什么要向李大亮推荐《汉纪》，这一点，他自己讲得很清楚，也很扼要，那就是他认为此书“叙致既明，论议深博，极为治之体，尽君臣之义”。这是对《汉纪》的叙事、史论和旨趣所作的极其概括的评价，反映出了唐太宗在评论历史典籍方面的卓识。

《汉纪》三十卷，是一部编年体西汉皇朝史，也是中国史学

---

① 以上所引见刘昫等：《旧唐书》卷六二《李大亮传》，中华书局1975年版，第2387-2388页。

上最早的编年体皇朝史。《汉纪》著者荀悦（148—209），字仲豫，东汉末年颍川颍阴（今河南许昌）人。汉献帝时官至侍中，《后汉书·荀淑传附荀悦传》载：汉献帝“好典籍，常以班固《汉书》文繁难省，乃令悦依《左氏传》体以为《汉纪》三十篇”，“辞约事详，论辨多美”。[①]《汉纪》记事起于刘邦之兴，讫于王莽之败，而以班彪著《王命论》、班固撰《汉书》事为殿，以明本书主旨及其之由来。

荀悦在《汉纪》卷一开宗明义说明撰述此书的原则和方法是：

> 约集旧书，撮序表、志总为帝纪，通比其事，列系年月。其祖宗功勋、先帝事业、国家纲纪、天地灾异、功臣名贤、奇策善言、殊德异行、法式之典，凡在《汉书》者，本末体殊，大略粗举；其经传所遗阙者，势有所不能尽繁重之语，凡所行之事，出入省要，删略其文。凡为三十卷，数十余万言，作为《帝纪》，省约易习，无妨本书，有便于用，其旨云尔。[②]

《汉纪》序文中的这段话，交代了《汉纪》的撰述方法及其内容上与《汉书》的关系，讲得明白、简要，便于读者阅读本书。唐太宗所说“叙致既明”或者与此不无关系。

---

① 范晔：《后汉书》卷六二《荀淑传附荀悦传》，中华书局1965年版，第2062页。
② 荀悦：《汉纪序》，《两汉纪》上，中华书局2017年版，第1-2页。

荀悦结合秦汉之际历史，分析“立策决胜之术”有三条：形、势、情，认为：“形者，言其大体得失之数也；势者，言其临时之宜也，进退之机也；情者，言其心志可否之意也。”[①] 这是把客观形势同人们的见识、心理、志向结合起来考察“立策决胜之术”，是看到了主客观因素对历史活动的影响，等等。从荀悦的这些史论来看，它们有两个共同的特点：第一，表明作者对于政治统治和历史经验之密切关系十分重视。第二，表明作者对于历史的见解具有鲜明的时代性。因此，荀悦的史论不同于班固史论的空泛说教，而上承司马迁史论“稽其成败兴坏之理”的遗风。《后汉书》作者范晔称颂《汉纪》“辞约事详，论辨多美”，应是中肯的评价。唐太宗说荀悦《汉纪》“论议深博”比之于范晔的评论，显得更加深刻。

唐太宗称赞《汉纪》“极为治之体”，当是针对有益于治国安邦说的。结合荀悦说的“立典有五志”，一方面是指历史撰述的内容，另一方面也是指这些内容的实质所在。他在《高祖皇帝纪》序中的这段话，说得十分明白：

> 昔在上圣，唯建皇极，经纬天地，观象立法，乃作书契，以通宇宙，扬于王庭，阙用大焉。先王以光演大业，肆于时夏，亦惟翼翼，以鉴厥后，永世作典。夫立典有五志焉：一曰达道义，二曰彰法式，三曰通古今，四曰著功勋，

---

① 荀悦：《汉纪》卷二《高祖皇帝纪二》“荀悦曰”，《两汉纪》上，中华书局2017年版，第26页。

五曰表贤能。于是天人之际，事物之宜，粲然显著，罔不备矣。世济其轨，不殒其业，损益盈虚，与时消息，虽臧否不同，其揆一也。①

结合前后文来理解“五典”，可以认为，“五典”既是历史撰述的重要内容，又是政治上治理国家的几个领域。唐太宗称赞《汉纪》“极为治之体”当与此密切相关。

荀悦的六主、六臣之议，精彩而深刻，尤其论王主、治主、存主与王臣、良臣、直臣，都是从正面论述，极尽其表彰、赞赏之意，并进而作概括之论，反映出君臣际会、交错的种种情况，给人们留下许多思考。荀悦写道：“或有君而无臣，或有臣而无君，同善则治，同恶则乱，杂则交争，故明主慎所用也。六主之有轻重，六臣之有简易，其存亡成败之机，在于是矣，可不尽而深览乎！”② 在这种复杂的君臣关系中，纵然有机缘巧合的可能，但“义”的存在是至关重要的。唐太宗称赞《汉纪》“尽君臣之义”，可谓包含着太多的感慨和期待。

除对《汉纪》有佳评外，唐太宗还称赞司马彪的《续汉书》。他曾作五言长诗《咏司马彪〈续汉志〉》，其中有这样的诗句：“前史殚妙词，后昆沉雅思。书言扬盛迹，补阙兴洪志。”③ 这四句诗，赞扬了范晔的《后汉书》，也赞扬了司马彪的

① 荀悦：《汉纪》卷首，《两汉纪》上，中华书局2017年版，第1页。

② 荀悦：《汉纪》卷一六《孝昭皇帝纪》，《两汉纪》上，中华书局2017年版，第287、288、289页。

③ 吴云、冀宇编：《唐太宗集》，陕西人民出版社1986年版，第59页。

《续汉书》志，同时还赞扬了刘昭以《续汉书》志补《后汉书》之阙志。四句诗评了三位史家，在以诗评史中似不多见。

唐太宗还作了一篇《赋〈尚书〉》诗，抒发他读《尚书》的自警："崇文时驻步，东观还停辇。辍膳玩《三坟》，晖灯披《五典》。寒心睹肉林，飞魄看沉湎。纵情昏主多，克己明君鲜。灭身资累恶，成名由积善。既承百王末，战兢随岁转。"① 由这首诗可以窥见《尚书》对于政治人物的教育作用所产生的震撼力，也可以看到唐太宗作为一代明君的深刻思想和精神境界。

唐太宗不赞成以文学作品入史，作为政治家，不看重"文体浮华，无益劝诫"的作品，而着意于"可裨于政理"的文字，是可以理解的。② 唐太宗对众家晋史的批评，更是充分地显示出他的政治家本色和史学批评的尖锐锋芒。

二、唐太宗《修晋书诏》批评众家晋史

贞观十年（636），唐初史学家们撰成梁、陈、齐、周、隋"五代史"后，唐太宗更加重视史学的功用和修史工作。贞观二十年（646），他下达了《修晋书诏》。这通修史诏书，在中国古代史学批评史和史学理论发展史上占有十分突出的重要地位，其要点是：高度评价了史学的社会功用，概述历代修史之史，有分析地批评了前人所修而当时还存在的十八家晋史，提出新修《晋书》的原则性要求等四个方面的内容。因其十分重要，现分

---

① 吴云、冀宇编：《唐太宗集》，陕西人民出版社 1986 年版，第 57 页。
② 见吴兢：《贞观政要·文史》，上海古籍出版社 1978 年版，第 222 页。

述如下：

> 朕拯溺师旋，省方礼毕；四海无事，百揆多闲；遂因暇日，详观典府。考龟文于羲载，辨鸟册于轩年；不出岩廊，神交千祀之外；穆然旒纩，临睨九皇之表。是知右史序言，由斯不昧；左官诠事，历兹未远；发挥文字之本，导达书契之源：大矣哉，盖史籍之为用也！

诏书这段文字，叙述了唐太宗在政务之余，在皇家藏书之处披览历史典籍，考察历史，达到了一种境界，即可以同千年以前的人们沟通、神交，乃至“看”到了古代帝王们的仪态。于是他认识到，史官们无论是“序言”还是“诠事”，一代代传下来，同当今相去不远，他们所做的事情，是在发挥文字记载的基本作用，进而延续古代书契的教育、借鉴本源。所有这些使唐太宗大为感叹而说出了这样极为深刻的认识：“大矣哉，盖史籍之为用也！”史学的功用真是伟大啊，唐太宗从思想深处发出的这种感叹、认识，在古代最高统治者中，可谓绝响。当然，这是在诏书中反映出来的，在当时和对后世都会产生重要影响。这个影响主要带来这样一个提示：通过认真阅读史书，可以认识已经消失的历史（可“神交”、可“临睨”），对文字的根本和书契的内涵有了更深入的理解。在这个基础上产生的对史学（史籍）的认识，是中国古代史学理论发展过程中的历史理性的重要表现。这是第一个要点。

《修晋书诏》的第二个要点是概述了历代修史之史，它这样写道：

> 自沮诵摄官之后，伯阳载笔之前，列代史臣，皆有删著。仲尼修，而采《梼杌》；倚相诵，而阐《丘》《坟》；降自西京，班、马腾其茂实；逮于东汉，范、谢振其芳声。蕞尔当途，陈寿敷其国志；眇哉刘宋，沈约裁其帝籍。至梁、陈、高氏，朕命勒成；惟周及隋，亦同甄录；莫不彰善瘅恶，振一代之清芬；褒吉惩凶，备百王之令典。

这是从传说中黄帝时期的史官沮诵说到周代史官伯阳（按：即老子），都与“载笔”有关。因传说中的事情说不清楚，诏书一笔带过，而从孔子以后，修史之史的脉络便清晰可寻了，故交代得很具体。诏书赞扬孔子修《春秋》并采用他国史书如楚国史书《梼杌》；楚国左史倚相具有渊博的学识而能阐发《九丘》《三坟》这些古代典籍。关于西汉的历史，司马迁的《史记》、班固的《汉书》都写得丰富、充实；至于东汉历史，范晔的《后汉书》和谢承的《后汉书》也都写得有声有色。即使对于魏、蜀、吴这三个小朝廷，陈寿也据实写出了《三国志》；刘宋也是如此，沈约写出了《宋书》。逮至《梁书》《陈书》《北齐书》，那就是唐太宗本人诏命史臣们所撰成的，《周书》《隋书》也同著成。这些撰述有两个重要作用，一是彰善瘅恶，张显各个朝代的美名；二是褒吉惩凶，储备各代的法令制度。正是这两句话，反映了唐太宗作为最高统治者对历代史书的认识和评论。

值得注意的是，唐太宗对历代史书虽有一个总的认识和评论，但其间却也存在明显的差别：马、班以前，唐太宗据实而评；对于《史记》《汉书》，则用了“腾其茂实”的评价；对于范、谢两部《后汉书》，则评价为使东汉一朝得以“振其芳声”；对于陈寿的《三国志》和沈约的《宋书》都表示肯定，但对它们所反映的历史不免有所感叹，所以用了“蕞尔当途”“眇哉刘宋”之语；关于梁、陈、齐、周、隋“五代史”，唐太宗早已有了“深副朕怀”的评价，故这里只是说了“朕命勒成”，如从修史之史的眼光来看，这“朕命勒成”四字其实际分量是极重的，因为这成了写入历史的事件了。

《修晋书诏》的第三个要点是：

> 唯晋氏膺运，制有中原，上帝启玄石之图，下武代黄星之德；及中朝鼎沸，江右嗣兴，并宅环区，各重徽号，足以飞英丽笔，将美方书。但十有八家，虽存记注；而才非良史，事亏实录。荣绪烦而寡要，行思劳而少功；叔宁课虚，滋味同于画饼；子云学海，涓滴堙于涸流；处叔不预于中兴，法盛莫通于创业；洎乎干、陆、曹、邓，略纪帝王；鸾、盛、广、松，才编载记，其文既野，其事罕传。遂使典午清尘，韫遗芳于简册；金行曩志，阙继美于骊騵；遐想寂寥，深为叹息。

这是《修晋书诏》中最重要的一个点，说明在论述修史之史的评论中，为何独独缺少了有关晋朝历史的撰述。而这正是唐太宗要看重评论的缘由。

自东晋至唐初，有多家晋史流传。据前人考证，这些晋史是：

书　名	卷　数	著　者	存亡	附　考
《晋书》	九十三卷	晋　王隐	佚	所记皆西晋事
《晋书》	四十四卷	晋　虞预	佚	所记皆西晋事
《晋书》	十四卷	晋　朱凤	佚	讫东晋元帝
《晋书》		晋　谢沈	佚	
《晋中兴书》	七十八卷	晋　何法盛	佚	所记皆东晋事
《晋书》	三十六卷	晋　谢灵运	佚	未完稿
《晋书》	一百一十卷	齐　臧荣绪	佚	
《晋书》	一百零二卷	梁　萧子云	佚	
《晋史草》	三十卷	梁　萧子显	佚	未完稿
《晋书》	七卷	梁　郑忠	佚	
《晋书》	一百十一卷	梁　沈约	佚	未完稿
《东晋新书》	七卷	梁　庾铣	佚	未完稿
				以上纪传体
《晋纪》	四卷	晋　陆机	佚	仅记宣、景、文三世事
《晋纪》	二十三卷	晋　干宝	佚	讫愍帝
《晋纪》	十卷	晋　曹嘉之	佚	
《汉晋春秋》	四十七卷	晋　习凿齿	佚	讫愍帝
《晋纪》	十一卷	晋　邓粲	佚	讫东晋明帝
《晋阳秋》	三十二卷	晋　孙盛	佚	讫东晋哀帝
《晋纪》	二十三卷	宋　刘谦之	佚	

续表

书　名	卷　数	著　者	存亡	附　考
《晋纪》	十卷	宋　王韶之	佚	起孝武帝，讫安帝义熙九年
《晋纪》	四十五卷	宋　徐广	佚	起海西公，讫孝武帝
《续晋阳秋》	二十卷	宋　檀道鸾	佚	起海西公，讫安帝
《续晋纪》	五卷	宋　郭季产	佚	
				以上编年体

上面所列二十三家中，谢沈、郑忠、沈约、庾铣之书，至唐初皆已亡佚；习凿齿所著之《汉晋春秋》，上溯后汉、三国，并不专记晋事，因此专属晋事者，一共有十八家。然而这十八家之中，大部分不是以西晋为断限，便是仅记东晋事，而且很多是未完成的史稿，只有臧荣绪和萧子云两家之书，纪、表、志、传比较完备。而萧子云之书，原来一百零二卷，到了唐初修撰《隋书·经籍志》时，已经残缺很多，只剩十一卷了。所以臧荣绪的《晋书》，在唐初可以说是晋史中最完整的一个本子了。[①]

唐太宗所说“十有八家”并在诏书中明确提到的有十四家，可在上表中找到对应的有十三家，它们是：王隐《晋书》，虞预《晋书》，谢沈《晋书》，何法盛《晋中兴书》，臧荣绪《晋书》，萧子云《晋书》，这都是纪传体晋史，凡六家；以及陆机《晋纪》，干宝《晋纪》，曹嘉之《晋纪》，邓粲《晋纪》，孙盛《晋阳秋》，徐广《晋纪》，檀道鸾《续晋阳秋》，这都是编年体晋

① 这里所列之表，均据王仲荦《魏晋南北朝史》，上海人民出版社 2003 年版，第 831-832 页。按：关于唐初所见十八家晋史，史学家多有歧见，今人王树民论之甚详，足资参考。见王树民：《十八家晋书》，《文史》第 17 辑，中华书局 1983 年版。

史，凡七种。以上两类合计凡十三家晋史，而诏书涉及“鸾、盛、广、松”之“松”，不知何所指，不在十三家之中。[①]

唐太宗对“十有八家”晋史之批评的前提，是肯定两晋的历史，不论是西晋的“制有中原”，还是“东晋”的“江右嗣兴”，都“并宅环区，各重徽号”，本应有良史之笔著其史事。正是基于对历史的这一认识，唐太宗转而对已有众多的历史撰述无一可以令其满意的现状，进行了一次激烈的史学批评：“才非良史，事亏实录。”其用词之尖锐，涉及史家、史书之多，都是史学批评史上前所未有的。唐太宗批评臧荣绪《晋书》“烦而寡要”，谢沈（行思）《晋书》“劳而少功”，虞预（叔宁）《晋书》“滋味同于画饼”，萧子云《晋书》“涓滴堙于河流”，王隐（处叔）《晋书》“不预于中兴”，何法盛《晋中兴书》“莫通于创业”；其他各家或“略纪帝王”或“才编载记”，“其文既野，其事罕传”。这种种缺陷，使晋朝的历史全貌难以流传后世。唐太宗想到这些，不免惶恐、叹息。

由此可见，对历史的真正的尊重，必然希望产生对历史的完整的叙述，这就是处身于历史运动中的自觉的人与历史和史学的逻辑关系。

《修晋书诏》的最后一个要点，是提出了新修《晋书》的十六字方针，以及基本保障条件，即：“宜令修国史所更撰晋书，

---

① 诏书中明确提到的有十四家，其中“鸾、盛、广、松”一句，有研究者认为“松”指“裴松之”，“著《晋纪》”。今查《宋书·裴松之传》有“松之所著文论及《晋纪》，骃注司马迁《史记》”（见沈约：《宋书》卷六四，中华书局1974年版，第1701页），当时指评论《晋纪》，非著《晋纪》。

铨次旧文，裁成义类，俾夫湮落之诰，咸使发明。其所须可依修《五代史》故事。若少学士，亦量事追取。”①

唐初史学家群体拥有修“五代史”的经验，又有《修晋书诏》的思想指导和明确要求，加之前人撰述作为参考等，于贞观二十二年（648）撰成《晋书》一百三十卷。

三、新修《晋书》是一部怎样的晋史

“五代史”修成后，唐太宗进而关注两晋史的撰述。他在考察已有的晋史著作后，决定重修晋书。贞观二十年（646），唐太宗下达《修晋书诏》，“令修国史所更撰《晋书》”。诏书称赞了《史记》《汉书》以下至“五代史”历代正史，但对唐以前多种晋史都不满意。此前，两晋、南朝时期出现了二十多种晋史著述，至唐初尚存十八种。这些书，只有一两种兼具两晋史事，大多不是完全意义上的晋史。《修晋书诏》批评它们：或者“烦而寡要”，或者“劳而少功”，或者“滋味同于画饼”“涓滴堙于涸流”；有的“不预于中兴”（未涉及东晋），有的“莫通于创业”（未写西晋史），有的“略纪帝王”，有的“才编载记”，等等。唐太宗认为以往诸家晋史“但十有八家，虽存记注；而才非良史，事亏实录”，故“遐想寂寥，深为叹息”②。

前文引王仲荦考订唐以前“撰晋史者，前后二十余家”，但

① 以上所引见唐太宗：《修晋书诏》，宋敏求编：《唐大诏令集》卷八一，商务印书馆1959年版，第467页。

② 以上均见唐太宗：《修晋书诏》，宋敏求编：《唐大诏令集》卷八一，商务印书馆1959年版，第467页。

至唐初只有臧荣绪《晋书》一家保存较为完整，根据这种情况来看，尽管唐太宗批评以往十八家晋史，在个别用语上未免苛求，但总的说来，这种批评是接近事实的。退而言之，如无这样严厉的批评，也就不会有唐初所修的新《晋书》了。

重修《晋书》以房玄龄、褚遂良为监修，参与撰述的有许敬宗、令狐德棻、敬播、李淳风、李延寿等二十一人。令狐德棻被参撰者“推为首”，他和敬播在制定《晋书》体例上起了重要作用。新修《晋书》以南朝齐人臧荣绪（415—485）所撰《晋书》为蓝本，采诸家晋史及晋人文集予以补充，重新撰定。刘知幾特别强调它“采正典与杂说数十余部，兼引伪史十六国书”[①]。这反映了新修《晋书》在所取文献上和内容上的特点。贞观二十二年（648），新修《晋书》撰成，包括帝纪十卷、志二十卷、列传七十卷、载记三十卷，叙例、目录各一卷。叙、目已佚，今存一百三十卷。据宋人称，因唐太宗为晋宣、武二帝纪及陆机、王羲之二传写了后论，故全书曾总题为“御撰”。

《晋书》记事，起于晋泰始元年（265），讫于元熙二年（420），含西晋四帝、东晋十一帝共一百五十六年史事，并追叙晋室先世司马懿、司马师、司马昭在东汉末年和曹魏时期的活动，还包括了大致跟东晋同时存在的北方十六国史事。《晋书》对于这样纷繁的历史格局，都能从容地表述出来，显示了唐初史家的组织力量和创造才能。《晋书》的成就，首先在于它写出了

---

① 刘知幾：《史通·古今正史》，浦起龙《史通通释》本，上海古籍出版社2009年版，第325页。

两晋历史的全貌，弥补了以往诸家晋史的缺憾。因其“参考诸家，甚为详洽”[1]，在内容上也很充实。因此，《晋书》问世后，“自是言晋史者，皆弃其旧本，竞从新撰者焉”[2]。《晋书》的成就还突出地表现在它对民族关系在历史撰述上的处理。它继承了《东观汉记》所用的“载记”体例，创造性地以该体例记十六国君臣事迹、国之兴废，并着眼于僭伪，不再渲染华夷。这跟南北朝史家撰史互以对方之史为“传”且以“索虏”“岛夷”相称，不仅有表述上的区别，更有认识上的变化：它同“五代史”在处理南北关系上是一致的，反映了隋唐统一后“天下一家”的思想。“载记”中颇有写得精彩的篇章。关于石勒的两卷，写他“斩祖逖部下降者继而送首于祖逖”，写他“与乡老齿坐欢饮，语及平生”，写他“常令儒生读史书而听之”及所发论议，写他在宴请高句丽使者筵席上对汉高祖、光武帝、曹操、司马懿父子的评价及自认“当在二刘之间”的谈话，都写得酣畅、淋漓、爽快。关于苻坚的两卷，写他登龙门、游霸陵而与臣下论前人得失，写他劝课农桑、兴修水利，写他广修学官、亲临太学，写他淝水之败、长安之失，都极具声色。

一言以蔽之，新修《晋书》的三十篇载记，写出了北方各族所建政权的特色及其所为，丰富了这一时期历史进程中的南北关系和民族融合的具体内容，是中国历史撰述上的重要篇章。

《晋书》的十篇志是天文、地理、律历、礼、乐、职官、舆

① 刘昫：《旧唐书》卷六六《房玄龄传》，中华书局1975年版，第2463页。
② 刘知幾：《史通·古今正史》，浦起龙《史通通释》本，上海古籍出版社2009年版，第325页。

服、食货、五行、刑法，写出了两晋的典章制度。天文、律历写得充实、有序，是《五代史志》中天文、律历二志的姊妹篇。《地理志》的总叙写出了历代地理建置的沿革流变，也写出历代封国、州郡的等级、宽狭，以及户口增减情况，是一篇很有价值的地理总论。它的正文两卷详载两晋州、郡、县的建置，每州有小序一篇，述其由来及所统郡、县、户之数。其他各志，也都井然有序。郑樵说："本末兼明，惟《晋志》可以无憾，迁、固以来，皆不及也。"① 这是对《晋书》志这个特点的肯定。

综上，新修《晋书》是一部完全意义上的晋史，这是它超越十八家晋史的一个重要原因。

《晋书》同"五代史"比较起来，据事直书是其优点，不像后者那样采取纪、传不同处置的写法，这跟晋史距唐年代久远有关。但它"好采诡谬碎事，以广异闻"②，是其缺点。总的来看，如宋人叶适所批评的那样："《晋书》叙事虽烦猥无刊剪之功，然成败得失之际，十亦得七八。史臣语陋，无一可采，然予夺亦不差。"③ 从主要方面来看，这个评论大致是公允的。《晋书》撰成后，唐太宗"以其书赐皇太子及新罗使者各一部"④。次年，唐太宗就去世了。但他在《修晋书诏》中说的"大矣哉，盖史籍之为用也"，已经成为中国史学史上永恒的名言。

史学批评推动史学发展，新修《晋书》是又一有力例证。

---

① 郑樵：《通志二十略·艺文略三·史类五》正史类，中华书局1995年版，第1528页。
② 刘昫：《旧唐书》卷六六《房玄龄传》，中华书局1975年版，第2463页。
③ 叶适：《习学记言序目》卷三〇《晋书二·总论》，中华书局1977年版，第439页。
④ 王溥：《唐会要》卷六三《史馆上·修前代史》，上海古籍出版社2006年版，第1288页。

第四节　李大师的史学批评与李延寿的追终先志

一、李大师对南北朝所修正史的批评

如前所述，唐高祖和唐太宗两位最高统治者的史学批评，促成了梁、陈、齐、周、隋“五代史”和《晋书》的修撰成功。而《南史》《北史》两部正史的修撰成功，与此大不相同，它们是由隋唐之际一个普通士人——李大师的史学批评所促成的。

李大师（570—628），字君威，祖上是陇西大族，世居相州（大致在今河南安阳与河北临漳一带）。祖李超，字仲举，以字行，仕北齐、北周及隋，官位不高。李大师“幼而爽悟，神情警发……好学，无所不窥，善缀文。备知前代故事，若指诸掌；商较当世人物，皆得其精”[①]。

隋炀帝大业十年（614），李大师为渤海郡主簿。隋末大乱，为窦建德所获，成了夏政权的“尚书礼部侍郎”。武德三年（620）奉命向唐朝廷求和，后因窦建德“违约”，李大师被唐高祖李渊“命所在拘留”，“以谴徙配西会州”，从而开始了他的流亡生活并续写他的传奇人生：

> 大师既至会州，忽忽不乐，乃为《羁思赋》以见其事。侍中、观公杨恭仁时镇凉州，见赋异之，召至河西，深相礼

① 李延寿：《北史》卷一〇〇《序传》，中华书局1974年版，第3341页。

重，日与游处。

大师少有著述之志，常以宋、齐、梁、陈、魏、齐、周、隋南北分隔，南书谓北为“索虏”，北书指南为“岛夷”。又各以其本国周悉，书别国并不能备，亦往往失实。常欲改正，将拟《吴越春秋》，编年以备南北。至是无事，而恭仁家富于书籍，得恣意披览。宋、齐、梁、魏四代有书，自余竟无所得。居二年，恭仁入为吏部尚书，大师复还会州。武德九年，会赦，归至京师。尚书右仆射封德彝、中书令房玄龄并与大师亲通，劝留不去，曰：“时属惟新，人思自效，方事屏退，恐失行藏之道。”大师曰：“昔唐尧在上，下有箕山之节，虽以不才，请慕其义。”于是俶装东归。家本多书，因编缉前所修书。贞观二年五月，终于郑州荥阳县野舍，时年五十九。既所撰未毕，以为没齿之恨焉。所制文笔诗赋，播迁及遭火，多致失落，存者十卷。子庆孙、正礼、利王、延寿、安世。①

这一段论述，从武德三年（620）到武德九年（626），再到贞观三年（629），前后九年时间，从河北到会州，从会州到河西，从河西再到会州，因“遇赦”而归至长安，从长安到郑州荥阳，是一条艰难的人生之路，但又带有几分传奇色彩：一个被发配的“罪人”，在极困难的条件下，却惦记着历史和历史撰

① 李延寿：《北史》卷一〇〇《序传》，中华书局1974年版，第3342-3343页。

述，对南北朝正史《宋书》《南齐书》《魏书》提出尖锐的批评，并立志撰写新的包含南朝和北朝的南北朝史，“既所撰未毕，以为没齿之恨焉”。

读到这段记述，才真了解到《南史》《北史》撰述的根源，其起因是多么平凡，又是多么伟大；统一的理念既在一些政治家心中，也在许多普通士人的心中。

李大师的少年时代是在南北朝对立的历史环境中度过的；十九岁那年（589），隋王朝统一全国，结束了自西晋灭亡以来二百七十多年的分裂局面。继隋而起的，又是统一、强盛的唐王朝。正是这种由分裂、动乱走向统一、安定的重大的历史变动，给当时的社会带来了新的生机和繁荣兴盛的局面，也给当时的史学以深刻的影响。这个影响的突出表现之一，便是对于统一的政治局面的反映和肯定。李大师无疑是受到了这个历史环境的影响的。

李大师历史著述的主要旨趣在于：第一，他要改变南北朝人们作史以南北互相诬骂、彼此以“索虏”和“岛夷”相诬的惯例；第二，他要改变南北朝人们作史以本国详、他国略的通病；第三，他要改变南北朝人们作史因种种偏见而造成“往往失实”的缺陷。总之，他的这些主张，贯穿了天下统一的思想，因而他打算“编年以备南北”，以编年体的形式撰写贯通的南北朝史。

从史学与政治的关系来看，国家的统一，必然要求产生与之相适应的历史著作。隋炀帝时，朗茂撰《隋诸州图经集》一百卷，唐太宗时，诏令大臣和史官撰写“五代史”，都是在统一的政治形势下才能做到的。房玄龄、褚遂良在其主持修撰的《晋书》的三十载记中，只说僭伪，而不强调华夷，这与南北朝时期史书，北以南为“岛夷”，南以北为“索虏”的对立态度不同，而反映了唐统一后天下一家的思想。李大师是隋唐之际人，卒于贞观二年（628）。其时，不独新修《晋书》远未撰成，就是“五代史”亦尚未着手编写，足见李大师这种明确的倾向统一的思想是很难得的。

《北史·序传》说，李大师虽早有“编年以备南北”的志向，但直到唐高祖武德九年（626）他才“俶装东归”，“因编辑前所修书”。可惜这项工作只进行了两年，李大师就去世了。临终前，他因“所撰未必，以为没齿之恨焉”。

李大师“以为没齿之恨”的这件工作，在他死后三十年左右，由他的儿子李延寿完成了。

二、李延寿追终先志撰《南史》《北史》

李延寿于唐太宗贞观年间，曾在颜师古、孔颖达手下从事著述《隋书》的工作，其后又与令狐德棻等参与《晋书》《五代史志》的修撰工作，因而得以接触皇家所藏图书，“推究”“批寻”南北朝各代史书。李延寿“既家有旧本，思欲追终先志”，完成他父亲李大师未竟的事业，乃拟司马迁《史记》体例，编写《南史》和《北史》，“始末修撰，凡十六载”，于唐高宗显庆四年（659），著成《南史》八十卷、《北史》一百卷。他在《上〈南史〉表》中报告了这两部书的撰述情况：

臣轻生多幸，运奉千龄，从贞观以来，屡叨史局，不揆愚固，私为修撰。起魏登国元年，尽隋义宁二年，凡三代二百四十四年（按：应为二百三十三年），兼自东魏天平元年，尽齐隆化二年，又四十四年行事，总编为本纪十二卷、列传八十八卷，谓之《北史》；又起宋永初元年，尽陈祯明三年，四代一百七十年，为本纪十卷、列传七十卷，谓之《南史》。凡八代，合为二书，一百八十卷，以拟司马迁《史记》。就此八代，而梁、陈、齐、周、隋五书，是贞观中敕撰，以十志未奏，本犹未出。然其书及志，始末是臣所修。臣既夙怀慕尚，又备得寻闻，私为抄录，一十六年，凡所猎略，千有余卷。连缀改定，止资一手，故淹时序，迄今方就。唯鸠聚遗逸，以广异闻，编次别代，共为部秩。除其冗长，捃其菁华。若文之所安，则因而不改，不敢苟以下愚，自申管见。虽则疏野，远惭先哲，于披求所得，窃谓详尽。其《南史》刊勒已定，《北史》勘校粗了。既撰自私门，不敢寝默，又未经闻奏，亦不敢流传。轻用陈闻，伏深战越。谨言。[①]

这里，李延寿把《南史》《北史》的断限、卷帙、体例、著述过程、编撰方法等，都叙述得十分明白。李延寿著《南史》《北史》的方法，首先是“抄录”，其次是“连缀”。所谓“连

① 李延寿：《北史》卷一〇〇《序传》，中华书局1974年版，第3345页。

缀"，就是改写。改写的过程中，有删节（"除其冗长，捃其菁华"），也有增补（"鸠聚遗逸，以广异闻"）。

李延寿著《南史》《北史》，在体例上采用纪传体（"以拟司马迁《史记》"），改变了他父亲李大师打算作编年体的计划（"将拟《吴越春秋》，编年以备南北"），但是，在著述宗旨上，他是完全继承了李大师倾向统一的思想的。

三、《南史》《北史》的大一统思想

如前所述，《南史》多出于《宋书》等四史，而《北史》则多出于《魏书》等四史。但是，《南史》《北史》绝非一般地抄撮八史，它们出于八史，又不同于八史。从著述者的思想倾向来看，这个不同之处，突出地表现在《南史》《北史》倾向统一的思想，这是八史当中除《隋书》其他诸史所不能企及的。

首先，《南史》《北史》从全国统一的思想出发，取消了所谓《岛夷传》和《索虏传》的习惯做法和传统称谓，而另立有关篇目。如沈约《宋书》于北魏历史立《索虏传》（见《宋书》卷九五），萧子显《南齐书》于北魏历史立《魏虏传》（见《南齐书》卷五七）；同样，魏收《魏书》于南朝历史则立《岛夷传》（见《魏书》卷九七《岛夷刘裕传》，卷九八《岛夷萧道成传》《岛夷萧衍传》）。他们各自都以自身为中国的"正统"，而不承认对方是"正统"。从政治观点来看，这固然反映了南北朝统治者互相对立的情绪；从历史观点来看，这无疑也表明了南北朝时一些史家因受种种偏见的影响而缺乏"大一统"的思想和气魄。《南史》《北史》的撰述者李延寿一反南北朝时期的旧有传统，于北魏、北齐、北周历史立“本纪”（见《北史》卷一至卷十），于宋、齐、梁各朝历史亦立本纪（见《南史》卷一至卷八），而一概取消了“岛夷”和“索虏”的错误称谓。这种不再强调华、夷界限的做法，不仅在政治上反映了天下一家的统一局面，而且也反映了魏晋南北朝以来我国各民族大融合的历史发展。可见，李延寿“编次别代，共为部秩”的著述思想是包含了丰富的思想内容的。

其次，南北朝时期人们作史，多因有所避讳而成曲笔者甚多，《南史》《北史》则因避讳较少，照实直书而基本上改变了这种情况。如魏收著《魏书》，“正在齐文宣（按：即高洋）时，故凡涉齐神武（按：即高欢）在魏朝时事，必曲为回护”，“当时已谓其党（北）齐毁（西）魏，褒贬肆情”，所以赵翼认为魏收的《魏书》“趋附避讳，是非不公，真所谓秽史也”。李延寿《北史》对此则多有改正。又如，沈约《宋书》讳齐高帝萧道成名，而书为“公齐王”“太傅齐王”，《南史》则不加避讳，直书其名。《梁书》和《陈书》虽是唐初姚思廉撰，但其部分史稿系继承其父姚察旧草，而姚察又因是据梁、陈史官所录，未及细细推究，回护之词往往掺杂其间，亦成曲笔。李延寿《南史》一般都直书其事，改正颇多。例如《梁书》对临川王萧宏大加褒美，称赞他：“性宽和笃厚，在州二十余年，未尝以吏事按郡县，时称其长者。”[①] 《南史》则揭露临川王萧宏是一个品行低劣，“以介弟之贵，无佗量能，恣意聚敛”[②] 之徒。对于《陈书》，《南史》虽无明显增删，但改曲笔为直书者尤多，“使奸恶不能藏匿，此最有功于《陈书》”[③]。后来司马光撰《资治通鉴》，有关部分多采《南史》所记。以上这些情况，固然是由于李延寿撰写前代历史，与前人相比，顾忌较少有关，但也与他通观全局、总揽南北的著述思想分不开。

再次，《宋书》等原八史列传，均以王朝断限，《南史》《北史》列传则打乱南、北王朝的界限，以家族为中心立传。这就是王鸣盛所说的“以家为限断，不以代为限断”，“并合各代每一家聚为一传”。王鸣盛对此进行激烈的批评：“八代逐代各断，不宜牵连。延寿书各传中，于一家父子兄弟姓及其后裔历仕各代者，辄连述之。不以各代为限断，而以各家为限断，恶乎可?”“其所以以家断不以国断者，总以迁移见长耳。不知此国史，非家乘也，何为必以一家贯数代乎?”[④] 又说，这种做法，“使国史变作家谱，最为谬妄。……方叙魏人，忽入隋事，欲观周传，偏涉齐朝，使读者左顾右盼，颠倒迷惑，且似将齐、周、隋人皆提入魏，魏太饱，齐、周、隋太饥，殊非著述之体”[⑤]。王鸣盛的

---

① 萧子显：《梁书》卷二二《太祖五王传》，中华书局1973年版，第341页。

② 李延寿：《南史》卷五一《梁宗室上》，中华书局1975年版，第1277页。

③ 参见赵翼：《廿二史札记》卷一一“南史与陈书歧互处”条，王树民《廿二史札记校证》本，中华书局2013年版，第243页。

④ 王鸣盛：《十七史商榷》卷五九“以家为限断不以代为限断”条，上海书店出版社2005年版，第453页。

⑤ 王鸣盛：《十七史商榷》卷六八“并合各代每一家聚为一传”条，上海书店出版社2005年版，第565页。

这些指摘，不是没有道理的，这的确是《南史》《北史》的一个缺陷。当然，这个缺陷的主要之处，还不是什么“太饱”“太饥”及“左顾右盼”之类，而是这种“家谱”式的列传，恰是魏晋以来士族政治的需要。应当说，《南史》《北史》列传确是承袭了魏晋南北朝以来谱学发展的遗风。它的这个缺陷是不能否认的。但是，仅仅指出这些还不够。李延寿之所以作这样的处理(用他自己的话来说就是“连缀”)，是为了实现他父亲的遗愿，即贯彻李大师的“编年以备南北”的宗旨，把南北朝各朝历史贯穿一气。因此，他在编写《南史》《北史》列传时，不以朝代断限，而是把宋、齐、梁、陈和魏、齐、周、隋各看成一个大的历史阶段。唯其如此，才出现了所谓“家谱”“家乘”式的列传。我们在评论这个问题的时候，只有把从李大师到李延寿的著述思想联系起来加以考查，才能深窥撰者的本意，从而对问题作出全面的、恰当的评价。王鸣盛指摘李延寿“立意为人作家传”，甚至认为“如此作史，无理取闹而已”[①]，未免失于偏颇，有些过分了。

最后，李延寿从统一的思想出发，不曾着力记述南北战争的详细经过，而只是简括地勾勒这些战争的情形。这样做的结果，势必使人们对一些重大战役无从作深入的分析。但李延寿这样处理南北关系，也并非毫无道理。赵翼指出：“盖延寿叙事，专以简括为主，固不能一一详书。且南北交兵，各自夸胜讳败，国史

① 王鸣盛：《十七史商榷》卷五九“以家为限断不以代为限断”条，上海书店出版社2005年版，第453页。

固各记其所记。延寿则合南北皆出其一手，惟恐照本钞誊，一经核对，则事迹多不相符故也。”又说：“两国交涉处，一经校对，辄多罅隙，宜乎延寿之不敢详书也。”[①] 作为一个史家，未能弥补这些“罅隙”，固然是一件憾事，但李延寿能居高临下来简述南北交兵的情况，还是应该给以适当肯定的。

以上这些，都从不同的侧面反映了李延寿倾向统一的思想。如前所述，这个思想是由李大师首先提出的。李延寿继承父志，以十六年工夫著成上下连贯的《南史》和《北史》，卒以“追终先志”，完成父业。这是他对唐代史学作出的贡献，也是他留在中国史学上的主要功绩。

① 赵翼：《廿二史札记》卷一三“南北史两国交兵不详载”条，王树民《廿二史札记校证》本，中华书局2013年版，第291页。

第二章 《隋书·经籍志》史部诸序与史学批评史雏形的出现

唐初史家撰写的《隋书·经籍志》史部在史部目录学史和史学学术史上，占有重要地位，同时，它也向人们展现出史学批评的广阔空间。从它的纵向考察与横向分类相结合而展开的各类史书的评论，在其整体结构上，可以看作是一部史学批评史的雏形。

第一节 广阔的史学批评空间

一、“四部”书的由来

唐初学人所撰《隋书·经籍志》载当时见存书目，分为经、史、子、集四部，并附佛、道书目。《隋书·经籍志》总序对目录书的发展和四部书的由来，作了系统的梳理：

西汉成帝时，“秘藏之书，颇有亡散，乃使谒者陈农，求遗书于天下。命光禄大夫刘向校经传诸子诗赋，步兵校尉任宏校兵书，太史令尹咸校数术，太医监李柱国校方技。每一书就，向辄撰为一录，论其指归，辨其讹谬，叙而奏之。向卒后，哀帝使其子歆嗣父之业。乃徙温室中书于天禄阁上。歆遂总括群篇，撮其指要，著为《七略》：一曰《集略》，二曰《六艺略》，三曰《诸子略》，四曰《诗赋略》，五曰《兵书略》，六曰《术数略》，七曰《方技略》”。

东汉明帝、章帝时，“四方鸿生巨儒，负帙自远而至者，不可胜算。石室、兰台，弥以充积。又于东观及仁寿阁集新书，校书郎班固、傅毅等典掌焉。并依《七略》而为书部，固又编之，以为《汉书·艺文志》”。

这是两汉在文献整理和目录学史发展上的重要贡献，由此也可以看出，《汉书·艺文志》本是继承刘向、刘歆校书的成果而撰述的。

曹魏时，“秘书郎郑默，始制《中经》，秘书监荀勖，又因《中经》，更著《新簿》，分为四部，总括群书。一曰甲部，纪六艺及小学等书；二曰乙部，有古诸子家、近世子家、兵书、兵家、术数；三曰丙部，有史记、旧事、皇览簿、杂事；四曰丁部，有诗赋、图赞、汲冢书。……但录题及言，盛以缥囊，书用缃素。至于作者之意，无所论辩”。这是一个很大的变化，文献总的分类由七分法变为四分法，而史书列于“丙部”。

东晋初年，“著作郎李充以勖旧簿校之……遂总没众篇之名，但以甲乙为次。自尔因循，无所变革”。

南朝刘宋时，先有“秘书监谢灵运造《四部目录》”，后有“秘书丞王俭又造《目录》……俭又别撰《七志》：一曰《经典志》，纪六艺、小学、史记、杂传；二曰《诸子志》，纪今古诸子；三曰《文翰志》，纪诗赋；四曰《军书志》，纪兵书；五曰《阴阳志》，纪阴阳图纬；六曰《术艺志》，纪方技；七曰《图谱志》，纪地域及图书。其道、佛附见，合九条。然亦不述作者之意，但于书名之下，每立一传，而又作九篇条例，编乎首卷之中。文义浅近，未为典则”。

南朝萧齐“永明中，秘书丞王亮、监谢朏，又造《四部书目》”。

南朝萧梁时，“有秘书监任昉、殷钧《四部目录》，又《文德殿目录》。其术数之书，更为一部，使奉朝祖暅撰其名。故梁有《五部目录》”。（梁武帝）普通中，有处士“阮孝绪，沉静寡欲，笃好坟史，博采宋、齐已来王公之家凡有书记，参校官簿，更为《七录》：一曰《经典录》，纪六艺；二曰《记传录》，纪史传；三曰《子兵录》，纪子书、兵书；四曰《文集录》，纪诗赋；五曰《技术录》，纪数术；六曰《佛录》；七曰《道录》。其分部题目，颇有次序，割析辞义，浅薄不经”①。

自东晋、南北朝至隋唐之际，由于社会动荡，文献或聚或散，或存或亡，然历代都有整理文献、编制目录的学人，形成优良的传统。从文献分类来看，有七分法和四分法两种区分，个别

---

① 以上所引均见魏徵等：《隋书》卷三二《经籍志》总序，中华书局 1973 年版，第 905-907 页。

的也有五分法，但总的趋势是由七分法向四分法过渡。在这个过渡当中，东晋李充所撰目录书“但以甲乙为次”是一个转折点，即史先子后，把史部书置于子部书之前，并影响到后世目录书的编次。①

《隋书·经籍志》作者在梳理了文献目录书的历史演变后写道：

> 今考见存，分为四部，合条为一万四千四百六十六部，有八万九千六百六十六卷。其旧录所取，文义浅俗、无益教理者，并删去之。其旧录所遗，辞义可采，有所弘益者，咸附入之。远览马史、班书，近观王、阮志、录，挹其风流体制，削其浮杂鄙俚，离其疏远，合其近密，约文绪义，凡五十五篇，各列本条之下，以备《经籍志》。虽未能研几探赜，穷极幽隐，庶乎弘道设教，可以无遗阙焉。夫仁义礼智，所以治国也，方技数术，所以治身也；诸子为经籍之鼓吹，文章乃政化之黼黻，皆为治之具也。故列之于此志云。②

---

① 《晋书》卷九二《李充传》记载：“于时典籍混乱，充删除烦重，以类相从，分作四部，甚有条贯，秘阁以为永制。”（中华书局1974年版，第2391页）清代史家钱大昕认为：“晋荀勖撰《中经新簿》，始分甲、乙、丙、丁四部，而子犹先于史。至李充为著作郎，重分四部：五经为甲部，史记为乙部，诸子为丙部，诗赋为丁部，而经史子集之次始定。厥后王亮、谢朏、任昉、殷钧撰书目，皆循四部之名。虽王俭、阮孝绪析而为七，祖暅别而为五，然隋唐以来志经籍，艺文者，大率用李充部叙而已。”见钱大昕：《补元史艺文志序》，载《二十五史补编》第六册，中华书局1955年版，（总）第8393页。按：钱大昕的论断，当是以“秘阁以为永制”为据，联系唐宋以来的相关著作的次第为映衬而作出的。

② 魏徵等：《隋书》卷三二《经籍志》总序，中华书局1973年版，第908-909页。

《隋书·经籍志》所说“合为四部”，即是经、史、子、集、四部，以对应前人所划分为甲、乙、丙、丁四部，所不同的是子、史排列变更为史、子排列。

从《隋书·经籍志》总序的历史考察来看，“四部”书的形成，经历了由汉成帝时代至唐高宗时代约七百年的演变。所谓“远览马史、班书，近观王、阮志、录，挹其风流体制，削其浮杂鄙俚，离其疏远，合其近密”，讲的是总体框架和具体分类；所谓“约文绪义，凡五十五篇，各列本条之下”，是就思想而言，有大序、小序共五十五篇，以阐释各大类、小类之内涵、流变。合而论之，“四部”书的形成，是一个历史发展过程，而对于这一发展过程的考察，也可以看作是一次学术史的回顾。

二、《隋书·经籍志》总序的批判色彩

《隋书·经籍志》总序在梳理目录书的过程中，贯穿着鲜明的批判精神。如称赞刘向说：“每一书就，向辄撰为一录，论其指归，辨其讹谬，叙而奏之。”称赞刘歆说：“歆遂总括群篇，撮其指要，著为《七略》。”这都是在强调对于文献之思想的把握、明辨其存在的讹误所在，充分肯定了刘向、刘歆父子校书的贡献，而这一贡献由《汉书·艺文志》传承下来。

又如，它肯定郑默、荀勖首创四部框架，总括群书，“至于作者之意，无所论辩”，显然是一大缺陷。它批评王俭《七志》说：“然亦不述作者之意，但于书名之下，每立一传，而又作九篇条例，编乎首卷之中。文义浅近，未为典则。”它一方面称道

阮孝绪《七录》“其分部题目，颇有次序”，另一方面又批评《七录》“割析辞义，浅薄不经”。[①]

《隋书·经籍志》总序的这些批评，反映了唐初史家对于学术演变的反思和检讨有其深度，也包含着新的要求。史载：王俭在刘宋任秘书丞时，“上表求校坟籍，依《七略》撰《七志》四十卷，上表献之，表辞甚典。又撰定《元徽四部书目》”[②]。照例说，这个评价是很高的，尤其说王俭“表辞甚典”，这与《隋书·经籍志》总序所说的王俭“文义浅近，未为典则”的评价，恰恰相反。萧梁时的阮孝绪，于德于才，颇有名声，官府“致书要之，不赴”，“门图诔其德行，谥曰‘文员处士’。所著《七录》等书二百五十卷，行于世”[③]。李延寿著《北史》，于《牛弘传》，都将王俭《七志》、阮孝绪《七录》并提，说明《七录》确有一定影响，而后出的《隋书·经籍志》总序同样批评《七录》“割析辞义，浅薄不经”，[④] 这表明，《隋书·经籍志》总序的作者对自身有很高的要求和期许。

需要着重指出的是，《隋书·经籍志》总序十分看重此前的各种目录书是否揭示了有关撰述的“作者之意”：如肯定刘向的“论其指归，辨其讹谬”、刘歆的“总括群篇，撮其指要”；否定郑默、荀勖的“至于作者之意，无所论辨”，王俭“然亦不述作

① 以上参考魏徵等：《隋书》卷三二《经籍志》总序，中华书局 1973 年版，第 905-907 页。

② 萧子显：《南齐书》卷二三《王俭传》，中华书局 1972 年版，第 433 页。

③ 姚思廉：《梁书》卷五一《处士·阮孝绪传》，中华书局 1973 年版，第 741-742 页。

④ 分别见魏徵等《隋书》卷四九《牛弘传》，中华书局 1973 年版，第 1299 页；李延寿《北史》卷七二《牛弘传》，中华书局 1974 年版，第 2493 页。

者之意”。这显然是重视著述思想或批评思想的表现，确乎难能可贵。

这里所强调的“作者之意”，当是指作者的撰述宗旨和目的。南朝刘宋史家范晔说过这样的话：

> 常谓情志所托，故当以意为主，以文传意。以意为主，则其旨必见；以文传意，则其词不流。然后抽其芬芳，振其金石耳。此中情性旨趣，千条百品，屈曲有成理。①

这一段话，是理解“作者之意”一个极好的参照。当然，范晔说的“以文传意，则其词不流”，进而指文字表述要准确和严谨，这同《隋书·经籍志》总序批评“文义浅近，未为典则”，“割析辞义，浅薄不经”，原则上也是一致的。可以说，范晔有“知音”，而《隋书·经籍志》总序也有渊源。

《隋书·经籍志》除了具有鲜明的批判色彩，还有一个突出的指导思想，这就是认为“经籍”的本义是经世致用。它的这一指导思想在序文的首尾都有明确的表述：

> 夫经籍也者，机神之妙旨，圣哲之能事，所以经天地，纬阴阳，正纪纲，弘道德，显仁足以利物，藏用足以独善，学之者将殖焉，不学者将落焉。大业崇之，则成钦明之德，

---

① 沈约：《宋书》卷六九《范晔传》，中华书局1974年版，第1830页。

匹夫克念，则有王公之重。其王者之所以树风声，流显号，美教化，移风俗，何莫由乎斯道？……其为用大矣，随时之义深矣，言无得而称焉。①

这段论述的要义是：第一，“经籍”本身有重要作用，“学之”与“不学”将存在非同小可的区别；第二，不论是“大业崇之”还是“匹夫克念”，都有好的前提和结果；第三，帝王之所以“树风声，流显号，美教化，移风俗，何莫由乎斯道”，都得凭借“经籍”；第四，“经籍”为用之大、随时之义之深，是难以用语言来形容的。这些观念把“经籍”的经世致用的思想阐述得再透彻不过了。

总序的结尾处又这样写道：“夫仁义礼智，所以治国也，方技数术，所以治身也；诸子为经籍之鼓吹，文章乃政化之黼黻，皆为治之具也。”② 这就是说：经籍中所蕴含的道德和智慧是用来“治国”的，所具有的各种能力、技术是用来“治身”的；诸子之学的作用是解释经籍的内容和价值，文章是用来阐发政化的成就和美好的，这些都是“为治”所必需的。

如果以《隋书·经籍志》同《汉书·艺文志》相比较的话，那么在这个问题上，前者比后者是前进了一大步，即更加自觉地强调经籍（艺文）与社会的密切关系，也就是说，更加强调学术与社会的密切关系，从而把学术、治国、治身都联系起来。总

① 魏徵等：《隋书》卷三二《经籍志》总序，中华书局1973年版，第903页。
② 魏徵等：《隋书》卷三二《经籍志》总序，中华书局1973年版，第909页。

之，这样来看待和撰写目录书的演变和发展，就赋予目录书以生命的活力了。

三、史部十三类史书的构成与史学批评的广阔空间

《隋书·经籍志》与《汉书·艺文志》在关于史学的认识上，也有很大的不同之处。《汉书·艺文志》没有涉及史官与艺文的关系，它只在著录《春秋》类书目的小序中指出："古之王者，世有史官，君举必书，所以慎言行，昭法式也。左史记言，右史记事，事为《春秋》，言为《尚书》，帝王靡不同之。"① 可见，这种认识还停留在比较狭小的范围。又因当时史学尚在发展的早期阶段，历史著作的数量和种类都比较少，故史书如《世本》《太史公书》等九种史书，都附录于《春秋》类书目之后。而《隋书·经籍志》则是另一种情况。首先，它强调史官与经籍的密切关系，指出："今之所以知古，后之所以知今，其斯之谓矣。是以大道方行，俯龟象而设卦；后圣有作，仰鸟迹以成文。书契已传，绳木弃而不用；史官既立，经籍于是与焉。"② 这是从历史的进程说明史官的出现及其与"经籍"的关系。换言之，讨论"经籍"问题，不能不考虑到史官的出现及史官的作用。《隋书·经籍志》总序在这个问题的认识上是对前人的一个重要发展。其次，由于魏晋南北朝时期史学的多途发展，史书的数量剧增，而史书种类也不断丰富起来，因而在目录书的编制

① 班固：《汉书》卷三〇《艺文志》，中华书局1962年版，第1715页。
② 魏徵等：《隋书》卷三二《经籍志》总序，中华书局1973年版，第903-904页。

中，史书出现了脱离经书附庸地位而独立的趋势，这在上文论述四部书的形成过程中已充分显示出来，而《隋书·经籍志》史部正是这一发展趋势的集大成者。

《隋书·经籍志》史部（以下称《隋志》史部）将“今考见存”的史书分为十三类，并论其源流，评其得失，构成一个广阔的史学发展和史学批评空间。这十三类史书的次第是：正史、古史、杂史、霸史、起居注、旧事、职官、仪注、刑制、杂传、地理、谱系、簿录。其分部标目，沿用于阮孝循《七录·记传录》。今依《隋志》史部为序，附以《七录·记传录》，列表如下：

《隋志》史部与《七录·记传录》比对表

隋志史部	正史	古史	杂史	霸史	起居注	旧事	职官	仪注	刑制	杂传	地理	谱系	簿录	
七录记传	国史	注历		伪史		旧事	职官	仪典	法制	杂传	土地	谱状	簿录	鬼神

据上表，有这样几点认识：第一，《隋志》史部沿用《七录·记传录》分类名称者五项，其内容相同或相近而文字稍异者六项；第二，《隋志》史部有而《七录·记传录》所无者二项；第三，《隋志》史部删除《七录·记传录》者一项。总体来看，《隋志》史部在继承《七录·记传录》的基础上也有一定程度的发展，其删除“鬼神录”尤为允当。这种继承与发展的关系，在史学批评上应有合理的表述和评价：阮孝绪《七录·记传录》对《隋志》史部分类及其标目，是起到了借览作用的。

尽管《隋志》史部在分类与名目上直接或间接借鉴了《七录·记传录》的形式，但它在十三类史书书目编次的内容与逻辑体系上，却是后者不能比拟的，从而显示出《隋志》史部作者思想的高明与深刻。如正史、古史、杂史、霸史，是叙述有关政权历史之书，起居注是记帝王言行之书，旧事是制度之书，职官记“百僚在官之名”的档案之书，仪注与刑法是礼、法之书，杂传是关于“公卿诸侯，至于群士”事迹、传记之书，地理是有关行政区划、山川形胜、风俗民情之书，谱系是关于全国、诸州、大姓的谱牒系列之书，簿录是历代公修私撰的文献目录之书。其逻辑体系是：从政权说到帝王，从制度说到官员，从礼法说到个人，最后是具有广泛社会影响力的地理、家族、目录书。这是一个从社会顶层向社会底层过渡的逻辑结构，反映出《隋志》史部撰者的思想和智慧，正是这一史书分类所构成的史书体系，为史学批评提供了良好的机会和广阔的空间。

说到史学批评，《隋志》史部大序就是一篇史学批评的文章。这篇批评文章，是《隋志》史部的纲领，它讲了三层意思。

首先，它概括性地讲到史官的素养和职责。史官的素养是：“夫史官者，必求博闻强识，疏通知远之士，使居其位，百官众职，咸所贰焉。是故前言往行，无不识也；天文地理，无不察也；人事之纪，无不达也。”[①] 这是把历史、社会和自然方面的知识都囊括了。所谓“博闻强识”，语出《礼记·曲礼》，“疏通

① 魏徵等：《隋书》卷三三《经籍志二》史部大序，中华书局1973年版，第992页。

知远”，语出《礼记·经解》。[①]《隋志》史部作者把这两句话连缀起来作为对史官素养的基本要求。其中，“博闻强识”可以理解为对于知识方面的要求，即广博的见闻和丰富的知识积累；“疏通知远”可以理解为对于历史知识运用上的要求，包括对于历史经验的总结和历史智慧的提炼。所谓“识也”“察也”“达也”则是这两方面要求掌握和运用的程度。

从史学批评的观点来看，在“博闻强识，疏通知远”两句话中，“博”与“通”是最基本的要素。孔子主张“君子博学于文”[②]。班固称赞司马迁说：“……其涉猎者广博，贯穿经传，驰骋古今，上下数千载间，斯亦勤矣。”[③] 文学评论家刘勰在讲到“载籍之作”时写道：“必阅石室，启金匮，抽裂帛，检残竹，欲其博练于稽古也。”[④] 可见“博”是史学批评中的一个重要因素。“通”也如此。荀子有“通士”[⑤] 之说，司马迁以“通古今之变”为《史记》主旨之一，班固《汉书·叙传》也自谓“通古今”[⑥]，范晔有“博洽多闻，时称通儒”[⑦] 之说，其后又有刘知幾《史通》、杜佑《通典》、司马光《资治通鉴》、郑樵《通志》、马端临《文献通考》等名著相继面世，可见“通”在历史撰述史和史学批评方面，同样是一个贯穿古今的概念。《隋志》

---

① 分别见阮元校刻：《十三经注疏》，中华书局 1980 年版，第 1248、1609 页。

② 《论语·雍也》，杨伯峻《论语译注》本，中华书局 1958 年版，第 68 页。

③ 班固：《汉书》卷六二《司马迁传》后论，中华书局 1962 年版，第 2737 页。

④ 刘勰：《文心雕龙·史传》，周振甫《文心雕龙注释》本，人民文学出版社 1981 年版，第 171 页。

⑤ 《荀子·不苟》：“上则能尊君，下则能爱民，物质而应，事起而变，若是则可谓通士亦。”（《诸子集成》本，中华书局 1954 年版，第 30 页）

⑥ 班固：《汉书》卷一〇〇下《叙传下》，中华书局 1962 年版，第 4271 页。

⑦ 范晔：《后汉书》卷二七《杜林传》，中华书局 1965 年版，第 935 页。

史部大序用“博闻强识，疏通知远”作为对史官基本素养的要求，本身就是“通识”的表现。

史官的素养如此，而史官的职责和作用则是“书美以彰善，记恶以垂戒，范围神化，昭明令德，穷圣人之至赜，详一代之亹亹，以逆官政”[①]。史官把“彰善”“垂戒”的事情做好，充分贯彻了圣人的思想，显示出社会的良好面貌，从此来接受朝廷赋予的重任。当然，这是对史官素养、职守和作用的一种理想的表述，但在史学发展过程中，实际情况千变万化，史官的设立和修史制度随着历史形势的变化而在动态中行进、发展。这种情况直接影响到一个朝代或一个时期史学的面貌。

其次，《隋志》大序深刻地揭示了魏晋以来史学发展中的种种弊端，对此表现出极大的忧虑，它这样写道：

> 自史官废绝久矣，汉氏颇循其旧，班、马因之。魏、晋已来，其道逾替。南、董之位，以禄贵游，政、骏之司，罕因才授。故梁世谚曰：“上车不落则著作，体中何如则秘书。”于是尸素之俦，盱衡延阁之上，立言之士，挥翰蓬茨之下。一代之记，至数十家，传说不同，闻见舛驳，理失中庸，辞乖体要。致令允恭之德，有阙于典坟，忠肃之才，不传于简策。斯所以为蔽也。[②]

① 魏徵等：《隋书》卷三三《经籍志二》史部大序，中华书局1973年版，第992页。
② 魏徵等：《隋书》卷三三《经籍志二》史部大序，中华书局1973年版，第992-993页。

从这段文字中，可以看出：弊端之一，史官的设置废除已久，司马迁和班固尚得其余绪，魏晋更加衰落，像古代南史、董狐这样重要的职位只有地位高贵的人才能占有，如当年刘向、刘歆所做的校理典籍这种庄严的工作也并不是因其才学而授予的，总之，是任非其才。

弊端之二，有其位而不做事情的人，在皇家藏书的楼阁上高谈阔论；而有志于撰述的人，只能在简陋的茅屋中书写。这种情况，虽然产生许多历史撰述，但由于撰述者掌握的“传说”“闻见”不同，造成了许多混乱，而那些真正有德有才的学人则无缘于历史撰述。这里的批评非指一人一事，而是针对“魏、晋已来”，可见其分量之重。唐初史家在当时的历史情况下作出这样的评论是有一定的道理的。一是唐太宗贞观三年（629）设立了专门的修史机构史馆，在制度上和机制上是前所未有的；二是史官们在贞观十年（636）一举撰成梁、陈、齐、周、隋“五代史”，并受到唐太宗的嘉奖；三是唐太宗《修晋书诏》批评当时所见“十有八家”晋史撰述，认为“事亏实录，才非良史”，其语言犀利、涉及面宽，是空前的；四是史臣在唐太宗贞观二十年（646）又完成了新《晋书》的修撰等。因此，如两两比较，唐初史家们是可以作出上述批评的。

但是，从今天的观点来看，这种批评的武断和片面是显而易见的。其一，魏晋南北朝时期，史学的多途发展，是史学迈向更广阔天地的表现，加之朝代的更迭、社会的动荡，史学出现某种“乱象”是不可避免的。其二，官修史书跟不上形势的发展，启发了同时也刺激了私人著史的热情，从而使史学受到更多学人的关注，这是史学发展的又一个重要方面。其三，对于“魏晋已来”的史学家不能全然否定，应作具体分析，如西晋的陈寿、司马彪，东晋的袁宏，南朝刘宋的范晔，齐梁之际的沈约，萧齐的萧子显、臧荣绪，北魏的崔鸿，北齐的魏收，隋朝的魏澹等，在历史撰述上都是有所作为的。其中，陈寿、范晔、沈约等是唐太宗《修晋书诏》所肯定的，魏收、魏澹是唐初史臣经“众议”所肯定了的。尤其是司马彪，唐太宗还有诗作《咏司马彪〈续汉志〉》予以赞美，其中有这样四句：“前史殚妙词，后昆沉雅思。书言扬盛迹，补阙兴洪志。”[①] 这四句诗涉及三个不同朝代的史学家，即西晋司马彪、刘宋时范晔、萧梁时刘昭。全诗评论了司马彪《续汉书》八志，可以看作是一篇文学形式的史学批评著作。

因此，《隋志》史部大序的这一段评论，是一种可以被理解但不会被完全认同的评价。

《隋志》史部大序的最后一层含义是庄重地指出：“班固以《史记》附《春秋》，今开其事类，凡十三种，别为史部。”[②] 从史学批评史来看，这几句话，句句掷地有声。首先指出，在《汉书·艺文志》中，史部书数量很少，只是附于经书《春秋》之下。其次申言，现在史书多了起来，可以独立出来并可划分为十三个类列，即附庸蔚为大国。最后宣称，“别为史部”，也就

---

① 吴云、冀宇编校：《唐太宗集》，陕西人民出版社 1986 年版，第 59 页。
② 魏徵等：《隋书》卷三三《经籍志二》史部大序，中华书局 1973 年版，第 993 页。

是实至名归，史学的发展迎来了在目录书和学术史上的新的地位。

《隋志》史部所包含的十三种事类，在著录有关书目后皆作有小序，概括地评论了某一种事类的渊源、流传和价值，在史学多途发展的基础上，展开了范围广阔的史学批评。在“正史”篇，它系统而有重点地梳理了“正史”的产生和发展；在“古史”篇，它把荀悦《汉纪》同《春秋》《左传》联系，并说明何以称作“古史”；在“杂史”篇，它分析了“杂史”兴起的原因；在“霸史”篇，凸显了作者的统一多民族国家意识；在“起居注”篇，它指出汉代的起居注“似在宫中，为女史之职”；在“旧事”篇，它辨明“品式章程者为故事”，“搢绅之士，撰而录之”；在“职官”篇，它解释此篇内容是“列众职之事，记在经之次”；在“仪注”篇，它一方面指出“仪注”的核心是维护等级秩序，另一方面又指出这种等级秩序本身也在变化发展；在“刑法”篇，它描述这一类著作在历史中的演变；在“杂传”篇，它认为，本篇的特点是“自公卿诸侯，至于群士，善恶之迹，毕集史职”；在“地理”篇，它描述了地理书的历史及发展趋势；在“谱系”篇，它概述了以往的官谱和族姓之书，认为这也是“史之职也”；在“簿录”篇，它介绍了目录书的历史，认为“大体虽准向、歆，而远不逮矣”。[①]

---

① 以上所引见魏徵等：《隋书》卷三三《经籍志二》史部十三类小序，中华书局 1973 年版，第 956-957、959、962、964、966-967、969、971-972、973-974、981、987-988、990、992 页。

《隋志》史部的这些小序，通常被看作“题解”，这固然不错，但从史学批评的角度来看，这些阐述不仅大多带有总结和反思的性质，往往还提出史学发展中的问题，这对推动历史撰述和史学批评的发展具有重要的作用。又因其包括十三种事类，故这种作用得以在广阔的空间展开。

第二节　关于正史渊源与传承的评论

一、正史渊源与评论

《隋志》史部正史篇小序开篇即涉及正史的由来，写道：

> 古者天子诸侯，必有国史，以纪言行，后世多务，其道弥繁。夏殷已上，左史记言，右史记事，周则太史、小史、内史、外史、御史，分掌其事，而诸侯之国，亦置史官。又《春秋国语》引周志、郑书之说，推寻事迹，似当时记事，各有职司，后又合而撰之，总成书记。其后陵夷衰乱，史官放绝，秦灭先王之典，遗制莫存。①

这是从天子、诸侯“必有国史”讲起，为的是“以纪言行”，继而讲到左、右史的分工和周代设置的五史以及“诸侯之国，亦置”。关于“左史记言，右史记事”，不难理解。至于周

① 魏徵等：《隋书》卷三三《经籍志二》史部大序，中华书局1973年版，第956页。

亡五史的执掌，据《周礼》："大史掌建邦之六典，以逆邦国之治。掌法，以逆官府之治；掌则，以逆都鄙之治。""小史掌邦国之志，奠系世，辨昭穆。若有事，则诏王之忌讳。""内史掌王之八枋之法，以诏王治。一曰爵，二曰禄，三曰废，四曰置，五曰杀，六曰生，七曰予，八曰夺。""外史掌书外令，掌四方之志，掌三皇五帝之书，掌达书名于四方。若以书使于四方，则书其令。""御史掌邦国、都鄙及万民之治令，以赞冢宰。"[①] 凡此，有邦国、都鄙、万民，有王、冢宰，有三皇五帝之书，有种种令等等。按《周礼》论法，五史"分掌其事"并有所记载，加之各诸侯史所记以及《周志》《郑书》[②] 等历史记载，"后又合而撰之，总成书记"。

"正史"篇小序开篇这几句话，意在揭示正史以至史书的渊源，提到各种史官及其职掌，"似当时记事，各有职司，后又合而撰之，总成书记"。这里，好像说清楚了，又好像并未说清楚，如古代各种记载是怎样"合"起来的，"总"起来的"书记"又是什么形式，均语焉不详。是否可以这样认为，在这些问题上，唐初史家还没有进行比较清晰的梳理。

正史篇小序着重阐述了《史记》《汉书》《东观汉记》《三国志》几部代表性著作。

关于《史记》，小序写道：

---

① 以上分别见阮元校刻：《十三经注疏》，中华书局 1980 年版，第 817-818、820、822 页。

② 按，"正史"篇小序原文"周志""郑书"，当作《周志》《郑书》，均系书名。参见杨伯峻《春秋左传注》本，文公二年、襄公三十年、昭公二十八年，中华书局 1981 年版，第 520、1180、1491 页。

至汉武帝时，始置太史公，命司马谈为之，以掌其职。时天下计书，皆先上太史，副上丞相，遗文古事，靡不毕臻。谈乃据《左氏》《国语》《世本》《战国策》《楚汉春秋》，接其后事，成一家之言。谈卒，其子迁又为太史令，嗣成其志。上自黄帝，讫于炎汉，合十二本纪、十表、八书、三十世家、七十列传，谓之《史记》。迁卒以后，好事者亦颇著述，然多鄙浅，不足相继。[1]

这是“史官放绝，秦灭先王之典，遗制莫存”情况下出现的局面。依小序所说，太史令司马谈因有首先接触“天下计书”的条件，同时又据《左传》（即上文《左氏》）《国语》《世本》《战国策》《楚汉春秋》的记载，“接其后事，成一家之言”。从史学批评来看，这里存在两个问题。其一，“接其后事”，《史记》的撰述，是司马谈、司马迁父子的事业，但就撰述本身而言，司马迁是主要的完成者，但小序的表述，似是司马谈已近于完成，司马迁只是“嗣成其志”，这与《史记·太史公自序》所言相去甚远。其二，小序认为“（司马）谈乃据《左氏》《国语》《世本》《战国策》《楚汉春秋》，接其后事，成一家之言”。这里说是司马谈，自应改为司马迁。更重要的是其中“接其后事”，好像司马迁根据这些文献来接续《楚汉春秋》以后的历史，这就是事实真相模糊了。小序表述上的这种讹误，似是源于

---

① 魏徵等：《隋书》卷三三《经籍志二》史部大序，中华书局1973年版，第956页。按：《史记》成书时名《太史公书》。

《汉书·司马迁传》的记述，即："故司马迁据《左氏》《国语》，采《世本》《战国策》，述《楚汉春秋》，接其后事，讫于天汉。"① 这一段叙述，用了"据""采""述"三个动词来处置有关文献，比之《隋志》史部正史篇小序的表述要明确一些，所谓"接其后事"似乎也还可以说得通。但是从《史记》的通史性质来看，它绝不是"接其后事"的著作，所以班固的记述也是不确切的。

需要指出的是，班固的这一记述显然是受他父亲班彪的观点影响，但他又妄改了班彪的观点。班彪在《后传·略论》中这样写道：

> 孝武之世，太史令司马迁采《左氏》《国语》，删《世本》《战国策》，据楚、汉列国时事，上自黄帝，下讫获麟，作本纪、世家、列传、书、表凡百三十篇，而十篇缺焉。②

这里所说的，没有所谓"接其后事"，而明确指出《史记》的通史性质，即"上自黄帝，下讫获麟"。可见，《隋志》史部正史篇小序之误源于班固，这就是以讹传讹。而班彪的说法，是大致符合司马迁自己的叙述的。《史记·太史公自序》对此这样写道："网罗天下放失旧闻，至迹所兴，原始察终，见盛观衰，论考之行事，略推三代，录秦汉，上计轩辕，下至于兹。"其所

① 班固：《汉书》卷六二《司马迁传》，中华书局1962年版，第2737页。
② 范晔：《后汉书》卷四〇上《班彪列传上》，中华书局1965年版，第1325页。

据文献及使用方法是“厥协六经异传，整齐百家杂语”。[①] 这短短的几句话，把《史记》的通史性质及其对文献的运用说得十分明确；到班彪描述时，加上一些文献的名称，如“采《左氏》《国语》，删《世本》《战国策》，据楚、汉列国时事，上自黄帝，下讫获麟”，显示出对文献和“时事”不同的处理情况，而且交代了上限和下限。到了班固那里，还保留着对文献的不同处置描述，但却多出了“接其后事”，而又删去了“上自黄帝”这一上限，不仅掩盖了《史记》的通史性质，而且造成文字表述上语义的混乱：退而言之，如“接其后事”是针对《楚汉春秋》来说，又何必把《左传》《国语》《世本》《战国策》不作任何区别，都牵扯进来呢?《隋志》史部正史篇小序关于文献的处置只用一个“据”字，这就是讹误的基础上又增加了讹误。

《史记》是中国史学上第一部系统的通史著作，内容丰富，结构合理，思想深刻，其撰述历程司马迁本人叙述得十分明白，后班彪对司马迁使用文献作了若干补充，大致不谬。但是经班固的撰述，《史记》成了虎头蛇尾的著作，贻误后人，殃及《隋志》史部，因而必须辨析明白，中止这一谬误的继续流传。

二、关于《汉书》的评论

《隋志》史部“正史”篇小序关于《汉书》的评价，与其评价《史记》有类似之处。小序写道：

---

① 司马迁：《史记》卷一三〇《太史公自序》，中华书局2014年版，第4027页。

至后汉扶风班彪，缀后传数十篇，并讥正前失。彪卒，明帝命其子固续成其志。以为唐、虞、三代，世有典籍，史迁所记，乃以汉氏继于百王之末，非其义也。故断自高祖，终于孝平、王莽之诛，为十二纪、八表、十志、六十九传。潜心积思，二十余年。建初中，始奏表及纪传，其十志竟不能就。固卒后，始命曹大家续成之。[①]

从这段文字中，不难看出小序的表述有两个不妥之处，分别辨析如下。

第一个不妥之处，是文中“以为唐、虞、三代，世有典籍”的说法。显然，这也是源于班固对班彪观点的改变。班彪在《后传》中有一段论述史学发展的叙述，是这样写的：

唐、虞、三代，《诗》《书》所及，世有史官，以司典籍，暨于诸侯，国自有史，故《孟子》曰：“楚之《梼杌》，晋之《乘》，鲁之《春秋》，其事一也。”定、哀之间，鲁君子左丘明论集其文，作《左氏传》三十篇，又撰异同，号曰《国语》，二十一篇，由是《乘》《梼杌》之事遂暗，而《左氏》《国语》独章。又有记录黄帝以来至春秋时帝王公侯卿大夫，号曰《世本》，一十五篇。春秋之后，七国并争，秦并诸侯，则有《战国策》三十三篇。汉兴定天下，

① 魏徵等：《隋书》卷三三《经籍志二》史部大序，中华书局1973年版，第956–957页。

太中大夫陆贾记录时功，作《楚汉春秋》九篇。孝武之世，太史令司马迁采《左氏》《国语》，删《世本》《战国策》，据楚、汉列国时事，上自黄帝，下讫获麟，作本纪、世家、列传、书、表凡百三十篇，而十篇缺焉。[①]

显然，班彪的这一段论述，是在叙说司马迁以前史学发展的历史，脉络清晰，用语平和，不带有个人成见，显示出作者对历史事实的尊重。这同班固作《汉书》时所表述的情况有很大的不同，班固在《汉书·叙传》中是这样写的：

固以为唐虞三代，《诗》《书》所及，世有典籍，故虽尧舜之盛，必有典谟之篇，然后扬名于后世，冠德于百王，故曰："巍巍乎其有成功，焕乎其有文章也！"汉绍尧运，以建帝业，至于六世，史臣乃追述功德，私作本纪，编于百王之末，厕于秦、项之列。[②]

以班固的这段文字与上引班彪所述，班固删去班彪文中"世有史官"四字，又把"以司典籍"改为"世有典籍"。这样一来，语义就不通了："唐虞三代"究竟是"《诗》《书》所及"呢，还是"世有典籍"？如依班固所说的"《诗》《书》所及，世有典籍"，其中必有四字一句是多余的话，否则于逻辑不合。

---

① 范晔：《后汉书》卷四〇上《班彪列传上》，中华书局1965年版，第1325页。
② 班固：《汉书》卷一〇〇下《叙传下》，中华书局1962年版，第4235页。

那么，班固为何要这样改班彪的文字呢？当不是文字上的疏忽，而是意在突出“唐虞三代”，“世有典籍”，以淡化司马迁《史记》“通古今之变”的通史性质，故而又强调“尧舜之盛，必有典谟之篇”。

再说第二个不妥之处，在上引班彪那段文中的最后两句话是“孝武之世，太史令司马迁采《左氏》《国语》……”是按照历史顺序在讲述史学撰述的历史。班固没有重复历史撰述的历史，而是径直从“尧舜之盛”跨越到“汉绍尧运，以建帝业，至于六世，史臣乃追述功德，私作本纪，编于百王之末……”云云。班固为何指斥司马迁撰写《史记》是“私作本纪”？这是班彪《后传》没有说过的话，而是班固刻意加上的。所谓“私作本纪”，至为荒唐：其一，司马谈临终前与司马迁的对话，是先人的嘱咐，后人的承诺，是一次庄严、凝重的谈话，与履行皇家职责相关。其二，司马迁与壶遂的交谈、辩论，绝非仅仅是两人的私下谈话，而是涉及怎样看待司马迁的著述之旨的严肃对话。其三，司马谈去世三年后，司马迁“紬史记石室金匮之书”①，作撰述的准备，是公开的活动，绝非私下活动。其四，司马迁在《史记·太史公自序》的最后一段文字中，有这样几句话：

自曹参荐盖公言黄老，而贾生、晁错明申、商，公孙弘

① 司马迁：《史记》卷一三〇《太史公自序》，中华书局2014年版，第4001页。

以儒显，百年之间，天下遗文古事靡不毕集太史公。太史公仍父子相续纂其职。曰："於戏！余维先人尝掌斯事，显于唐虞，至于周，复典之，故司马氏世主天官。至于余乎，钦念哉！钦念哉！"[1]

从上文所举其一至其三，哪里有"私作本纪"的迹象，而是反映出一个重大著作的思想准备和撰述准备场面；至于其四所举那一番堂堂正正的言辞，显示出一个史学家的宏大气度和神圣的历史使命感。可见，所谓"私作本纪"实为无中生有之谈，是史学批评中所深讳大忌的做法。《隋志》史部"正史"篇小序关于《史记》的介绍和评论，因受到班固的较多影响而与历史真相不尽吻合，是应当指出来的。

此外，《隋志》史部"正史"篇小序还有这样的表述："史迁所记，乃以汉氏继于百王之末，非其义也。故断自高祖，终于孝平、王莽之诛……"这也是承袭了班固指责《史记》的一个观点。班固在指斥司马迁"私作本纪"后接着批评《史记》把汉史"编于百王之末，厕于秦、项之列。太初以后，阙而不录"[2] 云云。这两句话包含三个论点：一是《史记》不应把两汉前期的历史"编于百王之末"；二是把西汉皇朝"厕于秦、项之列"；三是《史记》对"太初以后"的历史"阙而不录"。

《隋志》史部"正史"篇小序只涉及列举一个论点，这里可

---

① 司马迁：《史记》卷一三〇《太史公自序》，中华书局 2014 年版，第 4026-4027 页。
② 班固：《汉书》卷一〇〇下《叙传下》，中华书局 1962 年版，第 4235 页。

以作重点分析。首先，这里有一个常识问题，即司马迁《史记》是一部通史，一个史学家撰写一部通史，而且要写到这个史学家所处的那个时代，毫无疑问，这个史学家所处的那个时代的历史，必然是“编于百王之末”，这是理所当然的事情。以唐初史家群体的智慧而言，“正史”篇小序是不必来重复班固的这一观点，更不应加上“非其义也”这样肯定的结构。从班固来说，可以断代为史，可以强调“汉绍尧运”，但不能改变当时通史撰述中汉代“编于百王之末”的常识。至于秦、项，汉初的历史是无法避开秦、项的，而关于陈涉等人的历史也是不能避开的。[①]

至于司马迁《史记》之所以写成一部通史，这是司马谈临终遗言所交代的，也是司马迁向父亲的庄严承诺。对于这一令人悲痛的、具有历史性的父子对话，司马迁是这样写的：

> 太史公执迁手而泣曰：“余先周室之太史也。自上世尝显功名于虞夏，典天官事。后世中衰，绝于予乎？汝复为太史，则续吾祖矣。今天子接千岁之统，封泰山，而余不得从行，是命也夫，命也夫！余死，汝必为太史；为太史，无忘吾所欲论著矣。且夫孝始于事亲，中于事君，终于立身。扬

① 司马迁在《史记·六国年表》中写道：“秦取天下多暴，然世异变，成功大。传曰‘法后王’，何也？以其近己而俗变相类，议卑而易行也。学者牵于所闻，见秦在帝位日浅，不察其终始，因举而笑之，不敢道，此与以耳食无异。悲夫！”又在《秦楚之际月表》中写道：“太史公读秦楚之际，曰：初作难，发于陈涉；虐戾灭秦，自项氏；拨乱诛暴，平定海内，卒践帝祚，成于汉家。五年之间，号令三嬗。自生民以来，未始有受命若斯之亟也。”（分别见中华书局2014年版，第830、915页）

名于后世，以显父母，此孝之大者。夫天下称诵周公，言其能论歌文武之德，宣周邵之风，达太王王季之思虑，爰及公刘，以尊后稷也。幽厉之后，王道缺，礼乐衰，孔子修旧起废，论诗书，作春秋，则学者至今则之。自获麟以来四百有余岁，而诸侯相兼，史记放绝。今汉兴，海内一统，明主贤君忠臣死义之士，余为太史而弗论载，废天下之史文，余甚惧焉，汝其念哉！”迁俯首流涕曰：“小子不敏，请悉论先人所次旧闻，弗敢阙。”①

从司马谈称颂周公“能论歌文武之德”直到“以尊后稷”，又从孔子“修旧起废”论到“今汉兴，海内一统”等，讲的是一部通史的脉络。对此，司马迁谨遵遗命：“请悉论先人所次旧闻，弗敢阙。”这里说的“先人”，当包括周公、孔子在内。可见，司马迁《史记》作为一部通史面世，有其历史根源和思想根源，也有其历史撰述形式的合理性，班固指责于前，《隋志》史部正史篇小序重复这种指责于后，均不可取。

《隋志》史部诸小序大多对本篇名称有一定的交代，“正史”篇似未就“正史”名称有明确的说明。其实，“正史”居诸史之首，自有其特别的原因而应有所说明。对此，我们不应苛求古人。近人范文澜著《正史考略》一书，是对“二十四史”的考略。作者在绪言中引《说文》、江永、王国维的说法，阐说

① 司马迁：《史记》卷一三〇《太史公自序》，中华书局2014年版，第4000-4001页。

“史”的由来和含义，也未对“正史”作必要的解释。或许“正史”之说，由来已久，不存在什么疑义，无特别关注之必要。

清《四库全书总目》在《史部一·正史类一》起首便说：“正史之名，见于《隋志》。”下文中有这样几句话：“盖正史体尊，义与经配，非悬诸令典，莫敢私增。所由与稗官野记异也。”① 这是四库馆臣对“正史”的认识，前一句话可以理解，后一句话似说得过于绝对了。《四库全书总目》史部除“正史”外，尚有编年、纪事本末、别史、杂史、诏令奏议、传记、史钞、载记、时令、地理、职官、政书、目录、史评等十四类史书，它们都区别于正史，但绝不能把它们都视为“稗官野记”。可见馆臣之说并不严谨。再说，“正史之名，见于《隋志》”，也不准确。不错，《隋书·经籍志二》杂史类著录“《正史削繁》九十四卷，阮孝绪撰”②。但此前，南朝梁仁阮孝绪在其所著的《七录》卷末有这样一段说明：

《文字集略》一帙三卷，《序录》一卷。

《正史删繁》十四帙一百三十五卷，《序录》一卷。

《高隐传》一帙十卷，《序例》一卷。

《古今世代录》一帙七卷。

《序录》一帙一十一卷。

《杂文》一帙十卷。

---

① 永瑢等：《四库全书总目提要》卷四五《史部》总叙，中华书局1965年版，第397页。
② 魏徵等：《隋书》卷三三《经籍志二》，中华书局1973年版，第961页。

《声纬》一帙一卷。

右七种二十一帙一百八十一卷，阮孝绪撰，不足编诸前录，而载于此。①

由此可见，阮孝绪是一个著作丰富的学人，他的《正史削繁》至《隋志》著录时，已亡佚三分之一的篇幅了。现已难考定阮孝绪所“削”的“正史”，是否就是纪传体皇朝史，但可以断定的是，在阮孝绪的《正史削繁》之前，也就有了“正史”之名了。《隋志》史部“正史”篇小序没有顾及于此并有所说明，是一个疏漏。②

第三节 评古史、杂史、霸史

一、古史、杂史、霸史产生的原因

古史、杂史、霸史是正史以外的以“史”命名的类别，它们的共同点在于都是记述一个朝代或一派政治势力的历史，它们在内容上与正史所述内容大多有不同程度的联系。它们的相异之处主要表现在撰述上的不同，而它们生成的原因，也各不同。《隋志》史部把这三类史书的著录依次列于正史之后，是很有见

① 阮孝绪：《七录序》，道宣：《广弘明集》卷三，上海古籍出版社1991年版，第114页。

② 这里，不妨作一种推测：在阮孝绪之前，人们为了尊重官修的纪传体皇朝史，赋予它很高的地位和很高的可信度，乃以“正史”相称。《说文》：正，是也，即可信之意。正，亦可作动词用，是正，正其是非。正史，即使史之为正，或正其是非之史。《论语·学而》中的“就有道而正焉”，是讲人的行为，是否也可移于人对于事情的处理。这些推测，聊备一说。

地的编次。

这里，先来讨论《隋志》史部各类小序是如何评论这三类史书产生的原因的。关于古史，小序说了两件事，一是汉献帝命荀悦“作《春秋左传》之体，为《汉纪》三十篇”[1]。二是西晋太康元年（280）发现的“古竹简书”《周易》《纪年》（即《竹书纪年》），认为《纪年》是战国时“魏国之史记”，“其著书皆编年相次，文意大似《春秋经》。诸所记事，多与《春秋》《左氏》扶同”。由于这两件事情的发生并产生影响，“学者因之，以为《春秋》则古史记之正法，有所著述，多依《春秋》之体。今依其世代，编而叙之，以见作者之别，谓之古史”。这就把“古史”生成的原因和“古史”的特点都交代得很清楚。从小序的前后文来看，其实“古史”的真正根源在于《春秋》。这是因为：《汉纪》是仿《左传》之体而作，《纪年》记事“多与《春秋》《左氏》扶同”，都源于《春秋》。又因为人们认为《春秋》是“古史记之正法”，于是把“依《春秋》之体”的著述称作“古史”。

有一点需要指出的是，在这里确实面临着文献分类上的困惑，即《春秋》列于经部，但又是史部书中“古史”的滥觞。因此，小序的表述也很谨慎，如说“作《春秋左传》之体”，“文意大似《春秋经》”，“以为《春秋》则古史记之正法”，尽量避开《春秋》即是“古史”的先驱。当然，今天来看待这个

① 魏徵等：《隋书》卷三三《经籍志二》史部“古史”篇小序，中华书局1973年版，第959页。下引小序，均同此页。

问题，就不会有这种困惑了。

关于杂史的产生，小序列举了四个方面的原因：一是“战国游士记其策谋”，如《战国策》《楚汉春秋》《吴越春秋》等，这些书的属词比事不同于《春秋》《史记》《汉书》，是“率尔而作，非史笔之正”。二是东汉末年，“史官失其常守”，于是“博达之士，愍其废绝，各记闻见，以备遗亡”。三是东汉以来，“学者多钞撮旧史，自为一书”，体制不经。四是“又有委巷之说，迂怪妄诞，真虚莫测”。因这四个方面的原因所生成的史书，差别很大，不能划一，故“谓之杂史”。[①]

与古史、杂史相比，霸史产生的原因要单纯得多，那就是：“自晋永嘉之乱，皇纲失驭，九州君长，据有中原者甚众。或推奉正朔，或假名窃号，然其君臣忠义之节，经国字民之务，盖亦勤矣。而当时臣子，亦各记录。”[②] 由此可以看出，“霸史”篇的设置，是同《隋志》撰写者以至《隋书》修撰者对有关“九州君长，据有中原者”这一段历史的评价相关联。这种情况，与唐初史家稍前所撰成的《晋书》相似，《晋书·载记》叙述历史的资料，许多正是来源于“霸史”篇所著录的书。至于为何称作“霸史”，或许就是指这些“九州君长”，曾经称“霸”一方。

《晋书》修成于唐太宗贞观二十二年（648），《隋志》修成于唐高宗显庆元年（656），它们对“载记”的撰写、“霸史”篇

① 魏徵等：《隋书》卷三三《经籍志二》史部“杂史”篇小序，中华书局1973年版，第962页。

② 魏徵等：《隋书》卷三三《经籍志二》史部“霸史”篇小序，中华书局1973年版，第964页。

的设置，与此前唐太宗发表的一系列观点不无联系，尤其是与贞观二十一年（647）的一次御前会议上，唐太宗自己所总结的历史经验和政治作风密切相关。史载：

> 上御翠微殿，问侍臣曰："自古帝王虽平定中夏，不能服戎、狄。朕才不逮古人而成功过之，自不谕其故，诸公各率意以实言之。"群臣皆称："陛下功德如天地，万物不得而名言。"上曰："不然。朕所以能及此者，止由五事耳。自古帝王多疾胜己者，朕见人之善，若己有之。人之行能，不能兼备，朕常弃其所短，取其所长。人主往往进贤则欲置诸怀，退不肖则欲推诸壑；朕见贤者则敬之，不肖者则怜之，贤不肖各得其所。人主多恶正直，阴诛显戮，无代无之，朕践祚以来，正直之士，比肩于朝，未尝黜责一人。自古皆贵中华，贱夷狄，朕独爱之如一，故其种落皆依朕如父母。此五者，朕所以成今日之功也。"顾谓褚遂良曰："公尝为史官，如朕言，得其实乎？"对曰："陛下盛德不可胜载，独以此五者自与，盖谦谦之志耳。"①

其中"自古皆贵中华，贱夷狄，朕独爱之如一"反映了唐太宗对民族关系的重视和民族政策的实施，而这种观念在唐高祖《命萧禹等修六代史诏》、唐太宗《修晋书诏》中也都有所涉及。

① 司马光：《资治通鉴》卷一九八《唐纪·贞观二十一年》，中华书局1956年版，第6247页。

从这个意义上来看待《隋志》史部设置“霸史”篇的历史价值，就会理解得更透彻一些。

二、古史的史学价值

由于古史、杂史、霸史所述具体内容的不同以及表现形式的差异，它们在史学发展上的意义各有自身的特点。概括说来，古史对于进一步完善中国古史体系的构建和促进编年史书的发展，具有极为重要的意义；杂史对于补充正史论述某一方面的缺漏或细节，使之更趋于完善、具体，有积极的作用；霸史对于认识与撰写“海内一流”的多民族国家的历史，提供了无可替代的宝贵资料。三者综而观之，意义十分重大。

先说古史。小序着重提到两部史书，一是荀悦《汉纪》，一是《纪年》，这是两部很重要的编年体史书，在中国史学上都占有重要地位。

小序以二书的发现为序评述二书，这里改变一下顺序，按二书所记历史的先后为序加以评论。小序关于《纪年》有较详细的述评，它这样写道：

> 至晋太康元年，汲郡人发魏襄王冢，得古竹简书，字皆科斗。发冢者不以为意，往往散乱。帝命中书监荀勖、令和峤，撰次为十五部，八十七卷。多杂碎怪妄，不可训知，唯《周易》《纪年》，最为分了。其《周易》上下篇，与今正同。《纪年》皆用夏正建寅之月为岁首，起自夏、殷、周三

代王事，无诸侯国别。唯特记晋国，起自殇叔，次文侯、昭侯，以至曲沃庄伯，尽晋国灭。独记魏事，下至魏哀王，谓之“今王”。盖魏国之史记也。其著书皆编年相次，文意大似《春秋经》。诸所记事，多与《春秋》《左氏》扶同。[①]

这一关于《纪年》的述评，可与《晋书·束皙传》相互比对，以得到更全面的认识，《晋书·束皙传》写道：

初，太康二年，汲郡人不准盗发魏襄王墓，或言安釐王冢，得竹书数十车。其《纪年》十三篇，记夏以来至周幽王为犬戎所灭，以事接之，三家分，仍述魏事至安釐王之二十年。盖魏国之史书，大略与《春秋》皆多相应。其中经传大异，则云夏年多殷；益干启位，启杀之；太甲杀伊尹；文丁杀季历；自周受命，至穆王百年，非穆王寿百岁也；幽王既亡，有共伯和者摄行天子事，非二相共和也。……皙在著作，得观竹书，随疑分释，皆有义证。[②]

《晋书·束皙传》记汲郡魏襄王墓的盗发事较详，这里所引用的只是此事的起首论说《纪年》一书。以上引两段文字相比对，有几处不同之处：一是事情发生的年代不同，《隋志》所书

① 魏徵等：《隋书》卷三三《经籍志二》史部“古史”篇小序，中华书局1973年版，第959页。

② 房玄龄等：《晋书》卷五一《束皙传》，中华书局1974年版，第1432–1433页。

事载太康元年（280），《晋书·束皙传》所记事在太康二年（281）。二是《隋志》所书是关于《纪年》记事的上限、下限，又从记事下限判断其归属，以及编年记事的体例与书法的风格；《晋书·束皙传》除记载了《纪年》的卷帙外，突出地指出记事方面“其中经传大异”，即其所记史事与历来的看法有所不同。三是两书的表述均出唐代史家之手，《晋书·束皙传》是写当时人对当时事的参与，《隋志》是写后人对前史事件的述评。二者比对，有相互补充之益。至于这一事件发生的年代，除上述太康元年、二年的记载外，还有第三种记载，即《晋书·武帝纪》咸宁五年（279）记：“冬十月……汲郡人不准掘魏襄王冢，得竹简小篆古书十余万言，藏于秘府。”[①] 在三种说法中，首先可以排除的当是《隋志》的太康元年说，这极可能是传抄过程中出现的讹误。其次可以排除的是《晋书·束皙传》的太康二年说，因为本纪是依年记事，一般更关注事件发生时间的准确性。准此，当以咸宁五年说为是。[②]

重要的是，《隋志》史部“古史”篇小序突出地讲到《纪

---

① 房玄龄等：《晋书》卷三《武帝纪》，中华书局1974年版，第70页。

② 白寿彝认为：“《竹书纪年》，是在西晋初年出土的一部史书。对于出土的具体年代，多认为是晋武帝太康二年（281）。今案《晋书·武帝纪》，咸宁五年（279）冬十月，‘汲郡人不准掘魏襄王冢，得竹简，小篆古书十余万言，藏于秘府’。依此，竹书出土之年，当是咸宁五年，即早于太康二年的前两年。杜预《春秋经传集解·后序》说：‘太康元年（280）三月，吴寇始平。余自金陵还襄阳，解甲休兵，乃申杼旧意，修成《春秋释例》及《经传集解》始讫。会汲郡汲县有发其界内旧冢者，大得古书，皆简编科斗文字。’依上下文的文义来看，杜预所谓‘会有’，当指《春秋释例》和《经传集解》完成的时候。但这两书共有四十五卷，须有相当长的时间才能完成。如说在二书完成的时候，竹书才出土，为时未免过晚。如‘会有’，可理解为在修书开始的时候，这跟《晋书·武帝纪》所记出土年月，是可以约略相合的。太康二年说，始于《晋书·束皙传》。《晋书》记一事而纪传之间有差异，当以《武帝纪》为是。”（白寿彝：《中国史学史》第1卷《先秦时期 中国古代史学的产生》，上海人民出版社2006年版，第157页）

年》记事“起自夏、殷、周三代王事”，这就进一步以出土文献证实了关于中国古史系统的撰述，对认识、理解《史记》所记三代史事有所裨益。在这个问题上，《晋书·束皙传》和《隋志》史部“古史”篇小序都显示出深刻的历史见识。

《隋志》史部“古史”篇小序提到另一部书《汉纪》，并作了简要的评论：“言约而事详，辩论多美，大行于世。”[①] 所谓“言约而事详”，是针对汉献帝认为班固《汉书》“文繁难省”说的，同时也是对荀悦《汉纪》历史叙述的称赞。所谓“辩论多美”，是称赞荀悦的史论、政论写得深刻。这两句话，应当是借用范晔《后汉书·荀淑传附荀悦传》中的评论，只是把“辞约事评，论辨多美”[②] 两句换了一种说法。范晔在传中着意引用了荀悦的名作《申鉴》中的要点，以及《汉纪序》中关于“立典有五志”的论述，这是范晔评论《汉纪》史论、政论的依据，也是《隋志》史部“古史”篇借以评论《汉纪》的主要依据。《汉纪》在《隋志》中得到这样的评论，对它在历史上广泛传播有重要的意义。

前章讲到，唐太宗对《汉纪》所作的评论，可视为《汉纪》评论的典范。这或许也可以看作是《隋志》史部“古史”篇小序评论《汉纪》的思想背景。

《隋志》史部“古史”篇小序还有一句评论《汉纪》的话，

---

① 魏徵等：《隋书》卷三三《经籍志二》史部“古史”篇小序，中华书局1973年版，第959页。

② 范晔：《后汉书》卷六二《荀淑传附荀悦传》，中华书局1965年版，第2062页。

说《汉纪》“大行于世”。这个评价并非夸张之词。这一点，可以从稍后面世的刘知幾《史通》得到有关的信息。《史通·二体》篇在分析纪传、编年二体的特点后写道：“故班固知其若此，设纪传以区分，使其历然可观，纲纪有别。荀悦厌其迂阔，又依左氏成书，翦裁班史，篇才三十，历代保之，有逾本传。”“然则班、荀二体，角力争先，欲废其一，固亦难矣。后来作者，不出二途。”① 接着还举出晋史和南朝宋史，都是兼有纪传与编年两种体裁的著作。这里说的“班、荀二体，角力争先”，是把班固《汉书》和荀悦《汉纪》放在同等地位上来作评论的，可见《隋志》史部“古史”篇小序言之不诬。当然，刘知幾说的“后来作者，不出二途”，显然是把话说得绝对了，中唐有典制体史书面世，宋代又有纪事本末体的出现，可见在史学批评问题上还是应当避免绝对化的思维方式。

三、关于杂史特点的评论

把内容和形式各不相同而又都涉及帝王之事的史书汇聚起来，名之曰“杂史”，这是《隋志》史部的一个创造。“杂史”篇小序举《战国策》《楚汉春秋》《越绝书》《吴越春秋》等书为例，说明这些著作同《春秋》《史记》《汉书》不相类似，即与正史、古史不同，“非史策之正”。换言之，正史、古史乃史策之正。如此，“杂史”之何以为“杂”，便更易于理解了。

---

① 刘知幾：《史通·二体》，浦起龙《史通通释》本，上海古籍出版社 2009 版，第 26 页。

例如《战国策》，小序称其本是“战国游士记其策谋”之书，经西汉刘向校书加以整理得以传世。刘向在《战国策书录》中写道：

> 所校中《战国策》书，中书余卷，错乱相糅莒。又有国别者八篇，少不足。臣向因国别者，略以时次之，分别不以序者以相补，除复重，得三十三篇。本字多误脱为半字，以“赵”为“肖”，以“齐”为“立”，如此字者多。中书本号，或曰《国策》，或曰《国事》，或曰《短长》，或曰《事语》，或曰《长书》，或曰《修书》。臣向以为战国时，游士辅所用之国，为之策谋，宜为《战国策》。其事继春秋以后，讫楚、汉之起，二百四十五年间之事，皆定以杀青，书可缮写。[①]

可见《战国策》所含部分，来源不一，名称的确是“杂”的表现。经刘向整理，它可以反映“继春秋以后，论楚、汉之起，二百四十五年间之事”，成为一部重要的历史文献。陆贾所著《楚汉春秋》记事起于楚、汉之争，迄于汉文帝之世。因陆贾参与汉初政事，使其所著具有更高的历史价值。可惜久已亡佚，故只有辑佚本可见了。东汉人赵晔所撰《吴越春秋》，记吴、越两国事；前事部分记越国事，主要记越王勾践事。有关

① 见《战国策》附录，上海古籍出版社 1985 年版，第 1195 页。

吴、越两国史事，司马迁《史记》中的《吴太伯世家》和《越王勾践世家》有清晰的记述，《吴越春秋》多有细节琐事的描述，清《四库总目提要》称其为“汉、晋稗官杂记之体”，难免多有附会之处和近于小说家言。《隋志》史部将其列于“杂史”，诚然不错。《越绝书》主要记述越王勾践与谋臣讨论、制定理国之事。这些书，在内容上和体例上，正如《隋志》小序所言多“率尔而作”。例如《吴越春秋》篇名（即卷目）有“传”“内传”“外传”等名目，而于传中亦往往纪年，但这些书又都有补于所纪“帝王之事”。

检阅《隋志》史部“杂史”篇著录之书，则这种“杂”的特点就更为突出了：有通叙历代之史的，如《十五代略》十卷（原注：吉文甫撰。起庖牺，至晋）、《帝王世纪》十卷（原注：皇甫谧撰。起三皇，尽汉、魏）。有叙述一代之史的，如《后汉略》二十五卷（原注：张缅撰）；《隋书》六十卷（原注：未成，秘书监王劭撰）。有关于某一皇史事的，如《山阳公载记》十卷（原注：乐资撰）；《梁末代纪》一卷，不注撰人等。有抄撮前史的，如《汉书钞》三十卷（原注：晋散常侍葛洪撰），《晋书钞》三十卷（原注：梁豫章内史张缅撰）。甚至还有《吕布本事》一卷（原注：毛范撰）；《童悟》十二卷，不注撰人，等等。及此，不一一胪列。值得注意的是，有《华夷帝王世纪》三十卷，杨晔撰。这是一部罕见的珍贵著作。综上，杂史之“杂”，可见一斑。当然，“杂史”篇所著录之书，未必都是有关“帝王之事”的，如《吕布本事》《童悟》等即是，这无碍于“杂史”篇的大局。

四、霸史的意义

《隋志》史部“霸史”篇小序起首写道：“《传》曰：‘不有君子，其能国乎？’”[①] 这句话分量很重，语出《左传·文公十二年》，意谓没有君子，哪能立国、治国呢？换言之，有了君子，就可立国、治国。小序起首引用这句古语，是以经典的名义提升了霸史的地位，实质上就是对“九州君长，据有中原者甚众”给予一定认可的地位。唐初史家一方面从历史上肯定这些“推奉正朔”“假名窃号”之下，“其君臣忠义之节，经国家民之务，盖亦勤矣”的作为；另一方面又关注到史学上“当时臣子，亦各记录”的历史撰述。这种双重的肯定在历史上和史学上都是罕见的。这充分反映了唐初君臣在民族观、民族史观以至于史学观上，都体现出统一多民族国家的历史意识。

《隋志》史部“霸史”篇所著录的二十七部书，有些可以从《晋书·载记》中寻得踪迹，有的尚可见到节本和辑佚本，如崔鸿的《十六国春秋》。而常璩的《华阳国志》则是唯一以全帙流传至今的著作。

这里，有必要对《华阳国志》这部著名的地方史并兼有民族史性质的著作作一简要的述评，进而从中一窥唐楚世家的历史眼光和政治视野。

今存《华阳国志》是东晋时期最有代表性的地方史著述。

---

① 《左传·文公十二年》，杨伯峻《春秋左传注》本，中华书局1981年版，第589页。

史部把它列入“霸史”篇，有其合理的考虑。《史通·杂述》篇把它归于地理书，其实，它兼记一方的历史、地理、人物，涉及民族、风俗、物产，是一部内容丰富的地方史。“华阳”之名取自《禹贡》说的“华阳黑水惟梁州”；《华阳国志》因所记为《禹贡》九州之一梁州地区的历史，故采古义而名之。著者常璩，字道将，生卒年不详。他出生于晋蜀郡江原（今四川崇州市），成汉李势时官散骑常侍，掌著作；入晋，为桓温参军。据今人考证，常璩撰成《华阳国志》当在东晋穆帝永和四年（348）至永和十年（354）之间。[①] “霸史”篇还著录有他的《汉之书》十卷，当撰于成汉时期，入晋秘阁后改称《蜀李书》。

《华阳国志》在编撰上有自成体系的格局，它把三州地区的历史面貌、政治变迁、不同时期的人物传记由远而近、由广而微地编纂成一书，集中记述了东晋初年以前梁、益、宁三州（包括今四川、云南、贵州三省，重庆市以及甘肃、陕西、湖北三省部分地区）的历史，堪为这个时期地方史撰述中的杰作。常璩撰《华阳国志》的旨趣，既有史学上的考虑，也有政治上的考虑。他在《序志》中开宗明义地说：“巴、蜀厥初开国，载在书籍，或因文纬，或见史记，久远隐没，实多疏略。”他称道陈寿所撰《益部耆旧传》，但认为它“三州土地，不复悉载”。又说《汉书·地理志》“颇言山水”，但“历代转久，郡县分建，地名改易，于以居然辨物知方，犹未详备”。又说“李氏据蜀，兵

① 参见刘琳：《华阳国志校注》前言，巴蜀书社1984年版，第2页。

连战结，三州倾坠，生民歼尽”，“桑梓之域，旷为长野”，“惧益遐弃，城陴靡闻”，担心家乡的历史遭到湮没的命运。所以他说自己是“方资腐帛于颠墙之下，求余光于灰尘之中，劘灭者多。故虽有所网，犹愈于遗忘焉”。这些都是从史学上着眼的。从政治上考虑，他是要以本书证明：“夫恃险凭危，不阶历数，而能传国垂世，所未有也。故公孙、刘氏以败于前，而诸李踵之覆亡于后。天人之际，存亡之术，可以为永鉴也。”因此，他撰本书的目的是“所以防狂狡，杜奸萌，以崇《春秋》贬绝之道也；而显贤能，著治乱，亦以为奖劝也”。总之，浓郁的桑梓情感和明确的政治说教交织成他的撰述旨趣。

常璩撰《华阳国志》有三个方面的资料来源：一是皇朝史，如《汉书》《东观汉记》《汉纪》《三国志》；二是有关巴、蜀、南中的地方史志，如谯周《三巴记》、陈寿《益部耆旧传》、魏宏《南中八郡志》等；三是作者本人考察搜集的资料，其中当包括他撰写《汉之书》（《蜀李书》）时所积累的资料。刘知幾称赞它“详审”而能“传诸不朽，见美来裔”[①]，指出了《华阳国志》在历史编撰上的成就。隋唐以下，史家修史，多有参据，也足以证明它的史学价值。

魏晋南北朝时期出现的地方史很多，但存者寥寥，且又真伪难辨，残缺不全，唯《华阳国志》历1600余年独放异彩，使今人阅后可以想见我国古代西南地区文明发展的进程。如果把它作

---

① 刘知幾：《史通·杂述》，浦起龙《史通通释》本，上海古籍出版社2009年版，第195页。

为地区文明发展在历史撰述上的标志看待的话，我们亦可由它推想已佚之众多地方史所记述当时我国各个地区文明发展的盛况。而值得注意的是，同地方史撰述发展相关联的，是民族史撰述的发展。

魏晋南北朝时期史家的民族史记述，还包含在大量的地方史撰述和地理书撰述中。如《华阳国志》关于西南民族史的记述很丰富，在卷一至卷四中，它不但记载了 30 多个少数民族或部落的名称和分布，而且对其中一些主要的部族或部落如巴（尤其是对其中的“板循蛮”、蜀、氐、羌、臾、滙、夜郎、哀牢等的历史、传说、风俗及其同汉族皇朝的关系），作了较多的叙述，有很多记载是其他史籍中所未见的。还有一些记载，如果对其作深入的研究，可为说明有的民族的族源、迁徙历史，提供有价值的线索和根据。[①]

最后还要指出一点，《隋志》史部“霸史”篇著录书目有一个鲜明特点，即一概不称夷狄，而对有的著作则在注中称“伪”，如“伪燕”“伪凉”等，这是唐初史学家历史见识和政治观点的一种交映，也是唐高祖、唐太宗修史诏书原则的贯彻，是史学家李延寿父子史学精神的体现。

① 参见刘琳：《华阳国志校注》前言，巴蜀书社 1984 年版，第 7 页。

第四节　评杂传、谱系的社会性

一、评杂传的社会性

《隋志》史部“杂传”篇著录各种人物传记之书，其小序概述了这些传记的由来与相关认识。其所论来源之一，是“自公卿诸侯，至于群士，善恶之迹，毕集史职”，即来源于史官。其所论来源之二，是“闾胥之政”所掌握的“敬敏任恤者”。来源之三是“乡大夫”，因为“族师每月书其孝悌睦姻有学者”和“党正岁书其德行道艺者”都汇集乡大夫；而“乡大夫三年大比，考其德行道艺，举其贤者能者，而献其书。王再拜受之，登于天府，内史二之”①。这是一个自上而下和自下而上的人物传记资料的连接网。这样一个周密的人物传记的收集、积累制度，在古代施行的情况如何，尚需作进一步考察。小序根据先秦文献作这样的论说，当是有一定的根据的。因此，小序自信地写道：“是以穷据侧陋之士，言行必达，皆有史传。”但这个制度后来“废坏”了，到了汉武帝时，确定“天下计书，先上太史，善恶之事，靡不毕集”，成为《史记》《汉书》人物传记资料的主要来源。小序还引用了司马迁、班固的做法，“股肱辅弼之臣，扶义俶傥之士”皆有记录。再其后，各种人物传记多了起来，“作

① 魏徵等：《隋书》卷三三《经籍志二》史部“杂传”篇小序，中华书局1973年版，第981页。下引小序，均见同书第982页。

者甚众，名目转广，而又杂以虚诞怪妄之说。推其本源，盖亦史官之末事也”。这是人物传记资料发展的第三个阶段了。

《隋志》史部“杂传”篇著录各种传记二百一十七部，包括“海内”和“郡国”、地方的先贤传、耆旧传，以及各种身份的人物传记，如高士传、逸民传、高隐传、高僧传、止足传、孝子传、忠臣传、良史传、列女传、童子传等；还有一些个人的传记，如《曾参传》《东方朔传》《毌丘俭传》《管辂传》《法显传》等；许多家传也列于其中，加之志怪、神录、幽明、祥瑞、灵异等等。如此多样、复杂的传记，充分显示出“杂传”的社会性。小序提醒史家：“载笔之士，删采其要焉。”这表明小序的实事求是的治史态度。

值得注意的是，这种杂传的社会性也影响到历史撰述的发展，如南朝刘宋范晔所撰《后汉书》设立的类传，就有《独行列传》《逸民列传》《列女列传》等，可见杂传的出现，也是风气使然。《后汉书·独行列传》序引孔子的话说：

> 孔子曰：“与其不得中庸，必也狂狷乎！”又云：“狂者进取，狷者有所不为也。”此盖失于周全之道，而取诸偏至之端者也。然则有所不为，亦将有所必为者矣；既云进取，亦将有所不取者矣。如此，性尚分流，为否异适矣。[1]

① 范晔：《后汉书》卷八一《独行列传》，中华书局1965年版，第2665页。

这是引用孔子的话来说明“中庸”与“狂狷”相对等，进而说明“独行”也是人的一种生活态度和行为方式，即“有所不为”与“有所必为”、“进取”与“有所不取”的辩证关系，从一个方面反映了范晔对于历史和社会的理性认识。

范晔《后汉书·逸民列传》序所述，反映出社会变动过程中，有些士人采用隐逸的方式来达到自己的目的，故不必追求传统意义上的隐居之地，这种对“逸民”心理活动的揭示，使范晔自身不无感慨。这同他接触当时流传的高士传、止足传等，似不无关系。他这样写道：

> 或隐居以求其志，或回避以全其道，或静己以镇其躁，或去危以图其安，或垢俗以动其概，或疵物以激其清。然观其甘心畎亩之中，憔悴江海之上，岂必亲鱼鸟、乐林草哉，亦云性分所至而已。①

史学家对现实中所能接触到的种种逸民传的阅读，必能影响他对历史上“逸民”的理解和撰述。是否可以认为，范晔《后汉书·逸民列传》有继承前人的因素，也有经历这一认识过程的因素。

《隋志》史部“杂史”篇著录诸书，同沈约《宋书》、萧子显《南齐书》、魏收《魏书》三部正史的志，也有联系的迹象。

---

① 范晔：《后汉书》卷八三《逸民列传》，中华书局1965年版，第2755页。

如《宋书》有《符瑞志》,《南齐书》有《祥瑞志》,《魏书》有《灵征志》,都可以从《隋志》史部“杂传”篇著录之书寻找到相应的传名,表明“传”与“志”在内容上的沟通和交叉。《宋书·符瑞志》序是一篇讲述符瑞“灵验”历史的长文,从“太昊帝宓牺氏”讲到南朝宋明帝。序文之末,还有一段按语:“史臣谨按,冀州道人法称所云玉璧三十二枚,宋氏卜世之数者,盖卜年之数也。谓卜世者,谬其言耳。三十二者,二三十,则六十矣。宋氏受命至于禅齐,凡六十年云。”[①] 史臣的按语,把“三十二”说成是“二三十”,又把“二三十”解释为两个三十,合为“六十”即刘宋享国之年。于此可见“符瑞”一斑。《南齐书·祥瑞志》序在讲了周、汉、魏、晋、萧齐等朝都有祥瑞预兆之后,便是谶语与谣谚的堆砌,文末仿《宋书·符瑞志》,也是一段文字游戏的表述。[②] 比之于《宋书·符瑞志》和《南齐书·祥瑞志》来说,《魏书·灵征志》的序文要写得含蓄一些,其文如下:

> 帝王者,配德天地,协契阴阳,发号施令,动关幽显。是以克躬修政,畏天敬神,虽休勿休,而不敢怠也。化之所感,其征必至,善恶之来,报应如响。斯盖神祇眷顾,告示祸福,人主所以仰瞻俯察,戒德慎行,弭谴咎,致休祯,圆首之类,咸纳于仁寿。然则治世之符,乱邦之孽,随方而

① 沈约:《宋书》卷二七《符瑞志》,中华书局1974年版,第786页。
② 参见萧子显:《南齐书》卷一八《祥瑞志》,中华书局1972年版,第349-351页。

作，厥迹不同，眇自百王，不可得而胜数矣。①

细读此序，不难看出，这是一篇以天人感应为指导思想的非理性文章，却非常委婉地对天意、自然和人事的三重关系作了貌似“理性”的描述。但它终究掩盖不了所谓“化之所感，其征必至，善恶之来，报应如响”的天人感应的本质。

从有关的杂传联想到相应的志，我们再回到“杂传”篇小序所提示的那两句话：“名目转广，而又杂以虚诞怪妄之说。”这个批评不仅是正确的，而且是重要的。

二、评谱系篇之社会性及其历史影响

《隋志》史部“谱系”篇著录之书，不仅有广泛的社会性，而且具有长久的历史影响。故本篇小序开篇就写道“氏姓之书，其所由来远矣”。继而明确指出，氏姓之书属于史官职责范围，即：“周家小史定系世，辨昭穆，则亦史之职也。”② 这是说明为什么把谱系之书归于史部的根据。

小序略按时代顺序，概括地介绍了谱系之书的发展历史，从汉、晋、北魏讲到北周：

汉初，得《世本》，叙黄帝已来祖世所出。而汉又有

① 魏收：《魏书》卷一一二上《灵征志上》，中华书局 1974 年版，2893 页。
② 魏徵等：《隋书》卷三三《经籍志二》史部“谱系”篇小序，中华书局 1973 年版，第 990 页。

《帝王年谱》，后汉有《邓氏官谱》。晋世，挚虞作《族姓昭穆记》十卷，齐、梁之间，其书转广。后魏迁洛，有八氏十姓，咸出帝族。又有三十六族，则诸国之从魏者；九十二姓，世为部落大人者，并为河南洛阳人。其中国士人，则第其门阀，有四海大姓、郡姓、州姓、县姓。及周太祖入关，诸姓子孙有功者，并令为其宗长，仍撰谱录，纪其所承。又以关内诸州，为其本望。其《邓氏官谱》及《族姓昭穆记》，晋乱已亡。自余亦多遗失。今录其见存者，以为谱系篇。[①]

北魏改汉姓有八氏十姓，又有三十六族、九十二姓；从汉族士人有四海大姓、郡姓、州姓、县姓等，可见谱系广泛的社会性。这种社会性及其历史影响力，自魏晋以下，不论迎士人入仕，还是家之婚姻，都要以此为据，辨明家世。对此，宋代史学家郑樵有很中肯的总结，他在《通志二十略·氏族略》序中写道：

自隋唐而上，官有薄状，家有谱系，官之选举必由于簿状，家之婚姻必由于谱系。历代并有图谱局，置郎、令史以掌之，仍用博古通今之儒知撰谱事。凡百官族姓之有家状者则上之，官为考定详实，藏于秘阁，副在左户。若私书有

① 魏徵等：《隋书》卷三三《经籍志二》史部“谱系”篇小序，中华书局1973年版，第990页。

谥，则纠之以官籍；官籍不及，则稽之以私书。此近古之制，以绳天下，使贵有常尊，贱有等威者也。所以人尚谱系之学，家藏谱系之书。自五季以来，取士不问家世，婚姻不问阀阅，故其书散佚而其学不传。①

这里说的“隋唐而上”，主要是指魏晋南北朝时期。“官有薄状，家有谱系”，指出了官府、私家都有谱系之书，也指出了它的社会性。“官之选举必由于簿状，家之婚姻必由于谱系”，强调了谱系之书的两个重要功能，它突出地反映出门阀社会的特点。五代以后，这个特点也就不复存在了。

从《隋志》史部“谱系”篇著录诸书的情况来看，以南朝的谱系之书为多。如：

——《百家集谱》十卷，王俭撰。原注：梁有王逡之《续作》四卷，《南族谱》二卷，《百家谱拾遗》一卷，又有《齐梁帝谱》四卷，《梁帝谱》十三卷，亡。

——《百家谱》三十卷，王僧孺撰。

——《百家谱集钞》十五卷，王僧孺撰。

——《姓氏英贤谱》一百卷，贾执撰。按：梁有《王司空新集诸州谱》十一卷，又别有《诸姓谱》一百一十六卷，《益州谱》四十卷，《关东关北谱》三十三卷，《梁武帝总集境内十八州谱》六百九十卷，亡。同时著录的还有北魏、北齐的宗谱以

① 郑樵：《通志二十略·氏族略》序，中华书局1995年版，第1页。

及部分州谱和家族谱。

在谱系之学的发展过程中，出现一些有名的谱学家，如南朝萧齐时的贾渊和萧梁时的王僧孺是突出的名家。《南齐书》记贾渊关于谱学事，称：

> 先是，谱学未有名家，渊祖弼之广集百氏谱记，专心治业。晋太元中，朝廷给弼之令史书吏，撰定缮写，藏秘阁及左民曹。渊父及渊三世传学，凡十八州士族谱，合百帙七百余卷，该究精悉，当世莫比。永明中，卫军王俭抄次《百家谱》，与渊参怀撰定。[①]

贾渊与其父、祖“三世传学”，成为谱学世家。

此外，与贾氏谱学相联系的，还有王氏谱学。上举谱系篇著录的王俭《百家集谱》、王僧孺《百家谱》《百家谱集钞》等，即是王氏谱学的代表作。《梁书·王僧孺传》载：

> 僧孺好坟籍，聚书至万余卷，率多异本，与沈约、任昉家书相埒。少笃志精力，于书无所不睹。其文丽逸，多用新事，人所未见者，世重其富。僧孺集《十八州谱》七百一十卷，《百家谱集》十五卷，《东南谱集钞》十卷，文集三十卷，《两台弹事》不入集内为五卷，及《东宫新记》，并

① 萧子显：《南齐书》卷五二《文学·贾渊传》，中华书局1972年版，第907页。

行于世。[①]

从此处所记与《隋志》史部“谱系”篇著录相比对，可知：《十八州谱》即《梁武帝总集境内十八州谱》，只是卷帙略有不同；同名《百家谱》，但卷数不同；《东南谱集钞》也是名同而卷数有异。这或许是《梁书》撰成于前，《隋志》成书于后，撰者所据史料有别而致。

谱系之学的广泛社会性及其历史影响的长久性，还可以从唐代谱学的盛况得到进一步的证明。皇家重视修谱系之书、谱学家之众多，以及社会之划分为等级的门阀观念等，成为唐代社会的特点之一。[②] 难得的是，唐代史学家柳芳以批评的眼光看待谱系之学兴起的社会原因以及它的发展历史。柳芳指出：

> 魏氏立九品，置中正，尊世胄，卑寒士，权归右姓已。其州大中正、主簿，郡中正、功曹，皆取著姓士族为之，以定门胄，品藻人物。晋、宋因之，始尚姓已。然其别贵贱，分士庶，不可易也。于时有司选举，必稽谱籍，而考其真伪。故官有世胄，谱有世官，贾氏、王氏谱学出焉。[③]

社会存在决定人们的思想，以门阀思想为基础的谱系之书是

---

① 姚思廉：《梁书》卷三三《王僧孺传》，中华书局1973年版，第474页。

② 参见瞿林东：《唐代谱学和唐代社会》，《唐代史学论稿》，北京师范大学出版社1989年版，第90-118页。

③ 欧阳修、宋祁：《新唐书》卷一九九《儒学中·柳冲传》，中华书局1975年版，第5677页。

特定时代的产物，定门胄，品人物，别贵贱，分士庶，是谱系之书的核心内容。贾氏谱学和王氏谱学正是适应这种社会的需要而兴起的。柳芳上述评论，反映出他对谱系之学与社会的关系有明确而透彻的认识。

关于谱学的历史，柳芳也有系统的表述：

> 晋太元中，散骑常侍河东贾弼撰《姓氏簿状》，十八州百十六郡，合七百一十二篇，甄析士庶无所遗。宋王弘、刘湛好其书。弘每日对千客，可不犯一人讳。湛为选曹，撰《百家谱》以助铨序，文伤寡省，王俭又广之，王僧孺演益为十八篇，东南诸族自为一篇，不入百家数。弼传子匪之，匪之传子希镜，希镜撰《姓氏要状》十五篇，尤所谙究。希镜传子执，执更作《姓氏英贤》一百篇，又著《百家谱》，广两王所记。执传其孙冠，冠撰《梁国亲皇太子序亲簿》四篇。王氏之学，本于贾氏。[①]

引文中的希镜即贾渊。贾氏一门，从贾弼、贾匪之到贾渊、贾执、贾冠（执之孙），凡六代人，都致力于谱系之学，是为谱学史上一大盛事。尤其令人赞叹的是，王弘因熟读谱系之书，竟然达到了“日对千客，可不犯一人讳”，足见当时之风尚如此。

如果把柳芳的上述评论作为《隋志》史部“谱系”篇的注

---

① 欧阳修、宋祁：《新唐书》卷一九九《儒学中·柳冲传》，中华书局1975年版，第5679-5680页。

释看待的话，那么会使此篇大为增色，也更易于人们阅读和理解了。

第五节　地理书及其他各篇的批评

一、评地理与社会、民生的关系

《隋志》史部“地理”篇小序起首就明确地提出一个重要问题，即“五方土地”“疆理天下”“人居其间”三者之间的密切关系，序中写道：

> 昔者先王之化民也，以五方土地，风气所生，刚柔轻重，饮食衣服，各有其性，不可迁变。是故疆理天下，物其土宜，知其利害，达其志而通其欲，齐其政而修其教。故曰广谷大川异制，人居其间异俗。《书》录禹别九州，定其山川，分其圻界，条其物产，辨其贡赋，斯之谓也。[①]

这实际是指出地理、社会与民生三者之间的关系：所谓“化民”离不开土地，有了土地才可生产出“饮食衣服”。此外，作为国家的统治者和各级官员还必须懂得“广谷大川异制，人居其间异俗”的道理。懂得这个道理，才有可能因地制宜地制

① 魏徵等：《隋书》卷三三《经籍志二》史部“地理”篇小序，中华书局1973年版，第987页。

定政策、实行管理。由此可见，小序作者深知中国古代地理思想的优良传统，从而做出如此明确的表述。同时，小序把上述思想归结到《尚书·禹贡》，也很得体：一则表明小序作者对《禹贡》的理解，自是有其渊源；二则向时人与后人表示，这些思想的权威性，人们应当恪守和践行。

小序进而以西周的制度为例，说明官员的职守，更加详细地阐述了地理与社会、民生的关系，指出：

> 周则夏官司险，掌建九州之图，周知山林川泽之阻，达其道路。地官诵训，掌方志以诏观事，以知地俗。春官保章，以星土辨九州之地，所封之域，以观祆祥。夏官职方，掌天下之图地，辨四夷八蛮九貉五戎六狄之人，与其财用九谷六畜之数，周知利害，辨九州之国，使同其贯。司徒掌邦之土地之图，与其人民之教，以佐王扰邦国，周知九州之域，广轮之数，辨其山林川泽丘陵坟衍原隰之名物，及土会之法。然则其事分在众职，而冢宰掌建邦之六典，实总其事。太史以典逆冢宰之治，其书盖亦总为史官之职。[①]

这里一连用好几个“辨”，其中有两项尤为重要，一是“辨四夷八蛮九貉五戎六狄之人，与其财用九谷六畜之数，周知利害”，一是“辨其山林川泽丘陵坟衍原隰之名物，及土会之法”。

---

① 魏徵等：《隋书》卷三三《经籍志二》史部“地理”篇小序，中华书局1973年版，第987页。

前者是关于民族，反映了统一多民族国家的意识；后者是关于自然，反映了生态环境意识。

显然，这种对地理的重视，必然导致对地理书的重视，因有对地理和地理书的重视，《隋志》史部乃有“地理”篇的设置。关于地理书，小序从《山海经》讲到《史记·河渠书》，讲到刘向“略言地域”和朱贡“条记风情”，尤其称赞班固的《汉书·地理志》：“其州国郡县山川夷险时俗之异，经星之分，风气所生，区域之广，户口之数，各有攸叙，与古《禹贡》《周官》所记相埒。”① 小序对《汉书·地理志》的高度评价，反映了小序作者对历史撰述上关于地理书的要求与期待，这个要求与期待是基于对地理之重要性的深刻认识。

值得注意的是，“地理”篇小序对《汉书·地理志》以后的地理书提出了尖锐的批评，指出：“是后载笔之士，管窥末学，不能及远，但记州郡之名而已。”这在很大程度上失去了地理书应有的价值，使地理书变成了“地名书”。不过小序还是肯定了晋人挚虞所著《畿服经》，“其州郡及县分野封略事业，国邑山陵水泉，乡亭城道里土田，民物风俗，先贤旧好，靡不具悉，凡一百七十卷，今亡。而学者因其经历，并有记载，然不能成一家之体”②，这实为一件憾事。小序还提到隋代的几部地理书，即《诸郡物产土俗记》《区宇图志》《诸州图经集》等，都是百卷

① 魏徵等：《隋书》卷三三《经籍志二》史部“地理”篇小序，中华书局1973年版，第988页。

② 魏徵等：《隋书》卷三三《经籍志二》史部“地理”篇小序，中华书局1973年版，第988页。

和百卷以上的著作，可惜都已亡佚，但表明隋代学人颇重地理之书的撰述。

在《隋志》史部“地理”篇著录的地理书中，有裴矩撰写的《隋西域图》（亦作《西域图记》）三卷，书已亡佚，而其序因载于《隋书·裴矩传》而得以保存下来。这篇序文大致包含四层意思：其一，概述秦汉以来内地与西域联系的沿革；其二，盛赞当时是“无隔华夷”的时代并交代作者撰述此书的目的和方法；其三，明确指出“发自敦煌，至于西海”的三条路线；其四，建议加强对西域的管理，把握实现“混一戎夏”事业的良好机会。现将后三层意思的文字转录如下，借以一窥当时隋皇朝与西域的关系以及《西域图记》作者的历史见识：

> 皇上膺天育物，无隔华夷，率土黔黎，莫不慕化。风行所及，日入以来，职贡皆通，无远不至。臣既因抚纳，监知关市，寻讨书传，访采胡人，或有所疑，即详众口。依其本国服饰仪形，王及庶人，各显容止，即丹青模写，为《西域图记》，共成三卷，合四十四国。仍别造地图，穷其要害。从西顷以去，北海之南，纵横所亘，将二万里。谅由富商大贾，周游经涉，故诸国之事罔不遍知。复有幽荒远地，卒访难晓，不可凭虚，是以致阙。而二汉相踵，西域为传，户民数十，即称国王，徒有名号，乃乖其实。今者所编，皆余千户，利尽西海，多产珍异。其山居之属，非有国名，及部落小者，多亦不载。

发自敦煌，至于西海，凡为三道，各有襟带。北道从伊吾，经蒲类海铁勒部，突厥可汗庭，度北流河水，至拂菻国，达于西海。其中道从高昌，焉耆，龟兹，疏勒，度葱岭，又经钹汗，苏对沙那国，康国，漕国，何国，大、小安国，穆国，至波斯，达于西海。其南道从鄯善，于阗，朱俱波、喝槃陀，度葱岭，又经护密，吐火罗，挹怛，忛延，漕国，至北婆罗门，达于西海。其三道诸国，亦各自有路，南北交通。其东女国、南婆罗门国等，并随其所往，诸处得达。故知伊吾、高昌、鄯善，并西域之门户也。总凑敦煌，是其咽喉之地。

以国家威德，将士骁雄，泛濛汜而扬旌，越昆仑而跃马，易如反掌，何往不至！但突厥、吐浑分领羌胡之国，为其拥遏，故朝贡不通。今并因商人密送诚款，引领翘首，愿为臣妾。圣情含养，泽及普天，服而抚之，务存安辑。故皇华遣使，弗动兵车，诸蕃既从，浑、厥可灭。混一戎夏，其在兹乎！不有所记，无以表威化之远也。[①]

隋炀帝时，裴矩受命在张掖掌管内地与西域商人贸易事宜。裴矩“知帝方勤远略”，经与诸多“胡商”访谈，撰成此书。

从上引此书的序文中，可以得到这样一些信息：一是作者有强烈的时代感，认为在国家统一、“无隔华夷”的形势下，需要

① 魏徵等：《隋书》卷六七《裴矩传》，中华书局1973年版，第1579-1580页。

有天大的作为，从而克服困难，找到撰写此书的途径。二是作者的视野开阔，对于域外的情况、中外交通的路线等有相当深入的了解，这是建立自信心的条件之一。三是作者有一个深层次的考虑："混一戎夏，其在兹乎！"序文的最后一句话是"不有所记，无以表威化之远也"，可以看作是作者撰写成此书之后的全部心情。

由此可见，地理之书同样是有思想、有生命力的撰述，"管窥末学，不能及远"，是写不出优秀的地理著作的。

二、《隋志》史部关于其他各篇的批评

这里说的《隋志》史部其他各篇，是指本章上文写到的各篇，即起居注、旧事、职官、仪注、刑法、簿录篇。这些篇的小序大多陈述制度而已，并无多少批评之辞，故作如此处理。

关于"起居注"篇，小序表明："汉时起居，似在宫中，为女史之职。"又说："其伪国起居，唯《南燕》一卷。"[①] 前者关于史官性别，后者关于民族与史学，还是值得关注的。

关于"旧事"篇，似指朝廷发号施令的文书，有日益烦琐的趋势。小序指出："晋初，甲令已下，至九百余卷，晋武帝命车骑将军贾充，博引群儒，删采其要，增律十篇。其余不是经远者为法令，施引制度者为令，品式章程者为故事，各还其官

① 魏徵等：《隋书》卷三三《经籍志二》史部"起居注"篇小序，中华书局1973年版，第966页。

府。”[①] 这就是纠正烦琐文书的生动一例，是为小序所称道者。

关于“职官”篇，其所著录者，是记百官“在位之次”之书。小序写道：“汉末，王隆、应劭等，以《百官表》不具，乃作《汉官解诂》《汉官仪》等书。是后相因，正史表志，无复百僚在官之名矣。搢绅之徒，或取官曹名品之书，撰而录之，别行于世。宋、齐已后，其书益繁……”[②] 小序认为，这类书取代了“百官公卿表”的作用，以明其渊源所自。

关于“仪注”篇，小序认为，历代礼制和礼书存在不良的发展趋势。东汉以后，虽“世有著作”，“然犹以旧章残缺，各遵所见，彼此纷争，盈篇满牍。而后世多故，事在通变，或一时之制，非长久之道，载笔之士，删其大纲，编于史志。而或伤于浅近，或失于未达，不能尽其旨要”。[③] 这是小序对东汉以后历代仪注之书在发展中表现出繁琐、紊乱、浅近等弊端的批评，揭示了门阀社会的一个弊端，显示出唐初史家的卓识。

关于“刑法”篇，小序实列出了一篇刑法史的大纲，尤其指出汉以后刑法之书的发展情况是“渐更增益，令甲已下，盈溢架藏”的趋势，对晋、梁、齐、北周、隋等朝均有涉及，而且“自律已下，世有改作”[④]，这同仪注之书的发展有类似之处，

---

① 魏徵等：《隋书》卷三三《经籍志二》史部“旧事”篇小序，中华书局 1973 年版，第 967 页。

② 魏徵等：《隋书》卷三三《经籍志二》史部“职官”篇小序，中华书局 1973 年版，第 969 页。

③ 魏徵等：《隋书》卷三三《经籍志二》史部“仪注”篇小序，中华书局 1973 年版，第 972 页。

④ 魏徵等：《隋书》卷三三《经籍志二》史部“刑法”篇小序，中华书局 1973 年版，第 974 页。

即“后世多故，事在变通”。

关于“簿录”篇，小序认为，目录对于史官来说，具有“以为纲纪”的作用，并对汉以下的目录书作这样的评价：“汉时刘向《别录》、刘歆《七略》，剖析条流，各有其部，推寻事迹，疑则古之制也。自是之后，不能辨其流别，但记书名而已。博览之士，疾其浑漫，故王俭作《七志》，阮孝绪作《七录》，并皆别行。大体虽准向、歆，而远不逮矣。”① 这里的批评类似于“地理”篇小序对地理书发展过程中出现弊端之处的批评。小序肯定王俭、阮孝绪为改变目录书中的“浑漫”现象，分别作《七志》《七录》。② 但在小序看来，他们“大体虽准向、歆，而不远逮矣”。从这里看出，《隋志》作者对自身的撰述是有很高要求的。这里需要补充一点，即隋代许善心曾撰目录书《七林》，不知为何此处失载。《隋书·许善心传》记：隋高祖时，“秘藏图籍尚多淆乱，善心放（仿）阮孝绪《七录》，更制《七林》，各为总叙，冠于篇首。又于部录之下，明作者之意，区分其类例焉”③。可惜此书叙、目均已亡佚。从“簿录”篇小序序文看，《隋志》颇有意继承《汉书·艺文志》的传统，并以四分法的形式对历代典籍作出新的总结，这一点表现得十分明显。可

① 魏徵等：《隋书》卷三三《经籍志二》史部“簿录”篇小序，中华书局1973年版，第992页。

② 萧子显《南齐书》卷二三《王俭传》记：王俭“依《七略》撰《七志》四十卷，上表献之，表辞甚典”。（中华书局1972年版，第433页）阮孝绪《七录》含经典录、记传录、子兵录、文集录、术伎录、佛法录、仙道录。（道宣编：《广弘明集》，上海古籍出版社1991年版，第113–114页）

③ 魏徵等：《隋书》卷五八《许善心传》，中华书局1973年版，第1427页。

以认为，《隋书·经籍志》是完成了这一学术史任务的。

现在我们可以说，只有在初步考察了《隋书·经籍志》史部十三篇后，才知道“必求博闻强识，疏通知远之士”的必要性；同时也只有在初步浏览《隋志》史部所著录的十三类史书目录后，才感受到“班固以《史记》附以《春秋》，今开其事类，凡十三种，别为史部”这句话具有怎样的分量与何等的大度。

当然，也只有从史学批评的视角来考察《隋志》史部各篇序文及联系各篇著录之书时，才惊讶地“发现”：《隋志》史部乃是中国史学史上第一次对十三个类别的史书开展批评的著作；其批评所及，或渊源流别，或发展趋势，或是非得失。这是一次前所未有的、广泛的史学批评。正因为如此，我们有几分把握作出判断：在中国史学史上，《隋书·经籍志》史部可以作为中国史学批评史的雏形，或者从中国史学批评史的发展长河来看，它就是中国史学批评史的雏形。

第三章　刘知幾的史学批评与史学自身体系的构成

唐中宗景龙四年（710），史学家刘知幾写成了他的代表性著作《史通》，这是一部史学批评专书，在一定意义上也可以说是一部史学理论著作。在当时，它不仅在中国史学史上是前无古人的，就是在世界史学史上也是绝无仅有的。

本书着眼于刘知幾的批判精神，从《史通》所论之“通”的理念入手，揭示刘知幾关于史学自身构成的思想。

《史通原序》在讲到作者的史官经历后写道：

> 昔汉世诸儒，集论经传，定之于白虎阁，因名曰《白虎通》。予既在史馆而成此书，故便以《史通》为目。且汉求司马迁后，封为“史通子”，是知史之称通，其来自久。博采众议，爰定兹名。[1]

---

① 刘知幾：《史通原序》，浦起龙《史通通释》本，上海古籍出版社2009年版，书首第1-2页。

《白虎通》因白虎观而得名，《史通》因在史馆所作而命名，这是第一层命名之义。司马迁后人被封为“史通子”，以“史”名“通”也早有先例，这是《史通》命名的第二层含义。刘知幾在《史通原序》中以在史馆所作此书与历史上这两个掌故相结合，为《史通》命名，自有其深意。以今天的观点来看，刘知幾《史通》一书从以下几个方面论说了史学自身的构成：

史学批评主旨，明前人之指归，便后学之传授；史学渊源、流别，这是史学学术史的基本部分；史学社会功用，亦即史学与社会的关系；史书编撰要求，含外在形式与内在旨趣；史学主体修养，关于史官、史家的品质、识见与技能。

以上五个方面大致反映出刘知幾《史通》关于史学构成的思想，概括了《史通》之“通”的内涵。

第一节　关于史学批评

一、刘知幾史学批评思想的渊源

刘知幾《史通》一书之最突出的特点是彰显史学批评精神，这也是此书关于史学构成思想的基础之一。我们甚至可以这样说：史学批评精神是刘知幾史学思想产生、形成、发展的动力之一。《史通·自叙》篇这样写道：

若《史通》之为书也，盖伤当时载笔之士，其义不纯。

思欲辨其指归，殚其体统。夫其书虽以史为主，而余波所及，上穷王道，下掞人伦，总括万殊，包吞千有。自《法言》已降，迄于《文心》而往，固以纳诸胸中，曾不慸芥者矣。夫其为义也，有与夺焉，有褒贬焉，有鉴诫焉，有讽刺焉。其为贯穿者深矣，其为网罗者密矣，其所商略者远矣，其所发明者多矣。盖谈经者恶闻服、杜之嗤，论史者憎言班、马之失。而此书多讥往哲，喜述前非。获罪于时，固其宜矣。犹冀知音君子，时有观焉。尼父有云："罪我者《春秋》，知我者《春秋》。"抑斯之谓也。[①]

这是一段坦率的肺腑之言，把《史通》之史学批评的旨趣阐述得淋漓尽致，把作者的宏大志向、锋芒所在以及复杂的心情和义无反顾的信心都写出来了。由此观《史通原序》中所说《史通》之"通"的含义，也就看得更加清楚了。

通读《史通》，可知批评精神贯穿于全书之中。那么，刘知幾的史学批评精神是怎样形成的呢？这大致有三个方面的原因。

一是旨趣所在和多年积累。如刘知幾自己所说："自小观书，喜谈名理，其所悟者，皆得之襟腑，非由染习。故始在总角，读班、谢两《汉》，便怪《前书》不应有《古今人表》，《后书》宜为更始立纪。当时闻者，共责以为童子何知，而敢轻议前哲。于是赧然自失，无辞以对。其后见张衡、范晔集，果以

① 刘知幾：《史通·自叙》，浦起龙《史通通释》本，上海古籍出版社2009年版，第271页。

二史为非。其有暗合于古人者，盖不可胜纪。始知流俗之士，难与之言。凡有异同，蓄诸方寸。”① 这一段“自白”，说明了刘知幾在批评方面的悟性、旨趣和积累。同时，刘知幾还讲到他读书的范围和读书的方法，也是积累的重要方面。

二是参与修史活动的启迪。刘知幾受命于史馆修史，前后二十年，对当时史馆修史之弊知之甚深，曾上书监修国史诸官，极言史馆修史有“五不可”：其一，“每欲记一事，载一言，皆阁笔相视，含毫不断。故头白可期，而汗青无日”。其二，资料难求，如“求风俗于州郡，视听不该；讨沿革于台阁，簿籍难见”。其三，“权门”“贵族”干预修史，“人之情也，能无畏乎”。其四，监修者多，“十羊九牧，其令难行；一国三公，适从何在”。其五，“监之者既不指授，修之者又无遵奉”，“坐变炎凉，徒延岁月”。② 这是问题的一方面，鉴于此，刘知幾求罢史职而未果。另一方面，刘知幾也产生了一些新的想法，这就是：“其于史传也，尝欲自班、马已降，讫于姚、李、令狐、颜、孔诸书，莫不因其旧义，普加厘革。但以无夫子之名，而辄行夫子之事，将恐致惊末俗，实能取咎时人，徒有其劳，而莫之见赏。所以每握管叹息，迟回者久之。非欲之而不能，实能之而不敢也。”③ 正是这种矛盾的冲突，启发了甚至是刺激了刘知幾的撰述欲望：既无法撰写历史，不如转而评论史学。

---

① 刘知幾：《史通·自叙》，浦起龙《史通通释》本，上海古籍出版社2009年版，第268页。
② 刘知幾：《史通·忤时》，浦起龙《史通通释》本，上海古籍出版社2009年版，第555–556页。
③ 刘知幾：《史通·自叙》，浦起龙《史通通释》本，上海古籍出版社2009年版，第269页。

三是学术史上前人的启迪。《史通·自叙》篇还有这样一段论述：

昔汉世刘安著书，号曰《淮南子》。其书牢笼天地，博极古今。上自太公，下至商鞅。其错综经纬，自谓兼于数家，无遗力矣。（释：自此以下，历举往昔传书，以启自托之端。将《淮南》作引。《淮南》之书不专一路，故用另述。）然自《淮南》已后，作者无绝。必商榷而言，则其流又众。（释：四句上下作纽。）盖仲尼既殁，微言不行；史公著书，是非多谬。由是百家诸子，诡说异辞，务为小辨，破彼大道，故扬雄《法言》生焉。（释：《法言》主谈理。）儒者之书，博而寡要，得其糟粕，失其菁华。而流俗鄙夫，贵远贱近，传兹抵牾，自相欺惑，故王充《论衡》生焉。（释：《论衡》主征据。）民者，冥也，冥然罔知，率彼愚蒙，墙面而视。或讹音鄙句，莫究本源；或守株胶柱，动多拘忌，故应劭《风俗通》生焉。（释：《风俗通》主博洽。）五常异禀，百行殊执，能有兼偏，知有长短。苟随才而任使，则片善不遗，必求备而后用，则举世莫可，故刘劭《人物志》生焉。（释：《人物志》主辨材。）夫开国承家，立身立事，一文一武，或出或处，虽贤愚壤隔，善恶区分，苟时无品藻，则理难铨综，故陆景《典语》生焉。（释：《典语》主评品。）词人属文，其体非一，譬甘辛殊味，丹素异彩，后来祖述，识昧圆通，家有诋诃，人相掎摭，故刘勰《文心》生焉。(释：《文心雕龙》主文章体裁。每书各有标旨，看其举义简当。)[①]

笔者引用这一段论述时，特意保留了浦起龙的“通释”，因为从浦起龙的“释”语中，可以更清晰地揭示《史通》一书的性质和旨趣：不论是“主谈理”“主征据”“主博洽”，还是“主辨材”“主评品”“主文章体裁”，都对《史通》有所影响，这当是近于刘知幾《史通》撰述的本意。

从以上三个方面来看，刘知幾的史学批评思想的产生和发展，自有其主客观因素。

二、史学批评的必要性、方法和目的

那么，为什么要开展史学批评呢？或者说，史学批评之必要性何在？刘知幾对此作了明确的论述，他写道：

古之述者，岂徒然哉！或以取舍难明，或以是非相乱。由是《书》编典诰，宣父辨其流；《诗》列风雅，卜商通其义。夫前哲所作，后来是观，苟失其指归，则难以传授。而或有妄生穿凿，轻究本源，是乖作者之深旨，误生人之后学，其为谬也，不亦甚乎！

……盖明月之珠不能无瑕，夜光之璧不能无颣；故作者

① 刘知幾：《史通·自叙》，浦起龙《史通通释》本，上海古籍出版社2009年版，第270-271页。

著书，或有病累。而后生不能诋诃其过，又更文饰其非，遂推而广之，强为其说者，盖亦多矣。[①]

这两段话，都是在说明史学批评的重要性，但其意也有不完全相同之处。前者先是因“取舍难明”“是非相乱”而发生差错，继之是后人穿凿以致“乖作者之深旨，误生人之后学”，造成新的谬误。后者是说，即便是佳作，也难以做到“无瑕”“无纇”，而后人无识见，反而“文饰其非”，以致谬误流传。不论是前者还是后者，都必须有正确的批评，纠正前人的失误与过错，使史学得以健康发展，这正是史学批评对于史学发展的重要作用，其必要性自无疑义。

《史通》所采用的史学批评的方法，灵活多样，举凡纠谬、补正、说理、推论、警示、劝告、比较、辩证等，其中贯穿着一个总的原则，就是“爱而知其丑，憎而知其善”[②]，这是史官记事的原则，也是史学批评的原则。这就是说，对于批评的对象，不应说好就全然都好，说不好就全然不好，要有辩证的态度和方法。这种辩证的态度和方法，还反映在对于考察对象之“貌”与“心”的关系判断方面。刘知幾写道：

大抵作者，自魏已前，多效《三史》；从晋已降，喜学《五经》。夫史才文浅而易摸，经文意深而难拟，既难易有

① 刘知幾：《史通·探赜》，浦起龙《史通通释》本，上海古籍出版社2009年版，第194、196页。
② 刘知幾：《史通·惑经》，浦起龙《史通通释》本，上海古籍出版社2009年版，第374页。

别，故得失亦殊。盖貌异而心同者，摸拟之上也；貌同而心异者，摸拟之下也。然人皆好貌同而心异，不尚貌异而心同者，何哉？盖鉴识不明，嗜爱多僻，悦夫似史而憎夫真史，此子张之所以致讥于鲁矣，有叶公好龙之喻也。[①]

这是阐明形式和思想的辩证关系，即在史学批评中，既要看形式，更要看思想，这样就不会因“貌同”而忽略了“心异”这一关键所在。清代史学家章学诚有一段论述与此意相近，他说：

《尚书》一变而为左氏之《春秋》，《尚书》无成法而左氏有定例，以纬经也。左氏一变而为史迁之纪传，左氏依年月而迁书分类例，以搜逸也。迁书一变而为班氏之断代，迁书通变化，而班氏守绳墨，以示包括也。就形貌而言，迁书远异左氏，而班史近同迁书，盖左氏体直，自为编年之祖，而马、班曲备，皆为纪传之祖也。推精微而言，则迁书之去左氏也近，而班史之去迁书也远；盖迁书体圆用神，多得《尚书》之遗；班氏体方用智，多得官礼之意也。[②]

这里说的“形貌”与“精微”跟刘知幾说的“貌”与“心”实为同义，或许章学诚本是受到刘知幾的启发而加以发挥

① 刘知幾：《史通·摸拟》，浦起龙《史通通释》本，上海古籍出版社2009年版，第208页。
② 章学诚：《文史通义·书教下》，叶瑛《文史通义校注》本，中华书局2014年版，第58–59页。

乃有此论述。刘、章二人都重视关于形式与思想之关系的辨析，可见这一辩证思维及其方法论在史学批评中的重要性。

最后，我们要说到刘知幾关于史学批评的目的，即批评要达到什么样的目标。其实这在刘知幾对史学批评的种种方法的运用中，已有明确的表述。概而言之，就是他在《史通·自叙》中说的两句话："若《史通》之为书也，盖伤当时载笔之士，其义不纯。思欲辨其指归，殚其体统。"① 在这里，"指归"是指思想而言，"体统"就是说的体裁体例了。这个目标，既是刘知幾要达到的目标，也是他对当时以及后世的学人所寄予的期望，这从他以扬雄《法言》、王充《论衡》、应劭《风俗通》、刘劭《人物志》、陆景《典语》、刘勰《文心雕龙》等自况，看得十分清楚。

第二节 评史学渊源、流别与史学功用

一、论史书的渊源流别

《史通》开宗明义指出："自古帝王编述文籍，《外篇》言之备矣。"② 这里说的"《外篇》言之备矣"，当指《外篇》中的《古今正史》篇而言。《古今正史》篇起首写道：

① 刘知幾：《史通·自叙》，浦起龙《史通通释》本，上海古籍出版社2009年版，第271页。
② 刘知幾：《史通·六家》，浦起龙《史通通释》本，上海古籍出版社2009年版，第1页。

《易》曰："上古结绳以理，后世圣人易之以书契。"儒者云：伏羲氏"始画八卦，造书契，以代结绳之政，由是文籍生焉"。又曰："伏羲、神农、黄帝之书谓之'三坟'，言大道也；少昊、颛顼、高辛、唐、虞之书谓之'五典'，言常道也。"《春秋传》载楚左史能读三坟、五典。《礼记》曰："外史掌三皇、五帝之书。"由斯而言，则坟、典文义，三、五史策，至于春秋之时犹大行于世。爰及后古，其书不传，惟唐、虞已降，可得言者。然自尧而往，圣贤犹述，求其一二，仿佛存焉。而后来诸子，广造奇说，其语不经，其书非圣。故马迁有言："神农已前，吾不知矣。"班固亦曰："颛顼之事，未可明也。"斯则坟、典所记，无得而称者焉。①

这一段论述，从"结绳以理"到"易之以书契"，再到"文籍生焉"等语，多方看来，讲的是中国先民从野蛮步入文明的历史过程；又从《三坟》《五典》的出现，讲到"爰及后古，其书不传"，已无法评论，并引用司马迁、班固的话作为佐证，表明刘知幾本人是一位严谨的史学家。

刘知幾从"文籍生焉"进而考察"古今正史"的来龙去脉，上起《尚书》，下讫武则天长安年间和唐中宗神龙元年他与朱敬则、徐坚、吴兢等史家的修史活动。他在《古今正史》篇的结

① 刘知幾：《史通·古今正史》，浦起龙《史通通释》本，上海古籍出版社2009年版，第305-306页。

语中写道："大抵自古史臣撰录，其梗概如此。盖属词比事，以月系年，为史氏之根本，作生人之耳目者，略尽于斯矣。自余偏记小说，则不暇具而论之。"① 这是刘知幾对史书源流所作的纵向考察。

同时，刘知幾认为，这种纵向考察难得详其流别，故而又作《六家》以横向区分。《六家》篇指出：

> 古往今来，质文递变，诸史之作，不恒厥体。榷而为论，其流有六：一曰《尚书》家，二曰《春秋》家，三曰《左传》家，四曰《国语》家，五曰《史记》家，六曰《汉书》家。今略陈其义，列之于后。②

刘知幾在《六家》篇的论述中，对《左传》《汉书》两家备加称赞，并在篇末结语中进一步对《汉书》予以强调，他这样写道：

> 历观自古，史之所载也，《尚书》记周事，终秦穆，《春秋》述鲁文，止哀公，《纪年》不逮于魏亡，《史记》唯论于汉始。如《汉书》者，究西都之首末，穷刘氏之废兴，包举一代，撰成一书。言皆精炼，事甚该密，故学者寻讨，

---

① 刘知幾：《史通·古今正史》，浦起龙《史通通释》本，上海古籍出版社2009年版，第349页。

② 刘知幾：《史通·六家》，浦起龙《史通通释》本，上海古籍出版社2009年版，第1页。

易为其功。自尔迄今，无改斯道。[1]

这是刘知幾从横向上对史书流别进行考察所作的结论，其中对《汉书》的肯定和称赞，反映了魏晋南北朝到唐初皇朝史撰述兴盛的史学潮流，也反映了自南朝梁陈至隋唐之际“汉书学”广泛传播的历史影响。

对于“六家”的考察，主要是着眼于较早出现而有代表性的史书内容，刘知幾进而要考察史书的不同表现形式，于是有了《二体》篇的撰写。《二体》篇起首指出史书体裁的发展趋势：

三、五之代，书有典、坟，悠哉邈矣，不可得详。自唐、虞以下迄于周，是为《古文尚书》。然世犹淳质，文从简略，求诸备体，固以阙如。既而丘明传《春秋》，子长著《史记》，载笔之体，于斯备矣。后来继作，相与因循，假有改张，变其名目，区域有限，孰能逾此！盖荀悦、张璠，丘明之党也；班固、华峤，子长之流也。惟此二家，各相矜尚。必辨其利害，可得而言之。[2]

刘知幾在概括了史书体裁发展趋势后，就以《左传》为代表的编年体史书和以《史记》为代表的纪传体史书各自的长处与短处作了比较，而篇末举班固《汉书》和荀悦《汉纪》为纪

① 刘知幾：《史通·六家》，浦起龙《史通通释》本，上海古籍出版社2009年版，第20-21页。
② 刘知幾：《史通·二体》，浦起龙《史通通释》本，上海古籍出版社2009年版，第24页。

传体与编年体史书作楷模，并作结论说："然则班、荀二体，角力争先，欲废其一，固亦难矣。后来作者，不出二途。"下文进而举晋史和宋史都有纪传体与编年体两种体裁史书为例，以证其说："各有其美，并行于世。"①

应当指出，刘知幾所说编年体史书之"短"是指它漏记有关历史人物，使其"终不得彰其名氏，显其言行"云云；所论纪传体史书之"短"是指它"同为一事，分在数篇，断续相离，前后屡出"而采用互见之法等，都有可议之处。同时，刘知幾认为关于纪传、编年两种体裁"后来作者，不出二途"的结论亦过于武断。当然，我们不必苛求刘知幾。重要的是，他对于史书源流的考察，从史学渊源到史学成果、从史学流变到史书形式，梳理之细致和概括之精当，往往亦不乏理论的阐述，凡此，都前无古人。值得注意的是，即使是他在《古今正史》篇文末写下"自余偏记小说，则不暇具而论之"的话，最终还是撰写出《杂述》篇，弥补了这一缺憾。《杂述》篇写道：

> 在昔三坟、五典、春秋、梼杌，即上代帝王之书，中古诸侯之记。行诸历代，以为格言。其余外传，则神农尝药，厥有《本草》；夏禹敷土，实著《山经》；《世本》辨姓，著自周室；《家语》载言，传诸孔氏。是知偏记小说，自成一家。而能与正史参行，其所由来尚矣。

① 刘知幾：《史通·二体》，浦起龙《史通通释》本，上海古籍出版社2009年版，第26-27页。

> 爰及近古，斯道渐烦。史氏流别，殊途并骛。榷而为论，其流有十焉：一曰偏纪，二曰小录，三曰逸事，四曰琐言，五曰郡书，六曰家史，七曰别传，八曰杂记，九曰地理书，十曰都邑簿。①

这里有两点值得注意：第一，刘知幾强调“偏记小说，自成一家。而能与正史参行，其所由来尚矣”。这是一个古老的传统。第二，刘知幾把“偏记小说”划分为十类，可见他在这方面用功的勤苦和思路的清晰。

刘知幾在一一分析了十种“偏记小说”的价值与局限后写道：“于是考兹十品，征彼百家，则史之杂名，其流尽于此矣。至于其间得失纷糅，善恶相兼，既难为诊缕，故粗陈梗概。且同自郐，无足讥焉。”从“古今正史”说到“偏记小说”，刘知幾对史书源流的考察，可以说周到、详尽而令其无遗憾，其思想见地亦灼然可见。下面这段话，似可作为他对史书源流之总的认识：

> 盖语曰：“众星之明，不如一月之光。”历观自古，作者著述多矣。虽复门千户万，波委云集。而言皆琐碎，事必丛残。固难以接光尘于《五传》，并辉烈于《三史》。古人以比玉屑满箧，良有旨哉！然则刍荛之言，明王必择；葑菲

① 刘知幾：《史通·杂述》，浦起龙《史通通释》本，上海古籍出版社2009年版，第253页。

之体，诗人不弃。故学者有博闻旧事，多识其物，若不窥别录，不讨异书，专治周、孔之章句，直守迁、固之纪传，亦何能自致于此乎？且夫子有云："多闻，择其善者而从之。""知之次也。"苟如是，则书有非圣，言多不经，学者博闻，盖在择之而已。①

这是刘知幾从考察史书源流中总结出来的治史理论与方法，也是他向当世同行及后世同行提出的善意的提醒与建议。

二、评史学功用

《史通》无专篇讨论史学功用，但全书却有多处论及于此。其中，以《史官建置》篇开篇所论最为重要，也最具理论意义。刘知幾在讲到历史记载和历史撰述的重要性时以设问的口吻提出问题，倘若在没有史官记事而"世无竹帛"的情况下，人们对于过往的人和事就难得了解更无从判断了。反之，在"史官不绝，竹帛长存"的条件下，人们可以"神交万古"，可以"穷览千载"，可以"见贤而思齐，见不贤而内自省"。因此，刘知幾得出一个深刻的、具有普遍意义的结论："史之为用，其利甚博，乃生人之急务，为国家之要道。"②

在刘知幾以前，也有一些关于史学功用的言论，如孟子说的

① 刘知幾：《史通·杂述》，浦起龙《史通通释》本，上海古籍出版社2009年版，第257页。
② 刘知幾：《史通·史官建置》，浦起龙《史通通释》本，上海古籍出版社2009年版，第280-281页。

"孔子成《春秋》而乱臣贼子惧"[1]；司马迁说的"居今之世，志古之道，所以自镜也"[2]；范晔说的"又欲因事就卷内发论，以正一代得失"[3]；时人称赞陈寿《三国志》"辞多劝诫，明乎得失，有益风化"[4]。这些说得都很好。但这都是就具体的人和事而论，不是从一般意义上阐述史学的功用。刘勰《文心雕龙·史传》篇中有两句话，即"居今识古，其载籍乎"，从今天的认识来看，这是明确地提出了史学的功用在于帮助人们认识了历史。由此可以认为，这是一个了不起的命题。而上引刘知幾的这段话，正是进一步阐发了"载籍"（"竹帛"）在人们"识古"中的关键作用。用今天的话来说，就是史书是帮助人们认识历史的工具和桥梁。刘知幾关于史学功用的这段阐述在史学思想上的价值在于：第一，他从正反两个方面提出问题，即有无史官、竹帛，是两种完全不同的结果；第二，他揭示了人们求善、敬贤之心，即史学功用要通过人的主观能动作用才能表现出来；第三，他强调了史学功用对于个人和国家都是非常重要的，即所谓"急务"与"要道"；第四，他丰富了唐太宗《修晋书诏》关于史学功用思想的内涵，即超出政治功能而具有广泛的意义。

刘知幾在《史通·直书》篇中把这种广泛的意义概括为"史之为务，申以劝诫，树之风声"[5]。这里说的"申以劝诫，树

---

① 《孟子·滕文公下》，杨伯峻《孟子译注》本，中华书局 1960 年版，第 155 页。
② 司马迁：《史记》卷一八《高祖功臣侯者年表》序，中华书局 2014 年版，第 1050 页。
③ 沈约：《宋书》卷六九《范晔传》，中华书局 1974 年版，第 1831 页。
④ 房玄龄等：《晋书》卷八二《陈寿传》，中华书局 1974 年版，第 2138 页。
⑤ 刘知幾：《史通·直书》，浦起龙《史通通释》本，上海古籍出版社 2009 年版，第 179 页。

之风声”，语出《尚书·毕命》：“彰善瘅恶，树之风声。”孔颖达疏为：“言当识别顽民之善恶，表异其居里，明其为善，病其为恶。立其善风，扬其善声。”[①] 孔颖达用“顽民”一词固然不当，但“立其善风，扬其善声”之意，言之甚佳。刘知幾援引此意，反映了他对史学功用的重视和期待。

正是在史学功用这个重大问题上，刘知幾表现出了对太史公司马谈的充分理解。《史通·人物》篇有这样一段表述：“夫天下善人少而恶人多，其书名竹帛者，盖唯记善而已。故太史公有云：‘自获麟以来，四百余年，明主贤君、忠臣死义之士，废而不载，余甚惧焉。’即其义也。”[②] 这是《史记·太史公自序》中所记司马谈临终前对司马迁说的一段话，字字千钧。刘知幾引用其大意而加以发挥，表明古往今来，史学家都深知自己肩头的重担，都非常重视史学的社会功用。当然，刘知幾说的“天下善人少而恶人多”，并不恰当，但他强调史学的社会作用在于“申以劝诫，树之风声”，无疑具有重要意义。

第三节　史书编著批评论

一、评纪传体史书的体例和内容

这部分内容占据了《史通》内篇的绝大部分，也是刘知幾

① 阮元校刻：《十三经注疏》，中华书局1980年版，第245页。按：刘知幾《史通·自叙》说：“年在纨绮，便受《古文尚书》。”

② 刘知幾：《史通·人物》，浦起龙《史通通释》本，上海古籍出版社2009年版，第222页。

史学批评锋芒所指最集中之处，关于这部分的论述，这里只能采用提要式的方法予以概说。

这里说的史书编著，从《史通》的篇名标目来看，可知主要是指纪传体史书的编著，有的问题也不限于纪传体史书而具有普遍的意义。从逻辑上看，这里所讨论的内容，当上接《史通·二体》篇所论并予以广泛地展开。通观《史通》内篇，反映其关于史书编著的思想，大致包含以下六个方面。

第一，关于纪传体史书体例的思想。刘知幾在这方面考虑周悉，用功甚勤，积累丰厚，真知灼见贯穿各篇。凡涉及体例的篇目有《本纪》《世家》《列传》《表历》《书志》《论赞》《序例》等，这些是纪传体史书的基本体例。体例既是反映史书的内部结构，也是对史书内容的规范。刘知幾关于体例的思想，一言以蔽之是："夫史之有例，犹国之有法。国无法，则上下靡定；史无例，则是非莫准。"[①] 由此可见，刘知幾对史书编著中体例处置的重视是必要的。但任何事物都不能作绝对的看待。刘知幾重视体例而达到固守体例的程度，则有碍于他对历史本身的认识和判断。如他在《史通·本纪》篇中批评司马迁为项羽立本纪，在《世家》篇中批评司马迁为陈涉立世家等，显然是要历史符合体例，而不是以体例去适应历史，[②] 这是刘知幾体例思想的局限性，虽不影响全局，但指出来是必要的。

第二，关于史书内容的思想。与史书体例篇目相比，这一部

---

① 刘知幾：《史通·序例》，浦起龙《史通通释》本，上海古籍出版社2009年版，第81页。
② 参见瞿林东：《读〈史通〉札记》，《史学史研究》1982年第2期。

分论述较少。《书事》《人物》《载言》《载文》等篇，与史书内容关系比较密切。其中，《书事》篇最集中地反映了刘知幾关于史书内容的思想，他写道：

> 昔荀悦有云："立典有五志焉：一曰达道义，二曰彰法式，三曰通古今，四曰著功勋，五曰表贤能。"干宝之释五志也，"体国经野之言则书之，用兵征伐之权则书之，忠臣、烈士、孝子、贞妇之节则书之，文诰专对之辞则书之，才力技艺殊异则书之"。于是采二家之所议，征五志之所取，盖记言之所网罗，书事之所总括，粗得于兹矣。然必谓故无遗恨，犹恐未尽者乎？今更广以三科，用增前目：一曰叙沿革，二曰明罪恶，三曰旌怪异。何者？礼仪用舍，节文升降则书之；君臣邪僻，国家丧乱则书之；幽明感应，祸福萌兆则书之。于是以此三科，参诸五志，则史氏所载，庶几无阙。求诸笔削，何莫由斯？[①]

一部史书应具有怎样的内容？每一位作者都不能不有所考虑，而且应当在书中交代明白，如《史记·太史公自序》、班固《汉书·叙传》等就是如此。当然，这是就某一部具体的史书来说的。如果从一般意义上讨论史书应包含哪些内容的话，那就是一个理论问题了。刘知幾正是从"记言之所网罗，书事之所总

① 刘知幾：《史通·书事》，浦起龙《史通通释》本，上海古籍出版社 2009 年版，第 212-213 页。

括”之一般意义上来考察史书内容的。

从上述引文来看，刘知幾赞同荀悦“立典有五志”的观点，也赞同干宝对“五志”的阐释。其实，荀悦所说“五志”，是指史书所书史事应符合这五个方面的要求，而干宝的解释则是涉及具体史事，二者虽不能完全对应，但可以互相发明。刘知幾在此基础上补充“三科”，依其自己的解释，涉及制度的演变、国家的治乱和民间的祸福之征兆等，应是更重要的史书内容。

此外，刘知幾在《人物》篇中写道：“夫人之生也，有贤不肖焉。若乃其恶可以诫世，其善可以示后，而死之日名无得而闻焉，是谁之过欤？盖史官之责也。”[①] 换言之，凡大善大恶之人，有“示后”和“诫世”的作用，这样的人和事，也是史书内容的一个方面。他在《载言》篇中提出可把有关的重要言论集中起来加以分类，编成“制册书”“章表书”等，编入纪传体史书。[②] 他认为，重要文章，应是史书内容之一，但必须精选入史。他在《载文》篇中指出：“且汉代词赋，虽云虚矫，自余它文，大抵犹实。至于魏、晋已下，则讹谬雷同。榷而论之，其失有五：一曰虚设，二曰厚颜，三曰假手，四曰自戾，五曰一概。”篇中对五“失”一一分析，认为以此类文章入史，“非复史书，更成文集”，实不可取。篇末，他从正面提出史书载文的参考标准及相关原则，这就是：

---

① 刘知幾：《史通·人物》，浦起龙《史通通释》本，上海古籍出版社 2009 年版，第 220-221 页。

② 刘知幾：《史通·载言》，浦起龙《史通通释》本，上海古籍出版社 2009 年版，第 31 页。

盖山有木，工则度之。况举世文章，岂无其选，但苦作者书之不读耳。至如诗有韦孟《讽谏》，赋有赵壹《嫉邪》，篇则贾谊《过秦》，论则班彪《王命》，张华述箴于女史，张载题铭于剑阁，诸葛表主以出师，王昶书字以诫子，刘向、谷永之上疏，晁错、李固之对策，荀伯子之弹文，山巨源之启事，此皆言成轨则，为世龟镜。求诸历代，往往而有。苟书之竹帛，持以不刊，则其文可与三代同风，其事可与《五经》齐列。古犹今也，何远近之有哉？

昔夫子修《春秋》，别是非，申黜陟，而贼臣逆子惧。凡今之为史而载文也，苟能拨浮华，采贞实，亦可使夫雕虫小技者，闻义而知徒矣。此乃禁淫之堤防，持雅之管辖，凡为载削者，可不务乎？①

在刘知幾看来，史之载文，必当慎重。要有“拨浮华，采贞实”的标准，要有“书之竹帛，持以不刊”的意义。刘知幾关于史之载文的思想在今天仍有参考价值。

二、评编撰方法

《史通》涉及这方面的篇目主要是：《题目》《断限》《编次》《称谓》《补注》《因习》《邑里》等，其中有的篇目也与体例、内容有联系，反映了刘知幾历史编撰思想的整体性。这里需

---

① 刘知幾：《史通·载文》，浦起龙《史通通释》本，上海古籍出版社2009年版，第115、117-118页。按：此处引文，刘知幾用典甚多，可参见浦起龙所释，不一一作注。

要指出的是，任何一部史书的编撰方法，都必须根据历史实际和史书内容作适当的安排与处置。由此看来，刘知幾在有关史书编撰上对前史的批评，未必允当。如《编次》篇批评《史记》《汉书》说："昔《尚书》记言，《春秋》记事，以日月为远近，年世为前后，用使阅之者雁行鱼贯，皎然可寻。至马迁始错综成篇，区分类聚。班固踵武，仍加祖述。于其间则有统体不一，名目相违，朱紫以之混淆，冠履于焉颠倒，盖可得而言者矣。"[①]这里，且不说史书内容的简与繁，就体裁而论，《史记》《汉书》同《尚书》《春秋》也无可比性，要求《史记》《汉书》也像《尚书》《春秋》那样"以日月为远近，年世为前后"，显然是不合理的。其实，刘知幾已经说明了《史记》在编次上的创造性特点之一，即"错综成篇，区分类聚"，可惜未加以肯定。在这一点上，刘知幾显然没有把纪传体史书所包含的本纪、世家、表历、书志、列传几种体例综合起来，再考察它是否可以仿照《尚书》《春秋》那样去做。这是刘知幾考虑不周全的地方。

刘知幾在《断限》篇中又批评《汉书》的表、志以及沈约《宋书》志与唐初史家所修《隋书》志等在"断限"上的不当。他这样写道：

《史记》者，载数千年之事，无所不容；《汉书》者，纪十二帝之时，有限斯极。固既分迁之记，判其去取，纪传

① 刘知幾：《史通·编次》，浦起龙《史通通释》本，上海古籍出版社2009年版，第94页。

所存，唯留汉日；表志所录，乃尽牺年，举一反三，岂宜若是？胶柱调瑟，不亦谬欤！但固之踳驳，既往不谏，而后之作者，咸习其迷。《宋史》则上括魏朝，《隋书》则仰包梁代。求其所书之事，得十一于千百。一成其例，莫之敢移；永言其理，可为叹息！①

刘知幾这里提出的批评都有失允当。首先，《汉书》虽然断代为史，但其仍有“通古今”之志，故其《古今人表》及有关的志，超越汉代，追叙上古，以补历史撰述之阙，不仅合理，而且有功，以“唯留汉日”限其断限，殊为不当。沈约《宋书》志上起曹魏，是因为陈寿《三国志》无志而晋史又无定本，为补齐有关制度的发展过程，如此处置，亦当合理而有功，不应视为瑕疵。《隋书》“仰包梁代”，是因为梁、陈、齐、周、隋“五代史纪传”与“五代史志”均出于唐初史家之手，后者上接《南齐书》亦属合情合理。② 更重要的是，后世史家都有补前史之所阙佚史事使记述得以连续不断的优良传统，这尤其不应以体例加以约束。

总之，刘知幾在关于史书撰述的一些具体方法上，其指导思想是谨遵体例的要求，而对于不同史书撰写的时代特点、相关的史学氛围，尤其是有的史书所承担的史学任务以及撰述者根据各

① 刘知幾：《史通·断限》，浦起龙《史通通释》本，上海古籍出版社2009年版，第89页。
② 参见瞿林东：《谈谈记述南北朝史事的“八书”、“二史”》，《文史知识》1982年第7、8期。

种情况作出的选择等，考虑得较少，以致对于前史的批评过于苛刻甚至失于偏颇。这是刘知幾历史编撰思想中的一个不足之处。

三、评史书撰述的原则和史文表述

这是刘知幾的史书编著思想中最具活力的地方，《直书》《曲笔》《采撰》等篇对此有集中的反映。一是赞扬直书，痛斥曲笔；二是异辞疑事，宜善思之。《直书》篇在回顾了中国古代史学的直书传统后写道：

> 盖烈士徇名，壮夫重气，宁为兰摧玉折，不作瓦砾长存。若南、董之仗气直书，不避强御；韦、崔之肆情奋笔，无所阿容。虽周身之防有所不足，而遗芳余烈，人到于今称之。①

通观《直书》篇，史学家们的直书精神凝成一股史学正气，这就是刘知幾总结的“仗气直书”“肆情奋笔”。

事物都是在矛盾运动中向前发展的。与直书相对应的，是史学上的曲笔。《曲笔》篇在分析曲笔作史的种种原因和表现后指出：“盖史之为用也，记功司过，彰善瘅恶，得失一朝，荣辱千载。苟违斯法，岂曰能官。但古来唯闻以直笔见诛，不闻以曲词获罪。是以隐侯《宋书》多妄，萧武知而勿尤；伯起《魏史》

---

① 刘知幾：《史通·直书》，浦起龙《史通通释》本，上海古籍出版社2009年版，第180页。

不平，齐宣览而无遣。故令史臣得爱憎由己，高下在心，进不惮于公宪，退无愧于私室，欲求实录，不亦难乎？呜呼！此亦有国家者所宜惩革也。”① 刘知幾在《直书》篇起首以“君子之德”和“小人之道”来说明直书与曲笔存在的原因，但从这里的引文可以看出，他认为朝廷任命史官的失误也是曲笔产生的重要原因，故应加以“惩革”。

刘知幾赞扬直书、痛斥曲笔的思想，显示出史学批评家的一身正气，但他在彰显直书精神方面也有历史的局限性。他认为：“史氏有事涉君亲，必言多隐讳，虽直道不足，而名教存焉。”② 显然，这是魏晋南北朝以来重视名教的社会风尚的影响，从而给曲笔留下了空间，也表明了刘知幾直书思想的不彻底性。

刘知幾的史书编著思想还表现在另一个方面，即对于史书编著中所遇到的各种资料，均应持严肃谨慎的态度并给予适当的处置。他在《采撰》篇末写道：

> 故作者恶道听途说之违理，街谈巷议之损实。观夫子长之撰《史记》也，殷、周已往，采彼家人；安国之述《阳秋》也，梁、益旧事，访诸故老。夫以刍荛鄙说，刊为竹帛正言，而辄欲与《五经》方驾，《三志》竞爽，斯亦难矣。呜呼！逝者不作，冥漠九泉；毁誉所加，远诬千载。异

① 刘知幾：《史通·曲笔》，浦起龙《史通通释》本，上海古籍出版社2009年版，第185页。

② 刘知幾：《史通·曲笔》，浦起龙《史通通释》本，上海古籍出版社2009年版，第182-183页。

辞疑事，学者宜善思之。[1]

这段话的核心思想，是说凡无充分可信的资料使之“刊为竹帛正言”，应取慎重态度；即便取而用之，也要适当处置。其结论是：“异辞疑事，学者宜善思之。”这个原则看起来没有直书原则那么重要，但若不予以重视，其后果与曲笔无异。刘知幾的提示是正确的，也是重要的。

文字表述是史书编著的最后一个重要环节。《史通》中的《言语》《浮词》《叙事》等篇，突出地反映了刘知幾关于史文表述的思想。其《言语》篇开宗明义地说：“言之不文，行之不远，则知饰词专对，古之所重也。”刘知幾批评一种不良的史文：“夫天地长久，风俗无恒，后之视今，亦犹今之视昔。而作者皆怯书今语，勇效昔言，不其惑乎！”他鼓励“事皆不谬，言必近真”的史学风气，指出：

盖善为政者，不择人而理，故俗无精粗，咸被其化；工为史者，不选事而书，故言无美恶，尽传于后。若事皆不谬，言必近真，庶几可与古人同居，何止得其糟粕而已。[2]

能够做到“不谬”和“近真”，这在当时来说，可以说是史书编著的最高境界了，而这也是刘知幾关于史书编著的理想境

① 刘知幾：《史通·采撰》，浦起龙《史通通释》本，上海古籍出版社2009年版，第109页。
② 刘知幾：《史通·言语》，浦起龙《史通通释》本，上海古籍出版社2009年版，第138、142页。

界。浦起龙在《言语》篇后评论说："信史务在纪实，语从其实，史法也。"这一总结很恰当。

关于史文表述的认识，刘知幾还提出"浮词"这一概念，十分重要。《浮词》篇指出："昔夫子断唐、虞以下讫于周，翦截浮词，撮其机要。故帝王之道，坦然明白。嗟乎！自去圣日远，史籍逾多，得失是非，孰能刊定？"[①] 什么是浮词？刘知幾没有作出定义。浦起龙解释说："浮之云者，溢辞也，歧辞也。"概而言之，多余之辞。查刘知幾此言，源于《尚书序》，即："孔子生于周末，睹史籍之烦文，惧览之者不一，遂乃定《礼》《乐》，明旧章，删《诗》为三百篇，约史记而修《春秋》，赞易道以黜八索，述《职方》以除九丘。讨论坟典，断自唐虞以下，讫于周。芟夷烦乱，翦截浮辞，举其宏纲，撮其机要，足以垂世立教，典、谟、训、诰、誓、命之文凡百篇。"[②] 1999年版《辞海》解释"浮词"是"虚饰不实的言辞"[③]。这个解释比浦起龙的解释更明白易懂，以此来看待《史通·浮词》篇，也更易于理解刘知幾的史文表述思想。刘知幾形象地比喻说："夫人有一言，而史辞再三，良以好发芜音，不求谠理，而言之反覆，观者惑焉。"或是"夫词寡者出一言而已周，才芜者资数句而方浃"[④]。刘知幾用对比的方法来阐明"浮词"之弊端，易于警示史书编著者。

---

① 刘知幾：《史通·浮词》，浦起龙《史通通释》本，上海古籍出版社2009年版，第149–150页。
② 阮元校刻：《十三经注疏》，中华书局1980年版，第114页。
③ 《辞海》缩印本，上海辞书出版社1999年版，第1135页。
④ 刘知幾：《史通·浮词》，浦起龙《史通通释》本，上海古籍出版社2009年版，第148、149页。

刘知幾关于史书编著之史文表述的思想，在《叙事》篇中表现得最为集中，也更具有理论意义。而全篇也多与《言语》《浮词》有所关联，初步形成史书叙事学的理论体系。《叙事》篇开篇阐述了刘知幾关于史书叙事的总论，这就是：

> 夫史之称美者，以叙事为先。至若书功过，记善恶，文而不丽，质而非野，使人味其滋旨，怀其德音，三复忘疲，百遍无斁，自非作者曰圣，其孰能与于此乎？昔圣人之述作也，上自《尧典》，下终获麟，是为属词比事之言，疏通知远之旨。子夏曰：“《书》之论事也，昭昭然若日月之代明。”扬雄有云：“说事者莫辨乎《书》，说理者莫辨乎《春秋》。”然则意指深奥，训诰成义，微显阐幽，婉而成章，虽殊途异辙，亦各有差焉。谅以师范亿载，规模万古，为述者之冠冕，实后来之龟镜。既而马迁《史记》，班固《汉书》，继圣而作，抑其次也。故世之学者，皆先曰《五经》，次云《三史》，经史之目，于此分焉。①

从今天的认识来看，刘知幾的这段论述，有三点值得关注：一是在中国史学上首次提出了史学审美的命题，而这一命题是与史书叙事密切相联系着的；二是把史书编著中的叙事这一环节作为一个特定概念撰写专篇予以论述，这在中国史学上亦属首次，

① 刘知幾：《史通·叙事》，浦起龙《史通通释》本，上海古籍出版社2009年版，第152-153页。

在外国史学上似也少见；三是史书叙事的楷模是《五经》《三史》，“后世学者”难以企及，但可以为龟镜，学习、借鉴，追求“史之称美”的目标。可以认为，刘知幾关于史书叙事的思想以至于一般叙事理论，在中国史学思想上占有十分重要的地位。

刘知幾关于史书叙事的理论包含三个分论，即：其一，从国史之美讲到“以叙事为工”，从“叙事之工”讲到“以简要为主”；其二，“叙事之体，其别有四”；其三，“叙事之省，其流有二”。这三个分论，都与《言语》《浮词》有内在的联系。

试论其分论之一：从国史之美讲到“以叙事为工”，从“叙事之工”讲到“以简要为主”。《叙事》篇这样写道：

> 夫国史之美者，以叙事为工，而叙事之工者，以简要为主。简之时义大矣哉！历观自古，作者权舆，《尚书》发踪，所载务于寡事；《春秋》变体，其言贵于省文。斯盖浇淳殊致，前后异迹。然则文约而事丰，此述作之尤美者也。始自两汉，迄乎三国，国史之文，日伤烦富。逮晋已降，流宕逾远。寻其冗句，摘其烦词，一行之间，必谬增数字；尺纸之内，恒虚费数行。[①]

这段文字中包含着明显的逻辑关系，即国史之美——叙事为工——简要为主。其“简要”的标准是“文约而事丰，此述作

① 刘知幾：《史通·叙事》，浦起龙《史通通释》本，上海古籍出版社2009年版，第156页。

之尤美者也”；其所批评的现象是必“寻其冗句，摘其烦词”，显然是同《浮词》篇批评的对象是一致的。

值得注意的是，“简要”要以“文约而事丰”为目标，而不是文字越简越好。刘知幾的挚友史学家吴兢晚年过分追求史书之“简”，受到后人非议，说他“尝以梁、陈、齐、周、隋五代史繁杂，乃别撰《梁》《齐》《周史》各十卷、《陈史》五卷、《隋史》二十卷，又伤疏略”[①]。这跟他的《贞观政要》一书受到好评，形成鲜明的对比。

刘知幾认为，要合理地做到简要，首先要在内涵上下功夫。他指出：“叙事之体，其别有四：有直纪其才行者，有唯书其事迹者，有因言语而可知者，有假赞论而自见者。”“然则才行、事迹、言语、赞论，凡此四者，皆不相须。若兼而毕书，则其费尤广。但自古经史，通多此颣。能获免者，盖十无一二。”[②] 这是具体地说明，“四者”之中择其较佳者书之则可，不必一一赘书。其次，要在字句上下功夫。他指出：“叙事之省，其流有二焉：一曰省句，二曰省字。如《左传》宋华耦来盟，称其先人得罪于宋，鲁人以为敏。夫以钝者称敏，则明贤达所嗤，此为省句也。《春秋经》曰：‘陨石于宋五。’夫闻之陨，视之石，数之五。加以一字太详，减其一字太略，求诸折中，简要合理，此为省字也。其有反于是者，若《穀梁》称郄克眇，季孙行父秃，孙良夫跛，齐使跛者逆跛者，秃者逆秃者，眇者逆眇者。盖宜除

---

① 刘昫等：《旧唐书》卷一〇二《吴兢传》，中华书局1975年版，第3182页。

② 刘知幾：《史通·叙事》，浦起龙《史通通释》本，上海古籍出版社2009年版，第156、157页。

‘跛者’已下句，但云‘各以其类逆’。必事加再述，则于文殊费，此为烦句也。《汉书·张苍传》云：‘年老，口中无齿。’盖于此一句之内去‘年’及‘口中’可矣。夫此六文成句，而三字妄加，此为烦字也。然则省句为易，省字为难，洞识此心，始可言史矣。苟句尽余剩，字皆重复，史之烦芜，职由于此。”① 从刘知幾所举之例来看，可以认为，他把叙事之尚简的要求，已讲到极致了。在这里，可以进一步看出《叙事》篇同《浮词》篇的密切联系。

试论分论之二：“叙事之体，其别有四”。《叙事》篇写道：“夫饰言者为文，编文者为句，句积而章立，章积而篇成。篇目既分，而一家之言备矣。古者行人出境，以词令为宗；大夫应对，以言文为主。况乎列以章句，刊之竹帛，安可不励精雕饰，传诸讽诵者哉？自圣贤述作，是曰经典，句皆韶夏，言尽琳琅，秩秩德音，洋洋盈耳。譬夫游沧海者，徒惊其浩旷；登太山者，但嗟其峻极。必摘以尤最，不知何者为先。然章句之言，有显有晦。显也者，繁词缛说，理尽于篇中；晦也者，省字约文，事溢于句外。然则晦之将显，优劣不同，较可知矣。夫能略小存大，举重明轻，一言而巨细咸该，片语而洪纤靡漏，此皆用晦之道也。”② 从这些论述来看，可见“用晦”是尚简的进一步发展。所谓“显也者，繁词缛说，理尽于篇中”，恰是与尚简相违背的；而“晦也者，省字约文，事溢于句外”，正是符合尚简的要

① 刘知幾：《史通·叙事》，浦起龙《史通通释》本，上海古籍出版社2009年版，第158页。
② 刘知幾：《史通·叙事》，浦起龙《史通通释》本，上海古籍出版社2009年版，第161页。

求。但是用晦也还有更深刻的含义，即叙事者应具有对于史事的全局观念和轻重主次的意识，使叙事之中能“略小存大”“举重明轻”，既使“大”者、“重”者凸显出来，又不忽略“小”与“轻”。这是叙事中很高的标准，要求叙事者具有全局的器识和洞察史事的敏锐。

试论分论之三：“叙事之省，其流有二”。《叙事》篇在列举一些具体事例后指出：

> 昔夫子有云：“文胜质则史。”故知史之为务，必借于文。自《五经》已降，《三史》而往，以文叙事，可得言焉。而今之所作，有异于是。其立言也，或虚加练饰，轻事雕彩；或体兼赋颂，词类俳优。文非文，史非史。①

查文中所举诸例，多是“假托古词，翻易今语”或“虚引古事，妄足庸音”的“润色之滥”的种种表现，致使“学者何以考时俗之不同，察古今之有异”。这同《言语》篇所批评的叙事者“怯书今语，勇效昔言”的思想是相互吻合的，故浦起龙在《叙事》篇后评论说，《叙事》篇“与《言语》同意”，正是看到了它们的内在联系。

综而言之，刘知幾关于史文表述的思想，是以史书叙事为核心提出问题并从审美的角度一一展开论述，既涉及叙事者的思想

---

① 刘知幾：《史通·叙事》，浦起龙《史通通释》本，上海古籍出版社2009年版，第167页。

内涵、历史见识，也涉及其文字表述的修养，显示出史书编著这一最后环节的重要性。

以上，我们从史书编著的体例、内容、方法、原则、史文等五个方面，对刘知幾的史书编著思想作了系统的考察和分析，从中可以看出，刘知幾在这方面有广泛的阅读和丰富的积累，凡所论列，随手拈来，指陈得失，发人深省，在史学批评史上产生了深远的影响。

第四节　史官建置批评论

一、评史官价值

刘知幾《史通·史官建置》篇是中国史学史上最早的和最完备的一篇关于史官建置的专文，是史官自我价值认识的突出反映。当然，只有当史学发展到较高程度时，史官才有可能萌发这种自觉性，才有可能写出这样的专文。刘知幾的史官建置批评论涉及关于史官价值的评论、史官制度史的评论和史官素质优劣的评论。这里先讨论关于史官价值的评论。

《史官建置》篇起首提出一个问题：对于现实中的人来说，“何者而称不朽乎？”当然，不是现实中的人都在思考如何才能“不朽”的问题，刘知幾本意当是举一个人们都可理解的说法，以便进一步展开说理。刘知幾写道：

夫人寓形天地，其生也若蜉蝣之在世，如白驹之过隙，犹且耻当年而功不立，疾没世而名不闻。上起帝王，下穷匹庶，近则朝廷之士，远则山林之客，谅其于功也名也，莫不汲汲焉孜孜焉。夫如是者何哉？皆以图不朽之事也。何者而称不朽乎？盖书名竹帛而已。[1]

对于这段话，浦起龙在“如白驹之过隙”一句下注了“发端庸浅”四字，显然是欠考虑的，因为从后文来看，刘知幾要讲的核心问题是史学的功用问题。

那么，怎样才能“不朽”呢？刘知幾回答得很简单：“书名竹帛而已。”其实，唐代早已用纸，这里也只是模仿古人的用语罢了。换言之，前人可以通过文字和书写工具把自己的言行记载下来，使后人借此得以知晓前人所作所为；反之，后人获得这种记载，便可了解前人的思想与活动。推而广之，社会的人便可借此保存“历史的记忆”。可见史官（包括不是史官的史家）的价值非常重要。

史官们的价值还在于：他们所提供的“历史的记忆”中的每一个个体，都可能是善或恶的承载者，而这种善或恶对后人是有教育意义的。刘知幾写道：

苟史官不绝，竹帛长存，则其人已亡，杳成空寂，而其

① 刘知幾：《史通·史官建置》，浦起龙《史通通释》本，上海古籍出版社2009年版，第280页。

事如在，皎同星汉。用使后之学者，坐披囊箧，而神交万古，不出户庭，而穷览千载，见贤而思齐，见不贤而内自省。若乃《春秋》成而逆子惧，南史至而贼臣书，其记事载言也则如彼，其劝善惩恶也又如此。由斯而言，则史之为用，其利甚博，乃生人之急务，为国家之要道。有国有家者，其可缺之哉！①

在这段文字中，刘知幾把史官的记事、载言同史书的劝善惩恶，以及“乃生人之急务，为国家之要道”紧密地结合起来，进一步彰显了史官的作用。这里触及了史学的本质，那就是史学与社会的关系。在公元8世纪初，中国史学家在史学批评中，以自己的语言和方式阐述了史官——史学的真正价值。

二、评史官历史

《史官建置》篇评论史官历史，大致包含两个部分，一是概述战国时期以前史官之设立及早期发展情况，二是略说各时期史官任职情况并兼评其素养得失。

该篇写道：“史之建官，其来尚矣。”从轩辕氏的仓颉、沮诵讲起，又据《周官》《礼记》所载，周有太史、小史、内史、外史、左史、右史等名目。进而作出结论：“斯则史官之作，肇自黄帝，备于周室，名目既多，职务咸异。至于诸侯列国亦各有史官，

① 刘知幾：《史通·史官建置》，浦起龙《史通通释》本，上海古籍出版社2009年版，第280页。

求其位号，一同王者。”[①] 史官早期历史，大致如此。

该篇关于历代史官任职情况及其素养高下的评论，颇有系统，这里略举数例，以见其旨：

——“至如孔甲、尹逸，名重夏、殷，史佚、倚相，誉高周、楚，晋则伯黡司籍，鲁则丘明受经，此并历代史臣之可得言者。降及战国，史氏无废。盖赵鞅，晋之一大夫尔，有直臣书过，操简笔于门下。田文，齐之一公子尔，每坐对宾客，侍史记于屏风。至若秦、赵二主渑池交会，各命其御史书某年某月鼓瑟、鼓缶。此则《春秋》‘君举必书’之义也。”[②] 其中赵鞅、田文二例，可以看出史臣地位下移的情况。

——“其有才堪撰述，学综文史，虽居他官，或兼领著作。亦有虽为秘书监，而仍领著作郎者。若中朝之华峤、陈寿、陆机、束皙，江左之王隐、虞预、干宝、孙盛，宋之徐爰、苏宝生，梁之沈约、裴子野，斯并史官之尤美，著作之妙选也。而齐、梁二代又置修史学士，陈氏因循，无所变革，若刘陟、谢昊、顾野王、许善心之类是也。”[③] 这一段话，把魏晋南北朝的大部分史官都评论到了。当然，这也只是概而言之，在这些史官中间，差别原本是存在的。刘知幾用“类”来形容史官的某种优点或综合素养，在史学批评上值得关注。

——“至若偏隅僭国，夷狄伪朝，求其史官，亦有可言

① 刘知幾：《史通·史官建置》，浦起龙《史通通释》本，上海古籍出版社2009年版，第281页。
② 刘知幾：《史通·史官建置》，浦起龙《史通通释》本，上海古籍出版社2009年版，第281-282页。
③ 刘知幾：《史通·史官建置》，浦起龙《史通通释》本，上海古籍出版社2009年版，第287-288页。

者。……伪汉嘉平初，公师彧以太中大夫领左国史，撰其国君臣纪传。前凉张骏时，刘庆迁儒林郎、中常侍，在东苑撰其国书。蜀李与西凉二朝记事，委之门下。南凉主乌孤初定霸基，欲造国纪，以其参军郭韶为国纪祭酒，使撰录时事。自余伪主，多置著作官，若前赵之和苞，后燕之董统是也。"① 这段记述在讲过三国时期史官建置后，继而讲到十六国时期的一些内容，这是作者刘知幾的难能可贵之处，在他看来：十六国时期的这些小朝廷本是与中原历史紧密联系的一部分；十六国时所置史官自是史官建置所应论述的一部分，这都是历史文化认同的重要方面。

——"暨皇家之建国也，乃别置史馆，通籍禁门。……馆宇华丽，酒馔丰厚，得厕其流者，实一时之美事。……始自武德，迄乎长寿，其间若李仁实以直辞见惮，敬播以叙事推工，许敬宗之矫妄，牛凤及之狂惑，此其善恶尤著者也。""高祖、太宗时，有令狐德棻、吕才、萧钧、褚遂良、上官仪；高宗、则天时，有李安期、顾胤、高智周、张太素、凌季友。斯并当时得名，朝廷所属者也。"② 这是对唐初的史官作了评述，其言当得自亲身感受。

在《史官建置》篇的结尾处，刘知幾作了几点小结：一是历史上有些史家如孔子、公羊高、陆贾、鱼豢、张璠、范晔，"虽身非史职，而私撰国书"，"若斯人者，有异于是。故不复详

---

① 刘知幾：《史通·史官建置》，浦起龙《史通通释》本，上海古籍出版社2009年版，第288页。

② 刘知幾：《史通·史官建置》，浦起龙《史通通释》本，上海古籍出版社2009年版，第294、297页。

而录之"[①]。这表明，刘知幾明确地区分了官修和私撰的两条治史路径，后人即有以此作为研究领域者。

二是指出"为史之道，其流有二"："书事记言，出自当时之简；勒成删定，归于后来之笔。……必论其事业，前后不同。然相须而成，其归一揆。"[②] 这表明，历史撰述本是由两部分人共同完成的，二者缺一不可。这一认识对于提升史学工作者的自觉意识，有重要意义。

三是对于修史中的不良风气予以尖锐的抨击，如汉、魏以来的"多窃虚号，有声无实"的现象，用今天的话说，就是"挂名"而已。作者进而指出：

> 而近代趋竞之士，尤喜居于史职，至于措辞下笔者，十无一二焉。既而书成缮写，则署名同献；爵赏既行，则攘袂争受。遂使是非无准，真伪相杂，生则厚诬当时，死则致惑来代。而书之谱传，借为美谈；载之碑碣，增其壮观。昔魏帝有言："舜、禹之事，吾知之矣。"此其效欤![③]

刘知幾的这些话，在他以后的任何时代里，治史者读了都会得到启示而自警自励。

---

① 刘知幾:《史通·史官建置》，浦起龙《史通通释》本，上海古籍出版社 2009 年版，第 301 页。

② 刘知幾:《史通·史官建置》，浦起龙《史通通释》本，上海古籍出版社 2009 年版，第 301 页。

③ 刘知幾:《史通·史官建置》，浦起龙《史通通释》本，上海古籍出版社 2009 年版，第 302 页。

三、评史官的品德、职责与社会贡献

史官（史家）是史学活动中的主体，在刘知幾的史学构成思想中，关于史学主体的论述散见于《史通》的一些专篇。其中，以《史官建置》篇为主，还散见于《核才》《辨职》《品藻》《直书》《曲笔》等篇。前文论史学功用时，已经讲到有无史官是有无“竹帛”的关键，而有无“竹帛”是有无“史之为用”的前提。由此可知，在史学活动中作为主体的史官（史家）处于十分重要的地位。

关于史官（史家）的品德。刘知幾认为，优秀的史官、史家应当“能成其良直，擅名今古”。他说：“盖烈士徇名，壮夫重气，宁为兰摧玉折，不作瓦砾长存。若南、董之仗气直书，不避强御；韦、崔之肆情奋笔，无所阿容。虽周身之防有所不足，而遗芳余烈，人到于今称之。”[①] 这是讲史书编著的原则，也是讲史官、史家的职守和道德。所谓“成其良直”“仗气直书”，并以南史、董狐、韦昭、崔浩为榜样，无疑是强调史官、史家的道德操守。

关于史官（史家）的职责。刘知幾在史馆修史达二十年之久，对于史官的职责自有深刻认识，他在《史通》一书中反复讲到史官职责，是极其自然的。如《人物》篇写道：“夫人之生也，有贤不肖焉。若乃其恶可以诫世，其善可以示后，而死之

① 刘知幾：《史通·直书》，浦起龙《史通通释》本，上海古籍出版社2009年版，第180页。

日，名无得而闻焉，是谁之过欤？盖史官之责也。”[①] 前人的大善大恶有“诫世”和“示后”的作用、价值和意义，是史学社会功能的一个重要方面，能否真正发挥史学在这方面的功能，既与史官的知识积累有关，更与史官的价值判断、是非标准有关。刘知幾强调史官在这方面的职责，是出于对史学功能的重视，有重要意义。

此外，刘知幾认为，史书编著中有关历史人物传记的分合及历史人物的善恶分辨，史官也承担着重要责任。他指出：“亦有厥类众伙，宜为流别，而不能定其同科，申其异品，用使兰艾相杂，朱紫不分，是谁之过欤？盖史官之责也。”[②] 在刘知幾看来，史官对历史人物的“流别”“异品”处理是否恰当，是史官鉴识高下的标准之一，这直接关涉史官的职责。他又进而指出：对于不同类型的人物，“而作者存诸简牍，不能使善恶区分，故曰谁之过欤？史官之责也。夫能申藻镜，别流品，使小人君子臭味得朋，上智中庸等差有叙，则惩恶劝善，永肃将来，激浊扬清，郁为不朽者矣”[③]。这里，刘知幾再次强调了史官的职责，同时也指出了具体的处置方法，使著史者有所参考。从中，还可以看到刘知幾对史学的社会功能尤其是树立良好的社会风气的作用，充满着真诚的、崇高的期待之情。

关于史官（史家）之社会贡献的评价。从刘知幾评论史官、

① 刘知幾：《史通·人物》，浦起龙《史通通释》本，上海古籍出版社2009年版，第220-221页。
② 刘知幾：《史通·品藻》，浦起龙《史通通释》本，上海古籍出版社2009年版，第172页。
③ 刘知幾：《史通·品藻》，浦起龙《史通通释》本，上海古籍出版社2009年版，第175页。

史家的职责来看，可见他对史官（史家）之社会贡献持有正面的、积极的认识。当他纵观古今史官、史家之后，便以其提出的标准，对古往今来史官（史家）之不同层次的社会作用作了这样的概括：

> 史之为务，厥途有三焉。何则？彰善贬恶，不避强御，若晋之董狐，齐之南史，此其上也。编次勒成，郁为不朽，若鲁之丘明，汉之子长，此其次也。高才博学，名重一时，若周之史佚，楚之倚相，此其下也。苟三者并阙，复何为者哉？[①]

刘知幾认为："彰善贬恶，不避强御，若晋之董狐，齐之南史，此其上也。"董狐事迹载《左传·宣公二年》，南史事迹载《左传·襄公二十五年》，都是史学史上的重大事件，即不惜一死而坚持"书法无隐"的原则，从而对后世史官、史家产生极大影响，成为中国古代史学优良传统的源头之一。刘知幾赞扬那些"编次勒成，郁为不朽"的史官、史家，并举左丘明、司马迁为例。《左传》一书对后世影响极大，相传为"左丘明"所作，[②] 加之刘知幾酷爱《左传》一书，他称道"左丘明"是合乎情理的。至于刘知幾称赞司马迁，也是着眼于《史记》的历史影响之深远。刘知幾赞扬的第三个层面的史官，是"周之史佚，

① 刘知幾：《史通·辨职》，浦起龙《史通通释》本，上海古籍出版社2009年版，第261–262页。

② 按：顾炎武认为："《左氏》之书，成之者非一人，录之者非一世。"（见顾炎武：《日知录》卷四"春秋阙疑之书"条，黄汝成《日知录集释》本，上海古籍出版社2006年版，第182页）这一看法，多为今人认可。

楚之倚相”，称他们是“高才博学，名重一时”。史佚是周代史官，《左传》《礼记》载其有关事迹，[①] 证明他在当时和后世都有很大影响。倚相，即左史倚相，《国语·楚语》突出地记述了他的事迹。楚国大夫王孙圉回答晋国大夫赵简子询问楚国所存宝玉的情况，说是“未尝为宝”；“楚之所宝也……又有左史倚相，能道训典，以叙百物，以朝夕献善败于寡君，使寡君无忘先王之业”。[②] 左史倚相的机敏、胆识，使刘知幾把他同“周之史佚”并列起来而加赞扬。通观刘知幾在《史通·辨职》篇中所论，反映了他的史官（史家）之品德、职责、社会贡献的思想，可以看作是他对史学活动之主体的深入思考。

刘知幾《史通》一书，以史学批评显其锋芒，以思考史学自身之构成为其底蕴，显隐相济，贯通古今，这就是《史通》之“通”的真谛。然而，诚如刘知幾所说“明月之珠不能无瑕，夜光之璧不能无颣”[③]，《史通》亦不能脱离这一常理，故历来都有一些批评《史通》瑕疵以至缺陷的论著，笔者也曾有这方面的文章。[④] 但这都无碍于《史通》在史学史上的崇高地位。

---

① 《左传·文公十五年》记时人引史佚之言：“兄弟致美。救乏、贺善、吊灾、祭敬、丧哀，情虽不同，毋绝其爱，亲之道也。”同书《宣公十二年》记：“史佚所谓‘毋怙乱’者……”同书《成公四年》记：“《史佚之志》有之曰……”（以上分别见《春秋左传注》，杨伯峻编著，中华书局1981年版，第611、747、818页）。又《礼记·曾子问》记：“孔子曰：吾闻诸老聃曰昔者史佚有子而死，下殇也。墓远，召公谓之曰：‘何以不棺敛于宫中？’史佚曰：‘吾敢乎哉？’召公言于周公，周公曰：‘岂不可？’史佚行之。下殇用棺衣棺，自史佚始也。”（阮元校刻：《十三经注疏》，中华书局1980年版，第1401页）

② 《国语》卷一七《楚语上》、卷一八《楚语下》，上海古籍出版社1978年版，第551、580页。

③ 刘知幾：《史通·探赜》，浦起龙《史通通释》本，上海古籍出版社2009年版，第196页。

④ 瞿林东：《读〈史通〉札记》，《史学史研究》1982年第2期。

第四章　杜佑和柳宗元的史学批评思想

杜佑和柳宗元在历史理论领域达到了有唐一代的高峰。同时，他们在史学批评领域，也各有特色，反映了具有时代特征的史学批评思想。杜佑的史学批评思想蕴含在他丰富的史论之中，而柳宗元的史学批评思想则集中表现在他的史学批评专书《非国语》以及他给友人韩愈的信中。

第一节　杜佑《通典》史论的史学批评特色

一、《通典》的主旨与李翰的《通典》评论

经邦、致用，是杜佑史学思想的核心。同以前的历史著作比起来，《通典》具有更明确的经世致用的目的和旨趣。杜佑在《通典》自序中首先落笔说："佑少尝读书，而性且蒙固，不达术数之艺，不好章句之学。所纂《通典》，实采群言，征诸人事，将施有政。"像他这样由史家本人明确地表示，把历史撰述

同“将施有政”直接结合起来的，在以往的史家中是不曾有过的。从唐代史家对史学之社会功用的认识来说，这可以看作是对刘知幾的“史之为用，其利甚博，乃生人之急务，为国家之要道”的史学思想在历史撰述上的发展。

杜佑经邦、致用的史学思想有三个鲜明的特点。第一个特点，是具有勇敢的批判精神。他在《献〈通典〉表》中写道：

> 夫《孝经》《尚书》《毛诗》《周易》《三传》，皆父子君臣之要道，十伦五教之宏纲，如日月之下临，天地之大德，百王是式，终古彼遵。然多记言，罕存法制，愚管窥测，莫达高深，辄肆荒虚，诚为亿度。每念懵学，莫探政经，略观历代众贤著论，多陈紊失之弊，或阙匡拯之方。①

在这里，杜佑以婉转的口气指出儒家经典中有许多空泛的言论而“罕存法制”；同时，又直接批评“历代众贤”，说他们大多局限于指陈“紊失之弊”，很少有“匡拯之方”。从他的这种批判精神中，更可以看清楚他为什么“不达术数之艺，不好章句之学”了。

第二个特点，是重实际，讲功效，把对历史的认识转化为现实的实践。杜佑撰《通典》是着眼于现实而关注“理道”。他主张“理道不录空言”，必然认真探讨“礼法刑政”，进而研究

① 刘昫：《旧唐书》卷一四七《杜佑传》，中华书局1975年版，第3983页。

“政理”的具体措施。唐德宗贞元十九年（803），杜佑入朝为相的第一件事，就是辑录《通典》要点，另成《理道要诀》三十三篇，编为十卷，上奏德宗，重申“详古今之要，酌时宜可行”之旨。[①]《理道要诀》是《通典》的简本，从它的书名可以看出《通典》的主旨实在于“理道”的“要诀”，在于历史认识之转化为现实的实践。

第三个特点，是把握了社会的症结，反映了时代的要求。杜佑经邦、致用的史学思想是时代的产物，也是时代潮流的反映。杜佑青年时代经历了“安史之乱”所造成的唐皇朝政治力量的削弱和财政收入的困难，极深刻地影响着他的思想、学风和撰述旨趣。这在《通典》中有突出的反映。他在讲到“历代盛衰户口”时列举了一些统计数字，以衬托“盛衰”之变：天宝十四年（755），“管户总八百九十一万四千七百九，管口总五千二百九十一万九千三百九，此国家之极盛也”。杜佑在注文中补充说：“自天宝十四年至乾元三年（即755—760年——引者），损户总五百九十八万二千五百八十四，不课户损二百三十九万一千九百九，课户损三百五十九万六百七十五；损口总三千五百九十二万八千七百二十三，不课口损三千七十一万三百一，课口损五百二十一万八千四百三十二。户至大历中（即杜佑撰写《通典》之初—引者），唯有百三十万户。建中初，命黜陟使往诸道按比

---

① 参见杜佑：《进〈理道要诀〉表》《理道要诀》序，《玉海》卷五十一，江苏古籍出版社、上海书店1987年版，第1018页。

户口，约都得土户百八十余万，客户百三十余万。”[①] 杜佑列举这些数字，是以事实说明“安史之乱”后唐皇朝面临的财政危机。建中初年（780），杜佑上《省官议》，内中写道：“当开元、天宝中，四方无虞，编户九百余万，帑藏丰溢，虽有浮费，不足为忧。今黎苗青，天下户百三十万，陛下诏使者按比，才得三百万，比天宝三分之一，就中浮寄又五之二，赋者已耗，而食之者如旧，安可不革？”[②] 他在文中还批驳了一些阻碍“省官”的言论，这些都表明，“安史之乱”前后社会的变化，是杜佑经世致用史学思想的社会根源。他的许多见解，既是政治家对历史的卓识，也是史学家对现实的洞察。

中唐时期，国势衰弱，社会动荡，这种客观情势把一批有识之士推到了历史潮流的前头。杰出的政治家、军事家、理财家、思想家、文学家和诗人，如陆贽、李吉甫、裴度、郭子仪、李晟、李愬、刘晏、杨炎、韩愈、柳宗元、刘禹锡、杜甫、白居易等，都是杜佑的同时代人。他们的言论、行事和作品，大多反映了时代的特点和要求，在思想上有相通之处。史称：刘晏理财“富其国而不劳于民”[③]。陆贽“以天下事为己任”，而其“经国成务之要，激切仗义之心”[④]，对当时和后世都有很大影响。柳宗元、刘禹锡是王叔文改革的参与者，他们的政论、史论贯穿着

① 杜佑：《通典》卷七《食货七·历代盛衰户口》，中华书局1988年版，第153页。
② 欧阳修、宋祁：《新唐书》卷一六六《杜佑传》，中华书局1975年版，第5086-5087页。
③ 刘昫：《旧唐书》卷一四七《刘晏传》，中华书局1975年版，第3983页。
④ 刘昫：《旧唐书》卷一四七《陆贽传》，中华书局1975年版，第3983页。

“意欲施之事实，以辅时及物为道”[①]。韩愈主持修撰的《顺宗实录》，揭露了德宗朝的一些政治腐败现象。白居易则明确提出“文章合为时而著，歌诗合为事而作”[②] 的主张。后人称赞李吉甫行事“皆切时政之本务”，其著作“悉经世之学”[③]。杜佑无愧于这些与他同时代的优秀人物，亦是站在历史潮流前头思考问题的杰出的政治家和史学家。他的“以富国安人之术为己任”[④] 的政治胸襟和《通典》的经世致用思想，证明他是这个历史潮流中的先驱之一。故“其书大传于时”，“大为士君子所称”[⑤]，绝非偶然。

杜佑“将施有政”的撰述宗旨，《通典》经邦、致用的社会目的充分证明：中国史学之具有自觉的和明确的经世致用意识，当始于杜佑，当以《通典》为里程碑。

为《通典》作序的李翰自谓“颇详旨趣”，他在序中强调指出：“今《通典》之作，昭昭乎其警学者之群迷欤！以为君子致用，在乎经邦，经邦在乎立事，立事在乎师古，师古在乎随时。必参古今之宜，穷始终之要，始可以度其古，终可以行于今，问而辨之，端如贯珠，举而行之，审如中鹄。夫然，故施于文学，可为通儒，施于政事，可建皇极。”这一段话把《通典》意在经

---

① 柳宗元：《柳河东集》卷三一《答吴武陵论〈非国语〉书》，上海人民出版社 1974 年版，第 508 页 。

② 白居易：《白居易集》卷四五《与元九书》，中华书局 1979 年版，962 页。同见刘昫：《旧唐书》卷一六六《白居易传》，中华书局 1975 年版，第 4347 页。

③ 孙星衍：《元和郡县图志》序，见李吉甫：《元和郡县图志》附录七，中华书局 1983 年版，第 1107 页。

④ 刘昫：《旧唐书》卷一四七《杜佑传》，中华书局 1975 年版，第 3982 页。

⑤ 刘昫：《旧唐书》卷一四七《杜佑传》，中华书局 1975 年版，第 3983 页。

邦、致用的主旨阐述得十分透辟。“师古”的目的不是复古，而是“随时”，“随时”是为了“立事”，以达到“经邦”[①] 的最高目标。这就是《通典》“将施有政”的“致用”之旨。李翰认为，这是那些刻意于“文章之事，记问之学”的一般著作无法比拟的。

二、《通典》史论的多层次区分及其内涵

杜佑本人在《通典》一书中所撰写的史论，在中国古代历史理论的发展过程中占有非常重要的位置，历来为研究者所重视。[②]

《通典》史论除在历史思想上反映了它突出的进步性外，在形式上、方法论上、史学批评上也都显示出它鲜明的特色。《通典》的史论，有丰富的形式，包含序、论、说、议、评。对此，有的研究者已经指出过。这里要讨论的是，《通典》史论的这几种形式有什么区别？也就是说，杜佑赋予这几种史论形式各有何种含义？

据笔者粗略统计，《通典》史论约为七十首，其中序近二十首；论、说、议、评五十余首，而说与议占了半数以上。

什么是“序”？刘知幾《史通·序例》引孔安国的话说：

① 李翰：《通典》序，见杜佑：《通典》卷首，中华书局 1988 年版，第 1–2 页。

② 参见李之勤《杜佑的历史进化论》、陈光崇《杜佑在史学上的贡献》，见吴泽主编：《中国史学史论集》（二），上海人民出版社 1980 年版，第 170–200 页；瞿林东：《论〈通典〉在历史编纂上的创新》《论〈通典〉的方法和旨趣》，载《唐代史学论稿》，北京师范大学出版社 1989 年版，249–290 页。

"序者，所叙作者之意也。"《通典》的序，有三种情况：一是叙全书之意，二是分叙各典之意，三是叙某典之中某篇之意。《通典》叙全书之意的序，仅二百二十七字，加上自注五十七字，也只有二百八十四字。但它说明了作者的治学旨趣，指出了《通典》的撰述目的和逻辑结构，是古代史书中的一篇名序。大凡研究《通典》的人，都极重视这篇序，这里不再细说。《通典》除《食货》以外，其余《选举》《职官》《礼》《乐》《兵》《刑》《州郡》《边防》八典均有叙本典之意的序。这些序，反映了杜佑对上述诸典所述领域的认识，集中地表明了他的历史观点、政治思想和社会主张。概括说来，《选举》序指出了人才的重要性和"以言取士"的失误；《职官·历代官制》总序概述了自传说中的伏羲氏到唐开元二十四年（736）历代职官制度简史；《礼》序以很长的篇幅阐述了礼的性质、礼的文献和《通典》纂集礼制"将以振端末、备顾问"的目的；《乐》序讲了乐的作用及其与社会治乱的关系；《兵》序简述兵制而着重阐述历代用兵得失及《兵典》编纂原则；《刑法》序简述了刑法的产生和种类以及善用刑法的标准；《州郡》序阐述了作者以德为尚的政治思想；《边防》序阐述了作者的民族思想和处理民族关系的政治主张。《食货》典处于全书之首，为什么反倒没有总序呢？笔者以为，这或许是在全书的序中，作者已经强调了食货所处特殊重要位置的缘故。关于叙某典某篇之意的序，如"总序三师三公以下官属""将军总叙""东宫官叙""王侯总叙""东夷序略""南蛮序略""岭南序略""海外序略""西戎序略""北狄序略”，则集中在《职官》《边防》二典之中，或叙其沿革，述其总相，或论其得失，辨其利害。其中“王侯总叙”实是一篇辨析封国制与郡县制之得失利害的大文章，作出了“欲行古道，势莫能遵”的历史结论，可与柳宗元的《封建论》相媲美。此外，如《食货一·田制》的序、《食货四·赋税》的序、《食货八·钱币》的序等，虽无序之名，而有序之实，反映了作者在这些领域的深刻见解。如《食货一·田制》的序起首就写道：“谷者，人之司命也；地者，谷之所生也；人者，君之所治也。有其谷则国用备，辨其地则人食足，察其人则徭役均。知此三者，谓之治政。”① 作者重视谷、地、人相互关系的思想，在经济思想史上有重要的价值。综上，《通典》这三个不同层次的序文，从结构和理论上确定了《通典》全书的内容与规模，是全书的支柱。

刘知幾《史通·论赞》说：“夫论者，所以辩疑惑，释凝滞。”他总结前人的史论，有多种名称：称“旧”，称“赞”，称“论”，称“序”，称“诊”，称“评”，称“议”，称“述”，等等。② 按照刘知幾的看法，这些名称都没有性质上的差别，所以他总起来称为“论赞”。可是从下文中可以看到，杜佑对于“议”“评”以及这里没有提到的“说”，是有不同的理解和运用的。在这里，我们还是先说《通典》的“论”。《通典》的“论”有两种，一种是前论，一种是后论。前论一般置于某典某

---

① 杜佑：《通典》卷一《食货一》，中华书局1988年版，第3页。

② 刘知幾：《史通·论赞》，浦起龙《史通通释》本，上海古籍出版社2009年版，第75页。

篇之首，后论一般则在某典某篇之末。前论，如《职官四·尚书上》之下有“尚书省并总论尚书”、《职官七·诸卿上》之下有“总论诸卿，少卿附”、《职官十四·州郡上》之下有“总论州佐”、《职官十五·州郡下》之下有“总论郡佐”及“总论县佐”等。这些“论”带有综述的性质，属于作者本人的评论并不多。后论，如《食货七·历代盛衰户口、丁中》文末的长篇后论，论述户口对于“国足”“政康”的重要性，以及历代户口的盛衰和唐朝在安史之乱后户口锐减的严重局面与应采取的对策。这篇史论，多为唐史研究者和经济史研究者所引用。又如《选举五》后论论述了选拔人才的标准，强调对于传统的“身、言、书、判”四个标准，应以“判”作为重点，“以观理识”，提出改革考试制度的具体办法。《通典》的史论，直接题为“论”“后论”的并不多，但它们有一个非常突出的特点，就是引古论今，有强烈的时代感，反映了作者对于社会现实的关注和自觉的“以富国安人之术为己任”的责任意识。

如前所述，《通典》的史论，“说”和“议”占了较多的数量，而“评”也比“论”来得多。在杜佑看来，“说”“议”“评”同“论”是不一样的，否则就没有必要作这些区分；不仅如此，就是“说”“议”“评”三者之间，也有各自的界限，否则也没有必要作这些区分。那么，“说”“议”“评”三者之间究竟有什么区别呢？

杜佑在《礼典二·沿革二·吉礼一》的一首“说曰”的文末自注云：“凡义有经典文字其理深奥者，则于其后说之以发明，皆云‘说曰’。凡义有先儒各执其理，并有通据而未明者，则议之，皆云‘议曰’。凡先儒各执其义，所引据理有优劣者，则评之，皆云‘评曰’。他皆同此。”① 这一段话，对于理解《通典》史论的含义，理解杜佑的所谓“说”“议”“评”的真谛，具有至关重要的意义。从这段引文的本义来看，杜佑所谓“说”“议”“评”是属于三个层次上的史论：说，是阐说“经典”的深奥；议，是议论先儒的“未明”之义；评，是评“先儒”所据之理的优劣。概括说来，这三个层次就是经典、义、理的区别，故分别用说、议、评表示出来。这里，除了反映出作者在三者之间所把握的极鲜明的分寸感之外，还有对前人思想遗产的极谨慎的态度。

关于“说”。《通典》的“说”，约有十七八首，都分布在《礼典》之中，故其所要阐说的经典的深奥所在也都是关于礼的制度的。如《礼典五·沿革五·吉礼四》在讲到祭社稷之礼时，指出：“王者诸侯所以立社稷者，为万人求福报功也。人非土不立，非谷不生，不可遍敬，故立社稷而祭焉。”诸说之中，杜佑赞同郑玄注据《孝经》的说法，认为“社者土地之神，稷者能生五谷之神”。但杜佑又说：“今按，本无正神，人感其功，欲美报之，因以翟名。所以翟名神者，五谷之长故也。”② 杜佑对祭社稷之礼，作了清晰和唯物的解说。又如《礼典十六·沿革十六·嘉礼一》在讲到冠礼时，杜佑不同意“天子无冠文”的

① 杜佑：《通典》卷四二《礼典二·沿革二·吉礼一》，中华书局1988年版，第1167页。
② 杜佑：《通典》卷四五《礼典五·沿革五·吉礼四》，中华书局1988年版，第1267页。

说法，他引证《大戴礼·公冠》“公冠四加，天子亦四加”的话，证明天子也行冠礼。他进而指出：“自天子至于诸侯，非无冠礼，但因秦焚书，遂同荡灭。其周制《士冠礼》，颇备，王者时采行焉。”① 其余诸“说”，亦多类此。

关于“议”。《通典》的“议”约二十首，分布在《职官》《礼》《刑》《州郡》诸典，以《礼典》为多，这比“说”的分布显然要广泛一些。从“议”先儒之义所“未明”的宗旨来看，《通典》的“议”在很多方面提出了与前人不同的看法或对前人见解的批评。《职官四》讲到承相、仆射的名实时，杜佑简略地考察了垂相、仆射职守的由来和演变，然后结合唐代开元以后，仆射不加“同中书门下平章事”及“参知机务”等，即不具有承相之实，指出这不合乎仆射之职的原义：“安有仆射因改丞相之名，都无丞相之实，而为百僚师长也？”② 《礼典八·沿革八·吉礼七》在讲到古代祭尸礼时，杜佑批评主张演习、恢复祭尸礼的人是“是古者”，是“甚滞执者”，是守旧的表现。他指出：“古之人朴质，中华与夷狄同，有祭立尸焉，有以人殉葬焉，有茹毛饮血焉，有巢居穴处焉，有不封不树焉，有手传食焉，有同姓婚娶焉，有不讳名焉。中华地中而气正，人性和而才惠，继生圣哲，渐革鄙风。今四夷诸国，地偏气犷，则多仍旧。”③ 这段话表明：第一，中华与四夷的差别，是文明发展程度上的不同，

---

① 杜佑：《通典》卷五六《礼典十六·沿革十六·嘉礼一》，中华书局1988年版，第1573页。
② 杜佑《通典》卷二二《职官四·仆射》，中华书局1988年版，第598页。
③ 杜佑：《通典》卷四五《礼典八·沿革八·吉礼七》，中华书局1988年版，第1355页。

而在古代，这种差别是很小的，甚至是不存在的；第二，造成这种差别的原因，是地理环境的影响；第三，历史是发展的、不断进步的，因此不应当再去恢复已被革除了的“鄙风”陋俗。从这里，可以看出杜佑的民族观、朴素的历史进化观以及对地理环境与社会历史发展之关系的认识。《礼典三十 · 沿革三十 · 嘉礼十五》在讲到唐开元二十六年（738）宣政殿大臣读时令一事时，杜佑指出：“读时令，非古制也。自东汉始焉，其后因而沿袭。”[①] 他引用《周礼》中的《天官 · 太宰》《春官 · 太史》及《礼记 · 玉藻》以证己说，并证明前人关于“元日受朝读令”的错误理解，等等。总之，杜佑的“议”，对于典章制度的研究，有突出的参考价值。

关于“评”。《通典》的评，大多是对于礼制中的某一制度而发，比之于“议”，更加具体、细微。但也有特例，即从宏观方面对历代制度进行评论。在《选举六 · 杂议论下》卷末，杜佑总结了历代在选拔人才制度上的得失，而特别指出了魏、晋、宋、齐、梁、隋等朝“风流弥扇，体非典雅，词尚绮丽，浇讹之弊”的危害；唐开元、天宝之际，“一岁贡举，凡有数千”，而“众名杂目，百户千途，入为仕者，又不可胜纪”所造成的“重设吏职，多置等级”的弊端；隋文帝时，选拔人才，尽归吏曹，“铨综失叙，受任多滥”[②] 的局面。杜佑最后提出：“凡为国

① 杜佑：《通典》卷七〇《礼典三十 · 沿革三十 · 嘉礼十五》，中华书局 1988 年版，第 1926 页。

② 杜佑：《通典》卷一八《选举六》，中华书局 1988 年版，第 456 页。

之本，资乎人甿；人之利害，系乎官政。欲求其理，在久其任；欲久其任，在少等级；欲少等级，在精选择；欲精选择，在减名目。俾士寡而农工商众，始可以省吏员，始可以安黎庶矣。诚宜斟酌理乱，详览古今，推仗至公，矫正前失，或许辟召，或令荐延，举有否臧，论其诛赏，课绩以考之，升黜以励之，拯斯刓弊，其效甚速，实为大政，可不务乎！"① 这篇评论，实属一篇关于如何选拔、任用人才的大文章；而上引这段文字，尤其集中反映了杜佑在人才同国本与官政之关系上的认识，以及他关于改革吏治的逻辑思考和具体主张。

《通史》中的"说""议""评"还有交叉，有时"说"与"议"中也包含"评"。

三、《通典》史论的史学批评特色

《通典》是一部讲典章制度的书，它涉及许多历史文献。《通典》的史论，有时就是针对某些历史文献而发，其中不乏史学批评的段落、论点。

《通典》史论的史学批评，极重视史家的见识。《刑法四》讲到春秋时期郑国大夫子产铸刑书而遭到晋国大夫叔向作书责问这一事件时，杜佑议曰："古来述作，鲜克无累，或其识未至精，或其言未至公。观左氏之纪叔向书也，盖多其义，而美其词。孟坚从而善之，似不敢异于前志，岂其识或未精乎？"② 这

---

① 杜佑：《通典》卷一八《选举六》，中华书局1988年版，第456页。
② 杜佑：《通典》卷一六六《刑法四》，中华书局1988年版，第4286页。

里，是在批评《左传》所记这一史事以及《汉书·刑法志》引用了《左传》的这一记载。他说《左传》所记是“多其义，而美其词”，这是说《左传》在此事上的“其言未至公”。而对于《汉书》援引《左传》不敢有异，是“其识未精”。杜佑提出这一批评的根据，是“五帝以降，法教益繁”，“周氏三典，悬诸象魏”，以及《左传》记孔子评论晋国事说：“晋国将守唐叔之所受法度，以经纬其民。”这是说的“令守晋国旧法”。据此，杜佑认为“铸刑书”之前，已有公开的法度，因而叔向的指责不能成立，《左传》所记自非至公之言，而《汉书》又据《左传》“从而善之”，则表明班固“其识未精”。[①] 当然，从今天的认识来看，杜佑提出上述批评所依据的文献以及所说“五帝以降，法教益繁”，未必都是确切的，但他在当时人们对这些文献理解的基础上，提出的疑问和批评是有很重的分量的，表明他不迷信经典或名家的可贵的批判精神。

《通典》史论的史学批评，注重从事物全局的逻辑关系上着眼。《刑法七》讲到西汉张释之执法严明时，杜佑发表评论说：“释之为理官，时无冤人，绵历千祀，至今归美。所云：‘法者，天子所与天下公共。廷尉，天下之平。若为之轻重，是法不信于民也。’斯言是矣。又云：‘方其时，帝使诛之则已。’斯言非矣。”[②] 杜佑钦佩张释之的执法，但对他所说的这两句话，则赞扬前者而批评后者。张释之的这两句话，是针对一件具体事情说

① 以上均见杜佑：《通典》卷一六六《刑法四》，中华书局1988年版，第4286-4287页。

② 杜佑：《通典》卷一六九《刑法七》，中华书局1988年版，第4368页。

的。《汉书·张释之传》记：张释之为廷尉，“顷之，上行出中渭桥，有一人从桥下走，乘舆马惊。于是使骑捕之，属廷尉。释之治问。曰：‘县人来，闻哗，匿桥下。久，以为行过，既出，见车骑，即走耳。’释之奏当：‘此人犯哗，当罚金。’上怒曰：‘此人亲惊吾马，马赖和柔，令它马，固不败伤我乎？而廷尉乃当之罚金！’释之曰：‘法者天子所与天下公共也。今法如是，更重之，是法不信于民也。且方其时，上使使诛之则已。今已下廷尉，廷尉，天下之平也，壹倾，天下用法皆为之轻重，民安所错其手足？唯陛下察之。’上良久曰‘延尉当是也’”[①]。杜佑的议论，就是针对此事而发。但是，杜佑所要批评的，并不是张释之说了“方其时，上使使诛之则已”的话，而是批评班固在记载此事时，应全面考虑到张释之的为人及其在处理这一案件时的基本倾向，而不必把一些枝枝节节都写入传中，以致对后人产生不良影响。他说：“纵释之一时权对之词，且以解惊跸之忿，在孟坚将传不朽，固合刊之，为后王法。以孝文之宽仁，释之之公正，犹发斯言，陈于斯主；或因之淫刑滥罚，引释之之言为据，贻万姓有崩角之忧，俾天下怀思乱之志，孙皓、隋炀旋即覆亡，略举一二，宁唯害人者矣。呜呼！载笔之士，可不深戒之哉！”[②]杜佑的这一看法，是否与史学上的直笔传统相悖？细考杜佑此言，第一，所谓“方其时，上使使诛之则已”，似是“权对之词”，并非张释之的本意；第二，“以孝文之宽仁，释之之公

① 班固：《汉书》卷五〇《张释之传》，中华书局1962年版，第3210页。
② 杜佑：《通典》卷一六九《刑法七》，中华书局1988年版，第4368页。

正"，这样的事情也难免发生。这正是从事物全局的逻辑关系上来看待历史记载的，与直笔原则并不相悖。在此基础上，再说到历史记载可能产生的历史影响，则杜佑所论是中肯的。

《通典》作为典章制度的通史，它的史论所反映出来的史学批评涉及制度沿革者要更多一些。如《州郡二》讲到古九州时，杜佑根据先秦文献及后人的注，证明禹治水当在尧时，分天下为九州；舜时，更为十二州。而《史记》记禹的治水在舜时，《汉书》则称尧时天下为十二州，禹治水后，更制九州。所以杜佑说："若稽其证据，乃子长、孟坚之误矣。"[①] 又如，《州郡二》讲到周末"国之分野"的时候，引《汉书·地理志》所述秦地、魏地、韩地、周地、赵地、燕地、卫地、宋地、齐地、鲁地、楚地、吴地、越地十三个地理区域。而后，杜佑评论说："所列诸国分野，具于班固《汉书》及皇甫谧《帝王代纪》。下分区域，上配星躔，固合同时，不应前后。当吴之未亡，天下列国尚有数十。其时韩、魏、赵三卿又未为诸侯，晋国犹在，岂分其土地？自吴灭至分晋，凡八十六年，时既不同，若为分配？又按诸国地分，略考所在封疆，辨详隶属，甚为乖互，不审二子依据。"[②] 这里，杜佑提出了三个问题，即吴国未灭之时，还没有韩、赵、魏；韩、赵、魏之成为诸侯，上距吴灭已有86年：不是同时存在的地理区域，怎么好放在一起论列呢。此外，也还有封疆划分上的讹误。杜佑在评论的最后写道："凡为著述，诚要审详。若

---

① 杜佑：《通典》卷一七二《州郡二》，中华书局1988年版，第4487页。
② 杜佑：《通典》卷一七二《州郡二》，中华书局1988年版，第4491页。

也但编旧文，不加考核，递相因袭，是误后学。……然已载前史，历代所传，今且依其本书，别其境土，盖备一家之学，示无阙也。其诸郡历代所属，则各具正于本篇。有览之者，当以见察。”① 一方面指出其不妥之处，另一方面也考虑到“已载前史，历代所传”这一事实，既爱护前人，又不至于贻误后学，这就是杜佑不得不提出批评的缘故。同时，这也反映了杜佑治学的严谨和做人的宽厚。

杜佑撰《通典》，参考经史百家、群士论议，而于论礼之书和论地理之书，尤为重视。《通典·礼典》占了全书半数，而《通典》史论的“说”和“议”，多在《礼典》之中，便是他重视礼和论礼的明证。从上文论九州、十二州孰先孰后以及对《汉书·地理志》和《帝王世纪》的批评，可见杜佑对于地理书和论地理之书的重视。他在《州郡》序中说：“凡言地理者多矣，在辨区域，征因革，知要害，察风土，纤介毕书，树石无漏，动盈百轴，岂所谓撮机要者乎！如诞而不经，遍记杂说，何暇编举（自注：‘谓辛氏《三秦记》、常璩《华阳国志》、罗含《湘中记》、盛弘之《荆州记》之类，皆自述乡国灵怪，人贤物盛。参以他书，则多纰缪，既非通论，不暇取之矣。’）或览之者，不责其略焉。”② 从这里可以看出：杜佑对地理书的要义是极明确的，他不赞成把灵怪之事写入地理书中也是有识之见；但杜佑把《华阳国志》等书一概斥为“诞而不经”，则未免过分。

---

① 杜佑：《通典》卷一七二《州郡二》，中华书局 1988 年版，第 4491 页。
② 杜佑：《通典》卷一七一《州郡》序，中华书局 1988 年版，第 4451 页。

与此相类似的是，杜佑对《水经》等书，也持否定态度。他在《州郡四》后议中写道：“佑以《水经》僻书，代（世）人多不之睹，或有好事者于诸书中见有引处，谓其审正，此殊未之精也。……又按《禹本纪》《山海经》，不知何代之书，详其恢怪不经，宜夫子删《诗》《书》以后尚奇者所作，或先有其书，如诡诞之言，必后人所加也，若《古周书》《吴越春秋》《越绝书》诸纬书是矣。”[①] 对于杜佑的这种看法，今天应作辩证的认识。一方面，《通典》作为一部十分严肃的典章制度通史，杜佑在采撰上采取严肃的、审慎的态度，无疑是必要的、正确的，一千多年来，《通典》始终受到人们的重视，这是根本的原因之一。另一方面，在杜佑所处的时代，一般来说，对于杜佑所批评的这些书，当时的人们还难以作出正确的说明和恰当的利用。这不仅是杜佑个人在史学批评上的局限，也可以说是那个时代的局限。

四、杜佑论史学批评的原则

《通典》史论的特点之一，是重视事实，反对臆说。从认识历史来看，这具有方法论的意义。杜佑的这一思想，在《职官十三·王侯总叙》中阐述主封国者与主郡县者的争论时，反映得最为鲜明和最具理论价值。杜佑认为：“夫君尊则理安，臣强则乱危。是故李斯相秦，坚执罢侯置守。其后立议者，以秦祚

① 杜佑：《通典》卷一七四《刑法四》，中华书局1988年版，第4562页。

促，遂尔归非。向使胡亥不嗣，赵高不用，闾左不发，酷法不施，百姓未至离心，陈、项何由兴乱？自昔建侯，多旧国也。周立藩屏，唯数十焉，余皆先封，不废其爵，谅无择其利遂建诸国，惧其害不立郡县。”① 这段话的意思是：秦朝的废分封、立郡县，是从“君尊”“臣强”两种不同的政治结局的经验中得到启示而抉择的；秦的“祚促”，有许多其他具体原因，并非立郡县所致。至于古代的建侯，都以“旧国”为基础，周朝为“藩屏”而建侯，只有几十个。这些都是由当时的实际情况所决定的，并不是当时的人已经看到了“建诸国”就有利，“立郡县”就有害。在看待分封与郡县的问题上，这是从历史实际出发，实事求是的分析方法。

更发人深省的是，杜佑在上引这段话之后，有一段自注，注文说：“自五帝至于三王，相习建国之制，当时未先知封建则理，郡县则乱。而后人睹秦汉一家天下，分置列郡，有溃叛陵篡之祸，便以为先王建万国之时，本防其萌，务固其业，冀其分乐同忧，飨利共害之虑。乃将后事以酌前旨，岂非强为之说乎？”② 这段注文同上引正文的基本思想是一致的，只是在措辞上有些不同。除文中所说“自五帝至于三王，相习建国之制”的说法，不适当地把封国的历史提前了以外，这段注文主要阐述了认识历史的一个重要的方法论原则：不可“将后事以酌前旨”。一般来说，理论是从对具体事物的认识中抽象出来的。杜佑分析那些主

① 杜佑：《通典》卷三一《职官十三·王侯总叙》，中华书局 1988 年版，第 850 页。
② 杜佑：《通典》卷三一《职官十三·王侯总叙》，中华书局 1988 年版，第 850 页。

封国说者的论点和根据时，一针见血地指出，他们是看到了秦汉两朝都出现了“溃叛陵篡之祸”，便断言“先王”已经看到了分封可以治，郡县必致乱。杜佑的意思是：当秦汉两朝还没有在历史上出现的时候，当郡县制还没有被人提出来并加以施行的时候，“先王”又怎能知道有郡县制的提出及其实施所带来的“溃叛陵篡之祸”呢？杜佑对于这种看法的结论是“乃将后事以酌前旨，岂非强为之说乎”。用今天的话来说，这是以后来历史发展势态去推测前人的思想、主张，完全是强词夺理的说法。杜佑这一认识的理论价值在于：在分析、判断、评价历史事件的时候，必须从这一事件所处的历史环境出发，而不应以这一事件之后的历史环境去妄测与这一事件有关的人的思想和主张。从今天的认识来看，杜佑的这一思想成果，包含着历史主义成分。

《通典》成书于唐德宗贞元十七年（801），稍晚于此，柳宗元在所著《封建论》中也提出了类似的看法。柳宗元反复论证这样一个命题：“封建非圣人意也，势也。”[①] 在具体的论证上，柳宗元发挥了杜佑“自五帝至于三王，相习建国之制”的看法，他的新贡献是指出了这种“相习建国之制”并不是圣人的意旨所能决定的，而是当时的历史形势所决定的，从而丰富了杜佑的认识。《封建论》的价值还在于，作者以历史事实证明：在汉代，“有叛国，而无叛郡。秦制之得，亦以明矣”。在唐代，“有叛将，而无叛州。州县之设，固不可革也”。[②] 柳宗元的这些结

① 柳宗元：《柳河东集》卷三，上海人民出版社1974年版，第44页。
② 柳宗元：《柳河东集》卷三，上海人民出版社1974年版，第46页。

论，可以看作是他对朴素的历史主义方法的具体运用而得到的。柳宗元没有说明他的《封建论》是否得益于杜佑《通典》的启示，但他们的思想无疑是相通的。

在中国古代史学上，历史主义方法论的因素不仅在历史理论中有所反映，同时在史学理论中也有所反映。

第二节　柳宗元的史学批评思想

一、柳宗元《非国语》的主旨

柳宗元关于国家起源和历史进程的看法，都带有鲜明的批判性。柳宗元的著作中还有一种批判是从具体的史学著作入手的。这种批判，因为涉及的问题多带有根本的性质，所以具有普遍意义和理论价值。《非国语》就是这种批判的代表著作。《非国语》六十七篇，[①] 一般被看作是柳宗元的哲学著作，事实上，它更是一部史学评论著作：评史事、评人物、评史家、评史书编撰，而于其中可见作者的思想旨趣和批判精神。

《国语》这部书，是战国早期的私人撰述，也是记述春秋时期史事的重要著作之一。《国语》的作者，相传为左丘明，但不可信。[②] 在历史上这种说法有长时期的影响，认为左丘明同时撰有《左传》和《国语》，《左传》为“内传”，《国语》为“外

① 柳宗元：《柳河东集》卷四四、四五，上海人民出版社 1974 年版，第 746–788 页。

② 参见白寿彝：《中国史学史》第 1 卷《先秦时期　中国古代史学的产生》，上海人民出版社 2006 年版，第 150–151 页。

传”。柳宗元似亦执此说。他为什么把史学批判的锋芒首先对着《国语》？这既有理论上的原因，又有社会实践方面的考虑。他在《非国语序》中写道：“左氏《国语》，其文深闳杰异，固世之所耽嗜而不已也。而其说多诬淫，不概于圣。余惧世之学者溺其文采而沦于是非，是不得由中庸以入尧舜之道，本诸理，作《非国语》。”[①] “本诸理”，是从理论上考虑。他在《非国语》书末跋文中写道：他担心后世读者不能看出《国语》中的错误，为“庸蔽奇怪之语”所惑，甚至把它抬高到近于经书的地步，为了“救世之谬”，[②] 而作《非国语》。“救世之谬”，也还是从理论上说的。撰《非国语》的社会实践目的，在他给友人的两封书信中讲得很真切、具体。一是《与吕道州温论〈非国语〉书》，一是《答吴武陵论〈非国语〉书》。在前一封书信中，他指出当时从事政治活动的人缺少正确的治世之道的几种表现，最严重的是“好怪而妄言，推天引神，以为灵奇”。他明确表示：“苟不悖于圣道，而有以启明者之虑，则用是罪余者，虽累百世滋不憾而恧焉。”[③]只要对世人有所启迪，他不担心因《非国语》之作而被加上种种罪名。一种强烈的社会责任感，使柳宗元产生了批判的勇气。在后一封书信里，他申述了自己“以辅时及物为道”的志向，自永贞事件后这种志向已无法实现了，“然而辅时及物之道，不可陈于今，则宜垂于后”。[④] 他是要通过著书来

① 柳宗元：《柳河东集》卷四四，上海人民出版社 1974 年版，第 746 页。
② 柳宗元：《柳河东集》卷四五，上海人民出版社 1974 年版，第 788 页。
③ 柳宗元：《柳河东集》卷三一，上海人民出版社 1974 年版，第 507、508 页。
④ 柳宗元：《柳河东集》卷三一，上海人民出版社 1974 年版，第 507、508 页。

发挥他“辅时及物之道”的社会影响和历史影响。《非国语》撰于柳宗元被贬永州之后，作者以“身编夷人，名列囚籍”的“罪人”身份，仍然具有这样的思想和抱负，读来令人感动。

《非国语》择《国语》之“诬怪”“阔诞”之处，予以分析、评论。作为史学评论的专著，《非国语》提出的主要理论问题是：天人关系、历史发展中的因果关系、历史评价的标准、史家书法问题等。

二、柳宗元《非国语》提出的问题

关于天人关系。这是《非国语》中最突出的部分和最重要的成果。据粗略统计，《非国语》六十七篇中约有三分之一的篇幅是批评《国语》在天人之际问题上的错误观点的，《三川震》《料民》《神降于莘》《问战》《卜》《杀里克》《伐宋》《祈死》《褒神》诸篇，尤为突出。而其基本思想，是明确地否定“天命”的存在，同时指斥种种以占卜、预言、梦寐、童谣与人事相比附的虚妄。如《国语·周语上》记：周幽王二年（前780），“西周三川（按：指泾、渭、洛三水）皆震。伯阳父曰：‘周将亡矣！…… 夫国必依山川，山崩川竭，亡之征也。川竭，山必崩。若国亡不过十年，数之纪也。夫天之所弃，不过其纪。’是岁也，三川竭，岐山崩。十一年，幽王乃灭，周乃东迁”[①]。《国语》所记“印证”了伯阳父说的“国亡不过十年”的话。这在

① 《国语》卷一《国语上》，上海古籍出版社1978年版，第26-27页。

《国语》宣扬“天人相合”的观点中是很典型的一段文字。柳宗元在《非国语·三川震》中批判了伯阳父的说法，认为：“山川者，特天地之物也；阴与阳者，气而游乎其间者也。自动自休，自峙自流，是恶乎与我谋？自斗自竭，自崩自缺，是恶乎为我设？彼固有所逼引而认之者，不塞则惑。”[①] 这就是说，自然界的运动、变化是出自内在的原因，不是由人们打算和安排的，自然界自身就存在着互相排斥和互相吸引的现象，如果把这些看作国家兴亡的征兆，那是太可笑了。柳宗元进而指出，所谓“天之所弃，不过其纪”，就更加荒谬了。侯外庐先生在评论《非国语·三川震》的理论价值时写道：“这八个‘自’的四对命题是超越前人的理论。”[②] 从历史理论的发展来看，“自”的范畴的提出具有极重要意义。这是因为：第一，“天人之际”问题，首先要辨明“天”是神，还是物？是有意志的，还是没有意志的？第二，是“天人相合”（“天人感应”），还是“天人相分”？第三，“人事”（社会、历史）变化的原因是什么（是“天”？是“圣人之意”？是“生人之意”？是“势”）？仅仅回答了这三个问题，关于“天人之际”的问题还没有完全解决，即：“天”作为自然界，其运动的根源何在？柳宗元正确地回答了这个问题。这样，就把司马迁提出“究天人之际”以来的有关认识，推进到一个新的阶段。当人们不仅在对历史的认识中，而且也在对自然的认识中驱逐了“天命”的影响时，“天命”就无处藏身而最

① 柳宗元：《柳河东集》卷四四，上海人民出版社1974年版，第748页。
② 侯外庐：《柳宗元哲学选集》序，中华书局香港分局1976年版，见书首。

终失去其欺骗的作用。在其他有关各篇，柳宗元反复阐述了“天命”是不存在的。如在《伐宋》篇中用历史事实证明“天之诛”的说法是没有根据的。在《神降于莘》篇中更进一步指出：“力足者取乎人，力不足者取乎神。”① 此外，柳宗元从否定“天命”而否定梦寐、卜史、童谣等与人事的关系，把朴素的唯物主义思想贯穿到社会和历史方面。《非国语》中所包含的这一部分思想与《天说》《天对》互相发明，构成柳宗元的唯物主义、无神论思想的独特体系，亦是他把“天人相分”问题的演绎推进到比较完整的理论化形式。

关于历史发展中的因果关系。《国语》一书，有时把本来并没有任何联系的历史现象生拉硬扯到一块，甚至说成是因果关系，其思想认识上的根源仍是“天命论”在作怪。《非国语》对此有不少批评。如《国语》记周灵王二十二年（前550），谷水、洛水暴涨，因为洪水冲击，王宫受到威胁。灵王打算堵塞洪水，以保王宫。太子晋认为不能这样做，讲了一大篇理由，并断言：“自我先王厉、宣、幽、平而贪天祸，至于今未弭。我又章之，惧长及子孙，王室其愈卑乎？其若之何？”灵王不听，命人堵塞洪水。《国语》接着写道：“及景王多宠人，乱于是乎始生。景王崩，王室大乱。及定王，王室遂卑。”② 这一段记载，是把灵王堵塞洪水这件事，跟后来景王时期的“乱于是乎始生”和定王时期的“王室遂卑”直接联系起来，看成是因果关系。针对

① 柳宗元：《柳河东集》卷四四，上海人民出版社1974年版，第750页。
② 参见《国语》卷三《周语下》，上海古籍出版社1978年版，第101–110页。

这一记载，柳宗元在《谷洛斗》篇中评论道："谷洛之说，与'三川震'同。天将毁王宫而勿壅，则王罪大矣，奚以守先王之国？壅之诚是也。彼小子之诜诜者，又足记耶？王室之乱且卑，在德，而又奚谷洛之斗而征之也？"这一段话的理论意义在于，从《三川震》和《谷洛斗》所批判的错误观点上升到了普遍性的认识。所谓"谷洛之说，与'三川震'同"，就是从对个别事物的认识上升到对一般事物的认识，也就是从具体的批判到理论的批判。

当然，《国语》中也有这样的记载，就是撇开了"天命"而讲事情的因果关系，这在当时无疑是一种进步，但也有讲得不近情理的。如记周简王十一年（前 575）诸侯会于柯陵，单襄公因见有些人"视远步高"，或其语"犯""迂""伐""尽"，就断言这些人必遭杀身之祸。[1] 柳宗元在《柯陵之会》篇中嘲笑说："若是，则单子果巫史矣。……夫以语之迂而曰宜死，则单子之语，迂之大者，独无谪邪？"[2] 真是辛辣的讽刺！

在类似的评论中，柳宗元坚持以唯物观点来看待历史现象，包括事情的因果、国家的兴亡、人物的祸福，等等，这对于人们正确地认识历史现象和分析它们之间的内在联系，是有理论上的启发作用的。

关于历史评价的标准。《非国语》对一些史事和人物的评论，往往反映出柳宗元在历史评价上的独到见解和评价标准。如

① 《国语》卷三《周语下》，上海古籍出版社 1978 年版，第 89 页。
② 柳宗元：《柳河东集》卷四四，上海人民出版社 1974 年版，第 754 页。

《国语·晋语二》记：晋国大夫里克杀死奚齐、卓子以后，派屠岸夷至狄地请公子重耳返国，重耳要狐偃拿主意。狐偃认为不可返国，说："以丧得国，则必乐丧，乐丧必哀生。因乱以入，则必喜乱，喜乱必怠德。"① 后来秦穆公派公子絷至狄，也请重耳返回晋国，重耳还是要狐偃拿主意。狐偃认为返国"不仁不信，将何以长利"②。于是重耳没有返国，其弟夷吾却返国，是为惠公。柳宗元在《狐偃》篇就此事对狐偃作了评论，认为后来"晋国不顺而多败，百姓之不蒙福"，是狐偃失策造成的。③ 在柳宗元看来，狐偃不仅犯了"国虚而不知入"的错误，而且大讲乐、德、仁、信一类的空话，"徒为多言，无足采者"。这里实际上是提出了一个评价人物的标准：对于人物的言行，应以考察其实际效果为主，不能以仁、信一类的空话为根据。在《获晋侯》篇，柳宗元认为秦穆公听信了公孙枝不杀晋惠公而以惠公太子为晋国人质控制晋国的主张，是"弃至公之道而不知求"，是"舍大务小，违义从利也甚矣"，④ 过分看重了眼前的一点小利，没有从长远的霸业的角度来考虑。这里，柳宗元又提出了一个评价人物的标准：评价政治人物，应以其是否认清全局的政治形势并有恰当的举措为主，不能以其是否能够获得一点眼前的利益为根据。

在《非国语》中，还可以看出柳宗元往往以是否"知变"

① 《国语》卷八《晋语二》，上海古籍出版社 1978 年版，第 306 页。
② 《国语》卷八《晋语二》，上海古籍出版社 1978 年版，第 310 页。
③ 柳宗元：《柳河东集》卷四五，上海人民出版社 1974 年版，第 769 页。
④ 柳宗元：《柳河东集》卷四五，上海人民出版社 1974 年版，第 772 页。

作为历史人物评价的重要标准之一。如《命官》篇批评晋文公以旧姓掌近官、诸姬之良掌中官、异姓之能掌远官的用人政策，提出用人应以“材”不以“姓”，而晋文公“不知变是弊俗以登天下之士”，[①] 可见其政策的浅薄。《救饥》篇则嘲笑晋国大夫箕郑提出用“信”来解救饥荒的主张，[②] “是道之常，非知变之权也”。道理很显然：“人之困在朝夕之内，而信之行在岁月之外。”[③] 以“信”救饥，是远水不能解近渴，是政治上的空谈。这两件事都讲到，评价历史人物，尤其是政治人物，不应忽视其能否顺应历史的变化而采取相应的步骤，也不应忽视其能否把“道之常”与“变之权”结合起来。这点启示是值得重视的。柳宗元在《董安于》篇提出了这样一个问题，即“自洁”和“谋国”、个人和大局的关系，也可以视作是评价历史人物的一个标准。柳宗元认为，一个人不能为了“自洁”而有功不受赏，以致造成“受赏者耻”的舆论和风气，那样国家就要衰弱了。他明确指出：“功之受赏也，可传继之道也。”[④] 而“董子之洁”是不值得称道的，因为他可能会造成一种消极的社会效果。这里就涉及“自洁”和“谋国”、个人和大局孰轻孰重的问题了。在柳宗元看来，评价历史人物言行，不应拘泥于董安于式的“自洁”。

《非国语》中反映出来的历史评价理论，具有鲜明的现实

① 柳宗元：《柳河东集》卷四五，上海古籍出版社 1974 年版，第 774 页。
② 柳宗元：《柳河东集》卷四五，上海古籍出版社 1974 年版，第 776 页。
③ 柳宗元：《柳河东集》卷四五，上海古籍出版社 1974 年版，第 776 页。
④ 柳宗元：《柳河东集》卷四五，上海古籍出版社 1974 年版，第 784 页。

感。这些评论，或表达了政治抱负，或借以讽喻时政，或启迪人们辨别是非，使人们在对历史的评价中受到教育。

关于史家作史态度及书法。《非国语》不仅在历史理论上和历史评价上有不少独到见解，而且对史学理论也有广泛的涉及，它们大多针对《国语》作者而发，多是关于史家作史态度及书法问题。如：

——批评《国语》作者记事“迂诞”。如《神降于莘》篇：“斯其为书也，不待片言而迂诞彰矣！”[①]《卜》篇：“左氏惑于巫而尤神怪之，乃始迁就附益以成其说，虽勿信之可也。”[②] 这是指出《国语》作者有神论思想的危害，以致把“迂诞”“神怪”之事以及巫者之言用来附会人事，写入史书，这种记载是不可信的。

——批评《国语》作者把预言当作历史，并拼凑“证据”，宣扬宿命论。如《灭密》篇批评密国康公之母关于命数的谈话，而“左氏以灭密征之，无足取者”。[③]《不藉》篇指出《国语》作者把“宣王不藉千亩”跟后来“战于千亩，王师败绩于姜氏之戎”联系起来，显然是附会之说。[④] 他如《宰周公》篇所论，亦类此。这都是批评《国语》作者把毫无根据的预言当作真实的历史看待，又从历史记载上来“证明”这些预言的不诬，这种作史态度是不可取的，甚至是可耻的。

---

① 柳宗元：《柳河东集》卷四四，上海古籍出版社 1974 年版，第 751 页。
② 柳宗元：《柳河东集》卷四四，上海古籍出版社 1974 年版，第 764 页。
③ 柳宗元：《柳河东集》卷四四，上海古籍出版社 1974 年版，第 746 页。
④ 柳宗元：《柳河东集》卷四四，上海古籍出版社 1974 年版，第 747-748 页。

——批评《国语》作者把“后之好事者为之”当作当时的历史写入史书。如《葬恭世子》篇批评晋国国人歌谣和郭偃预言，说什么十四年后重耳就可以回国图霸了等，“是好事者追而为之，未必偃能征之也”[1]。《乞食于野人》篇也是批评《国语》作者的这种书法：重耳在外流亡十二年，一次乞食于野人，后者以土块与之，重耳大怒。狐偃乃据此事预言十二年后重耳可以得到这块土地。[2] 柳宗元明确指出：“是非子犯（狐偃）之言也，后之好事者为之。”这两个例子说明柳宗元对于史料的鉴别是非常认真而又十分敏感的，哪些记载确是当时发生的事情，哪些记载是后人附会牵合之词，他都详加分辨，予以澄清。

——批评《国语》作者还存在一些书不当书之处。如《箴》篇认为：晋国司空季子“博而多言，皆不及道者，又何载焉”。这是反对以空言入史。《叔鱼生》篇指出：“君子之于人也，听其言而观其行，犹不足以言其祸福，以其有幸有不幸也。”批评《国语》“取赤子之形声，以命其死亡”的记载是“以其鬼事知之乎？则知之未必贤也。是不足书以示后世”。从这些批判中，我们可以感受到柳宗元对待史学工作认真严肃的态度。

此外，柳宗元还指出《国语》记事有自相矛盾的地方，有“嗜诬”前人的地方，也有粉饰前人的地方，甚至还批评《春秋》记事有不真实之处。[3]

---

① 柳宗元：《柳河东集》卷四五，上海古籍出版社1974年版，第770页。

② 柳宗元：《柳河东集》卷四五，上海古籍出版社1974年版，第773页。

③ 参见《非国语》的《韩宣子忧贫》《料民》《长鱼矫》《荀息》等篇，《柳河东集》卷四四、四五，上海人民出版社1974年版，第749、767、778、782页。

《非国语》一书是柳宗元的史学批评的代表著作。在这部书里，其所论主旨，是反复强调历史撰述的真实性和严肃性。在他以前，除刘知幾外，还没有别的史家能够这样全面地、具体地来总结史学工作在这些方面的经验教训，并从理论上提出这么多问题。《史通》和《非国语》的历史命运却有某些相似之处：《史通》问世后，晚唐人柳璨“以刘子玄（知幾）所撰《史通》议驳经史过当，纪子玄之失，别纂成十卷，号《柳氏释史》，又号《史通析微》”[①]。《非国语》问世后，则有人反其道而行之作《是国语》[②]《非〈非国语〉》[③]。这表明刘、柳的史学批评触动了史学传统中的弊端，也从另一个角度反映出他们的史学批评精神所产生的历史影响。

柳宗元同刘知幾在史学思想上也有不少共同之处，重视史家自身的修养即是其中之一。刘知幾倡言史家须有“三长”，并撰写了《直书》《曲笔》等名篇；柳宗元除了在《非国语》中有许多地方讲到这方面问题外，还撰有有关专篇，其论述之精到，与刘知幾相比自另有一番气象。

三、柳宗元之史官论的史学批评思想境界

柳宗元的史论，除了《天说》是为回答韩愈“言天之说”外，《与韩愈论史官书》也是为批评韩愈而作。这虽然是韩、柳

① 王溥：《唐会要》卷六三《修前代史》，中华书局1955年版，第1092页。

② 《宋史》卷二〇二《艺文志一》著录“叶真《是国语》七卷”，见脱脱等：《宋史》卷二〇二《艺文志一》，中华书局1977年版，第5058页。

③ 宋濂：《元史》卷一八一《虞集传附虞槃传》，中华书局1973年版，第4182页。

之争的问题之一，但其在中国史学上的意义却远远超出了这一争论的界限。概括地说，柳宗元的《与韩愈论史官书》是一篇阐述史家信念与职责的杰作。

唐宪宗元和八年（813），韩愈任史馆修撰。有位刘秀才致书韩愈，希望他在史事方面有所贡献。韩愈不摆史官架子，复书刘秀才，谈到他对史事的一些看法。次年正月，谪贬永州的柳宗元读到了韩愈的《答刘秀才论史书》[①]，当即致书韩愈，阐述了他同韩愈的不同看法，此即《与韩愈论史官书》[②]。

这两封书信所反映的对于史事的不同见解，依据历史观点来看，仍然是天命论历史观同朴素的唯物论历史观的辩论。韩愈在信中列举历代史家如孔子、齐太史、左丘明、司马迁、班固、陈寿、王隐、习凿齿、崔浩、范晔、魏收、宋孝王、吴兢等，都因作史而没有好结果，得出结论："夫为史者，不有人祸则有天刑，岂可不畏惧而轻为之哉？"又说："若无鬼神，岂可不自心惭愧？若有鬼神，将不福人。"柳宗元在信中，严肃而又充满激情地指出："退之以为纪录者有刑祸，避不肯就，尤非也。"柳宗元根据历史事实，具体分析前代史家的种种不幸结局，并不都是因为修史才造成的。因此他认为："'不有人祸则有天刑'，若以罪夫前古之为史者然，亦甚惑。"他进而指出"凡鬼神事，眇茫荒惑无可准，明者所不道，退之之智而犹惧于此"，这是应当

① 韩愈：《答刘秀才论史书》，董诰等编：《全唐文》卷五五四，中华书局1983年版，第5609-5610页。

② 柳宗元：《柳河东集》卷三一，上海人民出版社1974年版，第498-500页。

引起深思的。唯物主义、无神论同唯心主义、有神论的争论，直接与史学工作联系起来，甚至影响到史学工作的开展，这两封信于此很有代表意义，在中国史学史上不应被忽略。

从史学工作来看，尤其是从史家应当如何对待自己的工作来看，柳宗元的《与韩愈论史官书》也具有重要的理论意义。在他看来，一个史官贵在有坚定的信念和崇高的职责感。信念，就是“思直其道”；职责感，就是一旦位居其职，则以撰述一代史事为己任。主张“直道”，这是柳宗元这封书信中十分突出的思想。他认为：“凡居其位，思直其道。道苟直，虽死不可回也；如回之，莫若亟去其位。”一个史官为尽其“直道”，“虽死不可回”，这就是坚定的信念。柳宗元著作里有不少讲“中道”的地方，“中道”，即中正之道。这里讲“直道”，意谓正直之道、公正之道，跟“中道”应是同一含义。所以他在此书中向韩愈指出：“是退之宜守中道，不忘其直，无以他事自恐。”“退之之恐，唯在不直，不守中道。”[①]“宜守中道，不忘其直”与“思直其道”是一致的，柳宗元视此为做人的信念和准绳，亦为史官应有的德行。当然，史家要恪守自己的信念，还必须有足够的勇气。柳宗元针对韩愈“不敢率尔为也”的思想，指出：一个史官，不应因“史以名为褒贬”而“恐惧不敢为”，更不应当“不为史而荣其号、利其禄”；反之要敢于“居其位而直其道”，真正去做点事情。这就需要有职责感。柳宗元在致韩愈的信中反问

① 参见章士钊：《柳文指要》下《通要之部》卷一“柳志·大中”条，中华书局1971年版，第1295、1293页。

道：关于有唐二百年史事，“今退之曰：‘我一人也，何能明？’则同职者又所云若是，后来继今者又所云若是，人人皆曰‘我一人’，则卒谁能纪传之耶”。这是一个很尖锐的问题，如果人人都说“我一人，无可为”，这将是一种十分悲哀的局面，“非有志者所忍恣也”。柳宗元所热切希望的，是人人“孜孜不敢怠”地勤奋工作，则唐代历史“庶几不坠，使卒有明也”。而对于每一个史家来说，“果有志，岂当待人督责迫蹙，然后为官守耶”。柳宗元讲史家职责有一个明显的特点，即把史家不仅看作是单个的人，而且看作是一个前后相承的崇高事业的承担者群体。从史学家的自我意识来看，这包含着认识上的新的迈进。

《与韩愈论史官书》是柳宗元在永贞革新失败、被贬官将近十年的情况下写的。岁月流逝，人事沧桑，但他对于友人的情谊却没有改变，甚至理论的分歧也没有影响热切的期望。他赞叹韩愈的“史才”，希望他“更思”，鼓励他“可为速为”，不要贻误时光。柳宗元的这种积极的情绪和真诚的精神是非常感人的。

继《与韩愈论史官书》之后，同年，柳宗元又写了《与史官韩愈致段秀实太尉逸事书》，[①] 对韩愈的热切期望溢于言表，书中说：“太史迁死，退之复以史道在职，宜不苟过日时。昔与退之期为史志甚壮，今孤囚废锢，连遭瘴疠羸顿，朝夕就死，无能为也，第不能尽其业！”这段话，还非常真切地透露出韩、柳早年共事时“期为史志甚壮”的情怀。联想到柳宗元对于史学

① 柳宗元：《柳河东集》卷三一，上海人民出版社 1974 年版，第 500–501 页。

事业曾经有过豪迈的抱负，人们对他的史学修养和历史理论造诣的认识，或许会更加深刻些。

这封书信还反映出柳宗元在历史撰述上的认真实践精神，说明他并不是只善于理论思维的人。他向韩愈推荐的《段太尉逸事状》,[①] 是他亲身调查所得，并多方核实无误。所以他在此书中写道："太史迁言荆轲，征夏无且；言大将军，征苏建；言留侯，征画容貌。今孤囚贱辱，虽不及无且、建等，然比画工传容貌尚差胜。《春秋》传所谓传信、传著，虽孔子亦犹是也，窃自以为信且著。"他充分肯定了司马迁为撰写历史而进行社会调查的求实精神，同时也坦率地估量自己的作品"信且著"。《段太尉逸事状》在柳宗元丰富的史学撰述中虽非重要作品，但却给他的历史理论作了一个极好的注脚。大约二百五十年后，《段太尉逸事状》为《新唐书》作者采用，写入《段秀实传》。宋祁在传后赞语中写道："唐人柳宗元称：'世言段太尉，大抵以为武人，一时奋不虑死以取名，非也。太尉为人姁姁，常低首拱手行步，言气卑弱，未尝以色待物，人视之，儒者也。遇不可，必达其志，决非偶然者。'宗元不妄许人，谅其然邪，非孔子所谓仁者必有勇乎？"[②] 这可以看作是宋人对柳宗元治史作风的评价。

---

① 柳宗元：《柳河东集》卷八，上海人民出版社 1974 年版，第 110-113 页。行状之末附柳宗元跋语。

② 欧阳修、宋祁：《新唐书》卷一五三《段秀实传》，中华书局 1975 年版，第 4182 页。

第五章　“良史”观和“三长”说与史家主体批评论

“良史”和“史才”是中国古代史学批评的两个重要范畴。

在唐代，统治者们重视史官的选拔和任用，对史官的自身修养提出了综合性要求。房玄龄等人所修《晋书》卷八十二为两晋史家立群传，大大提升了史学家的历史地位。朱敬则、郑惟忠、刘知幾等人关于“良史”难得的忧虑，反映出唐代学人对于良史之才的共同诉求，是唐代史家主体意识和自律精神提升的表现。刘知幾“史才三长”说的提出，将两汉魏晋南北朝隋唐长期以来人们关于史家修养的讨论凝练成“才”“学”“识”三个史学批评范畴，成为后世史学批评的标准。裴光庭、萧颖士、皇甫湜等人关于史书体裁的辩难，不仅提高了人们对史书体裁之重要性的认识，更加促进了史学家的创新精神。

第一节　史学发展需要“史才”与“良史”

一、“良史”的由来及其含义

“良史”现象与“良史”论，贯穿于整个中国古代史学。而孔子所论，则是这一问题的渊源所在。《左传·宣公二年》记载：

> 乙丑，赵穿杀灵公于桃园。宣子未出山而复。大史书曰“赵盾弑其君”，以示于朝。宣子曰：“不然。”对曰：“子为正卿，亡不越竟，反不讨贼，非子而谁？”宣子曰：“呜呼！《诗》曰‘我之怀矣，自诒伊戚’，其我之谓矣。”孔子曰：“董狐，古之良史也，书法不隐。赵宣子，古之良大夫也，为法受恶。惜也，越竟乃免。”①

这是中国史学上较早明确提出“良史”的记载。孔子称董狐为“良史”，因其“书法不隐”，即作为史官能够做到不畏权势，按照礼的原则和书法的要求记事。这件事情在中国史学史上产生了深远的历史影响，“良史”之称，每每见于史书。而随着历史的发展和史学的发展，“良史”的内涵更加丰富了，并进一步提升了，以至“良史”一词往往具有不同的指向。大致说来，

---

① 《左传·宣公二年》，杨伯峻《春秋左传注》本，中华书局1981年版，第662-663页。

中国古代史学上的“良史”有三种含义：一是指人，即称职的或杰出的史官、史家；二是指书，即那些规范的、严肃的或优秀的历史著作；三是指人们的志向或追求的目标。如此丰富的“良史”内涵，给中国史学增添了活力和清新的气息。

“良史之才”，这是针对史官、史家而称“良史”。以“良史”赞誉称职的以至杰出的史官、史家，是比较广泛的史学现象。

在史学史上，以博学多识而留“良史”之美名的，最早当是左史倚相。《左传·昭公十二年》记，楚灵王对子革称赞左史倚相“是良史也，子善视之！是能读《三坟》《五典》《八索》《九丘》”[①]。这表明，谙于典籍、历史知识渊博是评价“良史”的一个标准。《三国志·方技·管辂传》裴注记：“近有阎续伯者，名缵，该微通物，有良史风。”[②] 唐代学者李至远，“少秀晤，能治《尚书》《左氏春秋》，未见杜预《释例》而作《编记》，大趣略同。复撰《周书》，起后稷至赧，为传纪，令狐德棻许其良史”[③]。中唐史家沈既济因“博通群籍，史笔尤工”，被时任吏部侍郎的杨炎以“有良史才”而举荐，任左拾遗、史馆修撰。[④] 以上这些史家都因博闻强识，具有丰富的历史知识而被人们称为“良史”。

---

① 《左传·昭公十二年》，杨伯峻《春秋左传注》本，中华书局 1981 年版，第 1340 页。

② 陈寿：《三国志》卷二九《方技·管辂传》裴注，中华书局 1959 年版，第 828 页。

③ 欧阳修、宋祁：《新唐书》卷一九七《循吏·李素立传附李至远传》，中华书局 1975 年版，第 5620 页。

④ 刘昫等：《旧唐书》卷一四九《沈传师传》，中华书局 1975 年版，第 4034 页。欧阳修、宋祁：《新唐书》卷一三二《沈既济传》，中华书局 1975 年版，第 4538 页。

史学史上又多有以善于叙事而被誉为“良史”的史家，有这样几种表述：东汉班彪称赞司马迁说：“善述序事理，辩而不华，质而不野，文质相称，盖良史之才也。”① 陈寿又载王肃语：“司马迁记事，不虚美，不隐恶。刘向、扬雄服其善叙事，有良史之才，谓之实录。”② 陈寿撰《三国志》，“时人称其善叙事，有良史之才”。③ 这些都是从善叙事的角度评价“良史”，或“文质相称”，或不虚美隐恶，或“词直而理正”，等等。

史文尚简是史书叙事的重要方面，以“尚简”而被誉为“良史”者有：干宝撰《晋纪》，“其书简略，直而能婉，咸称良史”；④ 唐代史官敬播撮颜师古《汉书》注之机要，被房玄龄称赞为“有良史之才”⑤；《旧唐书》作者评价史官韦述“事简而记详，雅有良史之才”⑥，评价吴兢“叙事简核，号良史”⑦。这些都突出了史家叙事以“简”为其特点，故刘知幾强调以“简”为叙事之类，指出：“史之为美者，以叙事为先。”⑧ 又有明人胡应麟指出“文之繁简，可以定史之优劣”⑨；清代史家赵翼评价姚察、姚思廉父子修《梁书》《陈书》：“两朝数十卷书，经父子两世纂辑之功始就，盖作史之难不难于叙述，而难于考订事实，

① 范晔：《后汉书》卷四〇上《班彪列传》上，中华书局1965年版，第1325页。
② 陈寿：《三国志》卷一三《王朗传附王肃传》，中华书局1959年版，第418页。
③ 房玄龄等：《晋书》卷八二《陈寿传》，中华书局1974年版，第2137页。
④ 房玄龄等：《晋书》卷八二《干宝传》，中华书局1974年版，第2150页。
⑤ 刘昫等：《旧唐书》卷一八九上《儒学上·敬播传》，中华书局1975年版，第4954页。
⑥ 刘昫等：《旧唐书》卷一〇二《韦述传》，中华书局1975年版，第3184页。
⑦ 欧阳修、宋祁：《新唐书》卷一三二《吴兢传》，中华书局1975年版，第4529页。
⑧ 刘知幾：《史通·叙事》，浦起龙《史通通释》本，上海古籍出版社2009年版，第152页。
⑨ 胡应麟：《史学占毕》卷一，见《少室山房笔丛》，中华书局1958年版，第169页。

审核传闻，故不能速就耳。至其文笔，亦足称良史。所可嫌者惟多载诏、策、表、疏之类，稍觉繁冗，而叙事之简严完善，则李延寿亦不能过。”[①] 作为一个长于考史的学者，赵翼的这番话，显得尤为中肯。

以秉笔直书而被时人称为“良史”者，最早有孔子称董狐“古之良史，书法不隐”，其后如魏收评价李彪“秉笔立言，足为良史”[②]。《唐会要》记史官吴兢抵制宰相张说提出略改数字要求，曾言“若取人情，何名为直笔！”这使同修史官“深惊异之”，感叹“昔董狐古之良史，即今是焉！”[③] 与此相类的是，南宋史家袁枢同乡章惇“家以其同里，宛转请文饰其传”，袁枢拒言：“子厚为相，负国欺君。吾为史官，书法不隐，宁负乡人，不可负天下后世公议。”时任兼修国史的宰相赵雄感叹称，袁枢“无愧古良史”[④]。

“良史之才”除表现在上述几个方面，还时常表现为史家擅为史论和精于会通之义。以史论精辟而被誉为“良史”的史家如魏徵，《旧唐书·魏徵传》记：“有诏遣令狐德棻、岑文本撰《周史》，孔颖达、许敬宗撰《隋史》，姚思廉撰《梁史》《陈史》，李百药撰《齐史》。徵受诏总加撰定，多所损益，务存简正。《隋史》序论，皆徵所作，《梁》《陈》《齐》各为总论，时

① 赵翼：《陔余丛考》卷七“梁陈二书”条，上海古籍出版社2011年版，第119页。

② 魏收：《魏书》卷六二《李彪传》，中华书局1974年版，第1402页。

③ 王溥：《唐会要》卷六四《史馆下·史馆杂录下》，上海古籍出版社2006年版，第1306页。

④ 脱脱等：《宋史》卷三八九《袁枢传》，中华书局1977年版，第11935页。

称良史。”[①] 以“会通”而贯穿古今被誉为“良史”者，如东汉班固评价司马迁“涉猎者广博，贯穿经传，驰骋古今，上下数千载间，斯以勤矣”[②]。中国古代史学重视“会通”的思想，从司马迁提出“究天人之际，通古今之变，成一家之言”[③] 的撰述宗旨，到司马光“监前世之兴衰，考当今之得失”的“通鉴”思想[④]，再到郑樵提出“同天下之文”“极古今之变”的“会通之义”[⑤]，深深影响了人们对“良史”的评价。

上述这些记载和评论中的“良史”，都是指优秀的史官、史家而言的，这是“良史”作为修史、治史之“人”的含义。值得注意的是，当“良史”系指史家而言时，有时也不专指一人，而指具有“良史之才”的多个人或一类人，如《后汉书·宦者列传·蔡伦传》记：“（元初）四年，帝以经传之文多不正定，乃选通儒谒者刘珍及博士良史诣东观，各雠校家法，令（蔡）伦监典其事。”[⑥] 这里的“良史”即泛指具有史才的士人或史家群体。

“良史之体”，这是针对史书而称“良史”。

在古代史学的发展中，人们常以“良史之体”来讨论史书的优劣。这是因为随着史学的发展，人们谈论中涉及史书的机会渐多的缘故，因而在一定的语境之下，便赋予“良史”以史书

① 刘昫等：《旧唐书》卷七一《魏徵传》，中华书局1975年版，第2550页。
② 班固：《汉书》卷六二《司马迁传》，中华书局1964年版，第2737页。
③ 班固：《汉书》卷六二《司马迁传》，中华书局1964年版，第2735页。
④ 司马光：《进〈资治通鉴〉表》，《资治通鉴》附录，中华书局1956年版，第9608页。
⑤ 郑樵：《通志总序》，见《通志二十略》，中华书局1995年版，第1页。
⑥ 范晔：《后汉书》卷七八《宦者列传·蔡伦传》，中华书局1965年版，第2513页。

的含义。如唐初学者张鷟指出："监修国史刘济状称修史学士李吉甫多行虚饰，不据实状，有善不劝，有恶不惩，得财者入史，无财者删削，褒贬不实，非良史之体。"① 刘知幾《史通·古今正史》篇指出："前赵刘聪时，领左国史公师彧撰《高祖本纪》及功臣传二十人，甚得良史之体。"② 这种关于"非良史之体"和"得良史之体"的讨论，直接针对史书。此处所说的"体"，不是指体裁而言，而是指体要即宗旨之意。到了中唐史家皇甫湜那里，则赋予"良史之体"另一种含义，他明确提出："得良史之体者，在适不在同。……是非与众人同辩，善恶得圣人之中，不虚美，不隐恶，则为纪、为传、为编年，是皆良史矣。"③ 这里所说的"体"即指史书体裁。

当"良史"是指史书而言时，则此处所谓史书当是规范的或正式的以至优秀的史书，这反映出人们对史书的尊重、敬畏之心。《南史·孝义上·丘冠先传》所记，则是另一种情况：萧齐永明年间，丘冠先被尚书令王俭荐举出使北方少数民族地区，因其不接受出使地逼令行拜礼，以致"以刃临之"仍"执节不从"而被杀。消息传回朝廷，齐武帝"以冠先不辱命"，以钱、布赐其子丘雄。丘雄不受，上书说："臣父执节如苏武，守死如谷吉，遂不书之良史，甄之褒策，万代之后，谁死社稷。"④ 这表明，人们对于那些能够做出壮烈行为之人在严肃的史书上留名看

① 张鷟：《修史馆二条》，董诰等编：《全唐文》卷一七三，中华书局1983年版，第1764页。
② 刘知幾：《史通·古今正史》，浦起龙《史通通释》本，上海古籍出版社2009年版，第332页。
③ 皇甫湜：《编年纪传论》，董诰等编：《全唐文》卷六八六，中华书局1983年版，第7030页。
④ 李延寿：《南史》卷七三《孝义上·丘冠先传》，中华书局1975年版，第1820页。

得十分重要，认为是任何物质赏赐所不能同日而语的。质言之，如若一个人做了对社会、对国家有益之事，却未能记入严肃的史书，受到历史的尊重，那么今后还会有人为了社稷而献身吗？《三国志·方技·管辂传》裴注引《辂别传》中有这样的说法："恨辂才长命短，道贵时贱，亲贤遐潜，不宣于良史，而为鄙弟所见追述。"[①] 这一方面表示作者对管辂命运的同情，另一方面也指出管辂并无可以称道后世的作为，故"不宣于良史"，即不可能被正式的史书所记载。上述二例，一是说某人应当写入史册，一是说某人不当写入史册，从正反两个方面表明人们对史册的虔诚和敬重，故将史书以"良史"称之。

此外，有的学者还以两种内容相同的史书进行比较，而称其中之一为"良史"，如清代学者赵翼就《旧五代史》和《新五代史》比较后指出："（《新五代史》）卷帙虽不及薛史（《旧五代史》）之半，而订正之功倍之，文直事核，所以称良史也。"[②]

以上情况，是古代史学史上人们从不同的视角看待"良史"的价值和意义，其共同点都是针对史书而言。需要注意的是，从中国古代"史"之含义的演变来看，它最初指具有一定政治影响的史官，春秋以后又常以"史"称历史记载，即史书。[③] 故人们在讨论"良史"时，往往同时涵盖了"良史"指人和指史书

① 陈寿：《三国志》卷二九《方技传·管辂传》裴注，中华书局 1959 年版，第 828 页。

② 赵翼：《廿二史札记》卷二一"欧史不专据薛史旧本"条，王树民《廿二史札记校证》本，中华书局 2013 年版，第 485 页。

③ 参见白寿彝：《中国史学史》第 1 卷《先秦时期　中国古代史学的产生》，上海人民出版社 2006 年版，第 5–7 页。

的双重含义，研究者当需要谨慎辨别。

“良史之志”，这是针对人们的志向或努力的目标而称“良史”。

当人们以“良史”作为一种志向或对史家修史、治史所提出的标准和期望时，“良史”又是一种向望，一种期待，一种追求，这是“良史”内涵的进一步提升。如晋武帝时，华峤因“博闻多识，属书典实，有良史之志”而被任命为秘书监，后华峤果然撰出《后汉书》九十七卷，时人誉之“文质事核，有迁、固之规，实录之风”。[①] 这种理想中的“良史之志”是一个人的理想和追求，是现实中的“良史”在人的精神世界的反映。西晋史家张辅称“良史述事，善足以奖劝，恶足以监诫，人道之常”[②]；南朝文论家刘勰指出：“奸慝惩戒，实良史之直笔。”[③]《金史·世宗本纪上》记参政孟浩言：“良史直笔，君举必书，自古帝王不自观史，意正在此。”[④] 这里说的“良史”之“直笔”及“述事”的原则，都不是确指某人或某书，而是表达人们心目中“良史”的一种标准。

在史学批评家刘知幾那里，“良史”的标准不应满足于“博闻多识”，而要把“实录直书”作为最高的追求。他在《史通·

---

① 房玄龄等：《晋书》卷四四《华表传附华峤传》，中华书局 1974 年版，第 1264 页。裴松之亦指出：“峤字叔骏，有才学，撰《后汉书》，世称为良史。”（陈寿：《三国志》卷一三《华歆传》裴注，中华书局 1959 年版，第 406 页）

② 房玄龄等：《晋书》卷六〇《张辅传》，中华书局 1974 年版，第 1640 页。

③ 刘勰：《文心雕龙·史传》，周振甫《文心雕龙注释》本，人民文学出版社 1981 年版，第 172 页。

④ 脱脱等：《金史》卷六《世宗上》，中华书局 1975 年版，第 143 页。

惑经》篇中指出："君子以博闻多识为工，良史以实录直书为贵。"[①] 从这里，我们可以窥见这位史学批评家心目中"良史"的严谨与卓识的修养。他将"实录直书"作为"良史"之"贵"，这同他在《史通·辩职》篇中将史家分为三等，而以"求真"为最高追求的论述相呼应；亦同他论"史才三长"时认为"史者"难得，需"善恶必书，便骄君贼臣知惧，此为无可加者"[②] 是相通的；更与他在《史通·直书》篇中指出的"正直者，人之所贵，而君子之德也"[③] 相呼应。刘知幾以"君子"与"良史"相衬托，表明他的"良史"见解，对此，是否可以作这样的理解：刘知幾所言"君子"，是指那些勤奋和严肃的史官和史家，而"良史"当在此基础上真正做到"实录直书"。前者做好了是"工"，即规范；后者做到了则是"贵"，是贵重，是更高一个层次。刘知幾的话，多有其识，以至千年而下，清代学者钱大昕还在强调："良史之职，主于善恶必书，但使纪事悉从其实，则万世之下，是非自不能掩，奚庸别为褒贬之词!"[④] 当然，钱氏是从史家的职责来强调这一原则和要求的。

对于上述这些以志向和标准来讨论"良史"的种种见解，我们可以把章学诚在《文史通义》中所说"盖欲为良史者，当慎辨于天人之际，尽其天而不益以人也"[⑤] 这一概括，视为从理

---

① 刘知幾：《史通·惑经》，浦起龙《史通通释》本，上海古籍出版社2009年版，第381页。

② 欧阳修、宋祁：《新唐书》卷一三二《刘子玄传》，中华书局1975年版，第4522页。

③ 刘知幾：《史通·直书》，浦起龙《史通通释》本，上海古籍出版社2009年版，第179页。

④ 钱大昕：《潜研堂文集》卷一八《续通志列传》总序，见《嘉定钱大昕全集》第九册，江苏古籍出版社1997年版，第285页。

⑤ 章学诚：《文史通义·史德》，叶瑛《文史通义校注》本，中华书局2014年版，第258页。

论上指出了历史撰述中史家的主体和客体之相互关系的问题，是中国古代学人论“良史”作为一种修史、治史之志向而发展的最高阶段。鸦片战争前，龚自珍提出“智者受三千年史氏之书，则能以良史之忧忧天下”① 的命题，反映出中国古代“良史”的内涵及其标准。“良史”在中国史学从古代走向近代这一嬗变过程中，与社会形势、民族前途产生了深刻的联系，并随着古代史学走向近代而进一步提升。

综观中国古代史学上的“良史”现象和“良史”论，其内涵十分丰富，不论人们针对的是人、是书，还是修史志向与标准，都有积极的意义，是中国古代史学发展史上极其重要的史学现象，给中国史学不断注入新的活力。这种积极意义和新的活力主要表现在三个方面：第一，由于人们关注“良史”，从而对史学关注的程度不断增强，对历史著作的要求也愈来愈高，这对史学发展形成一个巨大的推动力；同时，这也说明史学的社会影响力愈来愈大，成为史学与社会形成互相促进关系的一个重要方面。第二，人们谈论“良史”、赞誉“良史”，或以“良史”为志向，提出“良史”的种种标准，对史家提高自身的修养，既是一种压力，也是一种启示，而董狐、司马迁等人也为后世史家树立了榜样，产生了久远的影响。第三，人们不断地运用“良史”的概念、“良史”的标准来评论史家、史书及各种史学活动，事实上是在开展史学批评、推动史学批评发展，而“良史”

① 龚自珍：《龚自珍全集》第一辑《乙丙之际箸议第九》，上海人民出版社 1975 年版，第 7 页。

则真正成为中国古代史学批评理论中的一个重要范畴。总之，从“良史之才”到“良史之体”，再到“良史之志”，中国古代史学中的“良史”现象和“良史”论给中国史学带来许多实际的创获和理论的启示。可以说，中国史学的发展需要一代代良史的迭出，更需要人们对良史的持续关注和讨论。

二、重视史官的选拔与任用

在唐代，人们对“良史”颇为关注，其中，又最重视史学家的个人修养。从统治者的修史诏书到盛唐时期开展的大规模修前朝史活动，有唐一代的最高统治者始终重视“良史之才”，试举例论述如下。

唐高祖武德五年（622）颁发《命萧瑀等修六代史诏》，诏书中写道：“经典序言，史官纪事，考论得失，究尽变通，所以裁成义类，惩恶劝善，多识前古，贻鉴将来。务加详核，博采旧闻，义在不刊，书法无隐。”[①] 这是唐代最高统治者第一次对史官的职责和修养提出明确要求。唐太宗于贞观二十年（646）下诏重修《晋书》，他批评前代诸家晋史“虽存记注，而才非良史，书亏实录”，并提出“诠次旧文，裁成义类，俾夫湮落之诰，咸使发明”的修撰要求。[②] 唐高宗于咸亨元年（670）颁布《简择史官诏》，明确地提出了对于史官自身修养的要求，诏书

① 唐高祖：《命萧瑀等修六代史诏》，宋敏求编：《唐大诏令集》卷八一，商务印书馆 1959 年版，第 466-467 页。

② 唐太宗：《修晋书诏》，宋敏求编：《唐大诏令集》卷八一，商务印书馆 1959 年版，第 467 页。

写道："修撰国史，义在典实，自非操履贞折，业量该通，谠正有闻，方堪此任。所以承前继居，史官必就中简择，灼然为众所推者，方令著述。"①

从这些修史诏书中可以看出，唐初统治者们对史官修史提出了文字典雅、内容详实、道德高尚和学识融洽等方面的要求。这样一种针对史家修养所提出的综合的要求，与《隋书·经籍志》的作者们提出"夫史官者，必求博闻强识，疏通知远之士，使居其位，百官众职，咸所贰焉"是相通的，反映了这一时期人们对于史学工作之主体因素的自觉的反思精神。那么，这些参与修史的史官的个人修养是否符合上述要求呢？从相关的文献记载中可以看到，唐代的史馆中的确凝聚了一大批颇有学术建树的史学家，他们各具所长，才堪"良史"。

唐高祖下诏修六代史是有唐一代第一次由朝廷组织修史，其分工是：中书令萧瑀、给事中王敬业、著作郎殷闻礼修魏史；侍中陈叔达、秘书丞令狐德棻、太史令唐俭修周史；兼中书令封德彝、中书舍人颜师古修隋史；大理卿崔善为、中书舍人孔绍安、太子洗马萧德言修梁史；太子詹事裴矩、兼吏部郎中祖孝孙、前秘书丞魏徵修齐史；秘书监窦琎、给事中欧阳询、秦王文学姚思廉修陈史。这次修撰由于种种原因并没有切实完成。

唐太宗贞观年间修"五代史纪传"的分工是：姚思廉撰《梁书》五十六卷、《陈书》三十六卷；李百药撰《北齐书》五

① 唐高宗：《简择史官诏》，宋敏求编：《唐大诏令集》卷八一，商务印书馆1959年版，第467页。

十卷；令狐德棻、岑文本、崔仁师撰《周书》五十卷；魏徵、颜师古、孔颖达等撰《隋书》五十五卷。[①] 其后，又命褚遂良监修，令狐德棻、李延寿、敬播、于志宁、李淳风、韦安仁等人撰“五代史志”。

贞观二十年（646），唐太宗下诏重修《晋书》。据两《唐书》所载，参与修《晋书》的共有二十一人，他们是：房玄龄、褚遂良、许敬宗、来济、陆元仕、刘子翼、令狐德棻、李义府、薛元超、上官仪、崔行功、李淳风、辛丘驭、刘胤之、阳仁卿、李延寿、张文恭、敬播、李安期、李怀俨、赵弘智。[②]

上述诸人，构成了唐初庞大的史家群体，他们大多是围绕在最高统治者身边的要臣，其中，像房玄龄、岑文本、于志宁、姚思廉等人，都是自李世民为秦王时就伴其左右的府僚。这些史家，在学术上各有造诣，他们或世传家学，如：姚思廉在其父姚察基础上撰梁、陈二史；李百药在其父李德林基础上撰《北齐书》。或学有专长，如：孔颖达，“尤精《左氏传》《郑氏尚书》《王氏易》《毛诗》《礼记》，善兼算历，能属文”；[③] 李淳风，“博涉群书，尤明天文、历算、阴阳之学”；[④] 或深谙时事，如来济，“笃志好学，有文词，善谈论，尤晓时务”。[⑤] 或精通体例，如：令狐德棻在“五代史纪传”修撰的过程中承担“总知类会”

---

① 刘昫等：《旧唐书》卷七三《令狐德棻传》，中华书局 1975 年版，第 2598 页。
② 欧阳修、宋祁：《新唐书》卷五八《艺文志二》，中华书局 1975 年版，第 1456 页。
③ 刘昫等：《旧唐书》卷七三《孔颖达传》，中华书局 1975 年版，第 2601 页。
④ 刘昫等：《旧唐书》卷七九《李淳风传》，中华书局 1975 年版，第 2717 页。
⑤ 刘昫等：《旧唐书》卷八〇《来济传》，中华书局 1975 年版，第 2742 页。

的职务；[1] 德棻又提携敬播，为《晋书》修撰发凡起例。[2] 或长于属文，如：李百药及其子李安期，均“七岁能属文”；[3] 上官仪，“涉猎经史，善属文”；[4] 薛元超，“好学，善属文”；[5] 颜师古，“少传家业，博览群书，尤精诂训，善属文”。[6] 或擅长作论，如：魏徵撰写《隋书》的序、论，提出“隋之得失存亡，大较与秦相类”等著名的历史观点，又撰写梁、陈、齐三史的“总论”；[7]《周书》史论多出于岑文本之手，以“周室定三分之业”指陈北周历史形势。[8] 这些内容表明，唐初受诏修史的史官们，可谓博闻多识，各有所长，在史馆修史工作中各展其才，共同开创了中国史学发展史上的盛唐气象。

唐代的历朝统治者延续重视史才的传统，他们在任用史官时，往往对史家的品性才学作出综合考量。例如：唐玄宗以宋璟“明允笃诚，有犯无隐”、苏颋“忠肃恭懿，察微知章”[9]、张说“多识前志，学于旧史，文成微婉，词润金石”[10]，而命他们兼修

---

① 欧阳修、宋祁：《新唐书》卷一〇二《令狐德棻传》，中华书局 1975 年版，第 2984 页。

② 欧阳修、宋祁：《新唐书》卷一九八《儒学上·敬播传》，中华书局 1975 年版，第 5656 页。

③ 刘昫等：《旧唐书》卷七二《李百药传》及《李百药传附李安期传》，中华书局 1975 年版，第 2571、2577 页。

④ 刘昫等：《旧唐书》卷八〇《上官仪传》，中华书局 1975 年版，第 2743 页。

⑤ 刘昫等：《旧唐书》卷七三《薛收传附薛元超传》，中华书局 1975 年版，第 2590 页。

⑥ 刘昫等：《旧唐书》卷七三《颜师古传》，中华书局 1975 年版，第 2594 页。

⑦ 刘昫等：《旧唐书》卷七一《魏徵传》，中华书局 1975 年版，第 2550 页。

⑧ 令狐德棻等：《周书》卷一六后论，中华书局 1971 年版，第 271 页。

⑨ 唐玄宗：《命宋璟苏颋修国史制》，董诰等编：《全唐文》卷二二，中华书局 1983 年版，第 253 页。

⑩ 唐玄宗：《命张说修国史诏》，董诰等编：《全唐文》卷二八，中华书局 1983 年版，第 318 页。

国史。唐德宗认为齐抗“文合大雅，行归中庸，宏道而致远，含章而居业。稽三王之法志，酌千古之献言。积纯粹而外发德辉，自明诚而居为国器。擢登密勿，每竭吁谟，察其忠谅，多所宏益。以序王道之端，辨人事之纪，劝惩教化，在于《春秋》，错综裁成，必归良直。以中枢之余力，得东观之全才，思革前愆，允资盛德”，[①] 而命其监修国史。唐宪宗《韩愈比部郎中史馆修撰制》中指出：“太学博士韩愈，学术精博，文力雄健，立词措意，有班、马之风，求之一时，甚不易得。加以性方道直，介然有守，不交势利，自致名望。可使执简，列为史官，记事书法，必无所苟。”[②] 这是说韩愈不仅学问渊博，擅长撰写文章，而且个性耿直，注重名誉，因此可任史官，秉笔直书。唐穆宗认为独孤朗“能彰善瘅恶，属词可观”；韦瓘“尝旅进廷争，极言无隐”，堪为史任。[③] 当然，在史馆建置日趋成熟的同时，这些诏告文书也愈加规范化，在撰写体例、运用典故、文字风格等方面多有相近之处，常举出历史上著名的史官（如史鱼、仲山甫等）为例，为修史官提供治学楷模。

从唐代统治者们颁发的修史诏书中可以看出，个人修养（“良史之才”）始终是有唐一代选拔史官的重要考量。其内容可以总结为以下三个方面。

---

① 唐德宗：《授齐抗兼修国史制》，董诰等编：《全唐文》卷五〇，中华书局 1983 年版，第 549 页。

② 唐宪宗：《韩愈比部郎中史馆修撰制》，董诰等编：《全唐文》卷六六一，中华书局 1983 年版，第 6723 页。

③ 唐穆宗：《授独孤朗尚书都官员外郎韦瓘守右补阙同充史馆修撰制》，董诰等编：《全唐文》卷六四九，中华书局 1983 年版，第 6579 页。

第一，强调修撰史书要使其发挥社会功能。诸道诏书中，多次强调“惩恶劝善”“彰善瘅恶”“褒德惩凶”“劝惩教化”，这表明，唐代统治者非常重视史学的鉴戒功能，这也成为史官修史的重要使命。唐代的统治者们还认为，一部好的史书可以“彰乎得失，示以劝惩”，从而为他们的统治提供历史经验。在“五代史纪传”修成之后，唐太宗十分兴奋地称赞诸史“足为将来之戒”，他还说自己“欲览前王之得失，为在身之龟镜”，[①] 这肯定了“五代史纪传”的资治功能。唐肃宗曾向于休烈提问：“良史者，君举必书。朕有过失，顾卿何如？”休烈对曰：“禹、汤罪己，其兴也勃焉。有德之君不忘规过。”[②] 这段对话反映出于休烈身为史官的自觉的劝谏意识。

第二，在撰述原则上提倡实录精神。唐太宗贞观二年（628），杜正伦拜给事中，兼知起居注，太宗对他的侍臣说：“朕每日坐朝，欲出一言，即思此言于百姓有利益否，所以不能多言。”正伦进曰：“君举必书，言存左右史。臣职当修起居注，不敢不尽愚直。陛下若一言乖于道理，则千载累于圣德，非直当今损于百姓，愿陛下慎之。”太宗听后大悦。[③] 这反映出“君举必书”是唐代统治集团认可的撰修规则。唐高祖说的“义在不刊，书法无隐”，唐太宗批评诸家晋史“才非良史，事亏实录”，唐玄宗提倡“君举必书，亦惟褒贬”，唐德宗强调“君举必书，

① 王钦若等：《册府元龟》卷五五四《国史部·恩奖》，中华书局1960年版，第6657页。
② 欧阳修、宋祁：《新唐书》卷一四〇《于志宁传》，中华书局1975年版，第4007-4008页。
③ 刘昫等：《旧唐书》卷七〇《杜正伦传》，中华书局1975年版，第2542页。

宏厥史职"，等等，都是这个意思。遥想先秦时期齐太史兄弟写下"崔杼弑其君"而接连被杀的情景，唐代统治者对于直书的推崇和肯定，显示出他们的胸襟和器识。刘知幾在《史通》中对直书和曲笔的讨论，则可视为唐人关于这一问题的理论认识。刘知幾的好友吴兢作为盛唐史家坚持直书这面旗帜，在实际工作中真正贯彻了直书的原则，面对宰相张说的请求，留下名言"若取人情，何名为直笔"，被誉为"当今董狐"。[①] 唐代统治者对史官提出直书实录要求，为了实现这个目标，就要有重点地选拔"良直"之臣修史。

第三，以"典实"作为史书优劣的标准。唐高宗《简择史官诏》中认为，"修撰国史，义在典实"，这是说，史家修史要力求文字上的典雅和体例上的规范。唐玄宗认为修史要"详而有体，辨而不华"，[②] 唐穆宗命独孤朗、韦瓘等人"甯定阙文，裁成义类"，[③] 等等，都是相近的意思。中唐时期，宜兴蒋氏"三世踵修国史"，蒋乂参与修撰的《德宗实录》"时称信史"[④]，史载蒋乂长子蒋系"典实有父风"，这说明蒋氏被"时推良史"的一个重要原因就是唐高宗所说的"典实"。与蒋氏同一时期的史官令狐峘，也出自史学世家，他的曾祖父是"总知类会"五代史的令狐德棻。史载："峘纂开元、天宝事，虽得诸家文集，

---

① 王溥：《唐会要》卷六四《史馆杂录下》，上海古籍出版社 2006 年版，第 1306 页。

② 唐玄宗：《命张说修国史诏》，董诰等编：《全唐文》卷二八，中华书局 1983 年版，第 318 页。

③ 唐穆宗：《授独孤朗尚书都官员外郎韦瓘守右补阙同充史馆修撰制》，董诰等编：《全唐文》卷六四九，中华书局 1983 年版，第 6579 页。

④ 刘昫等：《旧唐书》卷一五九《韦处厚传》，中华书局 1975 年版，第 4183 页。

编其诏策，名臣传记十无三四，后人以漏落处多，不称良史。”[①] 这段记载以“漏落处多”指责令狐峘“不称良史”，即历史记载不详实，与蒋氏以修史“典实”而称“良史”形成对比。

综上，有唐一代朝廷对史官选拔和任用的重视，以及最高统治者对史官自身修养提出的要求，是唐代史学得以蓬勃发展的政治保障。与此同时，唐代的史学家们也表现出对自身所处学术地位和历史作用的重视。

三、《晋书》卷八十二提升史学家的自身地位

如前所述，唐太宗于贞观二十年（646）下诏重修《晋书》，诏书内容不仅涉及重修《晋书》的诸多问题，还集中地载录了唐太宗对史职、史学和历史撰述的观点。在宰相房玄龄的主持下，先后有二十一人参与《晋书》修撰，并于贞观二十二年（648）修成进献，其中，唐太宗为宣、武二帝本纪及陆机、王羲之二人传记作论，故称“御撰”。[②] 从人才构成角度来看，房玄龄等人所成《晋书》是盛唐朝廷修史的一部集大成之作。

唐修《晋书》不仅是朝廷推动史学发展的成果，它的出现也反映了史学家们的集体愿望。研究者据李延寿《北史·序传》考证，在唐太宗贞观十五年（641），时任东宫典膳丞的李延寿

① 刘昫等：《旧唐书》卷一四九《令狐峘传》，中华书局1975年版，第4011页。

② 事见王溥：《唐会要》卷六三《史馆上·修前代史》，上海古籍出版社2006年版，第1288页。

就在令狐德棻的启用下参与了一项“修《晋书》”的活动。[①] 这表明，唐修《晋书》是朝廷和史学家共同推动的结果。我们注意到，房玄龄等人所修《晋书》卷八十二首次为两晋史家立群传，该卷记述了陈寿、王长文、虞溥、司马彪、王隐、虞预、孙盛、干宝、邓粲、谢沈、习凿齿、徐广等十二位两晋史家的生平事迹和学术成就。《晋书》卷八十二作为正史中第一次正式设立的史学家群传，使两晋史学家的人物事迹作为一个整体而凸现出来。显然，这是《晋书》作者们有意安排的结果。

对于两晋时期的史学家和他们的史学成就，《晋书》的作者们持有褒贬不一的看法，他们主要从以下三个方面叙述和评论两晋史家。

第一，评价两晋史家的个性、品格。例如：

——写孙盛耿直不阿。孙盛撰《晋阳秋》记载桓温兵败枋头，由此触怒桓温，桓温便以灭族威胁孙盛之子，说道：“枋头诚为失利，何至乃如尊君所说！若此史遂行，自是关君门户事。”孙盛家教森严，“年老还家，性方严有轨宪，虽子孙白，而庭训愈峻”，诸子受到桓温威胁，“乃共号泣稽颡，请为百口切计”，遂改父书。孙盛于是将自己所写的《晋阳秋》寄给慕容儁保管，一直到晋孝武帝太元年间才又从辽东征得此书。[②]

——写习凿齿讽谏桓温。习凿齿在东晋时，颇受桓温器重。

① 岳纯之：《唐朝初年重修〈晋书〉原因新探》，《烟台大学学报》（哲学社会科学版）2001 年第 1 期。

② 房玄龄等：《晋书》卷八二《孙盛传》，中华书局 1974 年版，第 2148–2149 页。

当时桓温大权在握，有代晋之心，习凿齿以正统之论讽谏而受到桓温的忌惮。史载："是时温觊觎非望，凿齿在郡，著《汉晋春秋》以裁正之。起汉光武，终于晋愍帝。于三国之时，蜀以宗室为正，魏武虽受汉禅晋，尚为篡逆，至文帝平蜀，乃为汉亡而晋始兴焉。引世祖讳炎兴而为禅受，明天心不可以势力强也。凡五十四卷。"其后，苻坚攻克襄阳，习凿齿被俘，苻坚欲辟其为己用，而凿齿一心忠于晋氏，携家眷隐居山林。①

——写徐广忠于晋室。徐广受尚书令王珣钦佩、举荐，修撰国史，作《晋纪》四十六卷。在桓玄篡位后，晋安帝出宫，徐广陪列，悲动左右。待到刘裕受禅，晋恭帝逊位时，唯独徐广涕泗交流，对友人谢晦感慨道："君为宋朝佐命，吾乃晋室遗老，忧喜之事固不同时。"后来徐广告老归田，不问政事，与典籍为伴。②

《晋书》卷八十二中对两晋史家德行操守的叙述和评论，使人们联想起唐高祖《修六代史诏》中对"良直"之臣的诉求。这表明，在唐人眼中，一位优秀的史学家，不仅要有才学的修养，还要有做人的刚直、为臣的忠诚。因此，房玄龄等人修《晋书》中对两晋史家的批评，实际上也是在警示时人和后人。

第二，评论史学家的才华、学识。如：虞溥，"从父之官，专心坟籍"；孙盛，"笃学不倦，自少至老，手不释卷"；习凿齿，"少有志气，博学洽闻，以文笔著称"；徐广，"世好学，至

---

① 房玄龄等：《晋书》卷八二《习凿齿传》，中华书局1974年版，第2154页。
② 房玄龄等：《晋书》卷八二《徐广传》，中华书局1974年版，第2159页。

广尤为精纯，百家数术无不研览”；谢沈，“博学多识，明练经史”，“闲居养母，不交人事，耕耘之暇，研精坟籍”；等等。从这些记载中可以看到，唐人笔下的两晋史家都是博学多才之士。

《晋书》卷八二还着重叙述了出身皇亲贵胄，少年时代“好色薄行”的司马彪，在出继旁支后，改过自新，“不交人事，而专精学习，故得博览群籍，终其缀集之务”的事迹。司马彪的转变赢得了《晋书》作者们的肯定，遂大篇幅载录了司马彪修《续汉书》的初衷：

> 泰始中，为秘书郎，转丞。注《庄子》，作《九州春秋》。以为“先王立史官以书时事，载善恶以为沮劝，撮教世之要也。是以《春秋》不修，则仲尼理之；《关雎》既乱，则师挚修之。前哲岂好烦哉？盖不得已故也。汉氏中兴，讫于建安，忠臣义士亦以昭著，而时无良史，记述烦杂，谯周虽已删除，然犹未尽，安、顺以下，亡缺者多”。彪乃讨论众书，缀其所闻，起于世祖，终于孝献，编年二百，录世十二，通综上下，旁贯庶事，为纪、志、传凡八十篇，号曰《续汉书》。[①]

司马彪任职期间，主动承担起撰修东汉史的职责，并以“先王立史官以书时事，载善恶以为沮劝，撮教世之要也”作为

① 房玄龄等：《晋书》卷八二《司马彪传》，中华书局1974年版，第2141–2142页。

修史宗旨，突出地反映了他自觉的修史意识和良史之志。显然，《晋书》作者们对于司马彪的史学贡献是持肯定态度的，《续汉书》八志流传至今，成为治东汉史的重要文献，就是最好的证明。

第三，评论两晋史家的历史撰述技能。《晋书》卷八十二记孙盛撰《晋阳秋》，称其“词直而理正，咸称良史焉”；[①] 干宝撰《晋纪》，“自宣帝迄于愍帝五十三年，凡二十卷，奏之。其书简略，直而能婉，咸称良史”。[②] 这两处都是讲“良史”工文，“词直”是说孙盛写史如实直书；“能婉”是说干宝撰文顺达通畅。在褒赞孙盛、干宝史笔的同时，《晋书》作者们还批评王隐：“虽好著述，而文辞鄙拙，芜舛不伦。其书次第可观者，皆其父（王铨）所撰；文体混漫义不可解者，隐之作也。”[③] 这些直接针对文辞、文体所发出的批评，表明《晋书》作者们十分看重史学家文字表述和编撰义例的能力。

在房玄龄等人眼中，两晋时期的史家，或多或少存在着不足之处，即使是孙盛、干宝这种正直之士，其所著之书也是“惜非正典”，唯有陈寿一人可以称得上德才兼备。《晋书·陈寿传》正文首先叙述陈寿少年好学，师从同郡谯周，才华横溢。接着写陈寿入蜀为官，“宦人黄皓专弄威权，大臣皆曲意附之，寿独不为之屈，由是屡被谴黜”，交代了陈寿不为权势所撼的品格。果然，司空张华“爱其才，以寿虽不远嫌，原情不至贬废，举为

---

① 房玄龄等：《晋书》卷八二《孙盛传》，中华书局 1974 年版，第 2148 页。
② 房玄龄等：《晋书》卷八二《干宝传》，中华书局 1974 年版，第 2150 页。
③ 房玄龄等：《晋书》卷八二《王隐传》，中华书局 1974 年版，第 2143 页。

孝廉，除佐著作郎，出补阳平令”。其后又写陈寿撰《蜀相诸葛亮集》，以及魏吴蜀《三国志》，凡六十五篇，“时人称其善叙事，有良史之才”。当时另有夏侯湛撰《魏书》，见陈寿所作《三国志》，自惭形秽，销毁了自己所撰《魏书》。[①]《晋书》作者们在后论中写道：“古之王者咸建史臣，昭法立训，莫近于此。若夫原始要终，纪情括性，其言微而显，其义皎而明，然后可以茵蔼缇油，作程遐世者也。丘明即没，班马迭兴，奋鸿笔于西京，骋直词于东观。自斯已降，分明竞爽，可以继明先典者，陈寿得之乎！”[②] 从《晋书》作者们对陈寿生平的叙述和评价可以看出，陈寿本人的品性及其史学成就得到了两晋时人的赏识和《晋书》作者们的肯定，是贞观史臣们眼中一位真正的“良史”，由此成为他们学习的榜样。

结合上述内容，我们有理由相信，唐人修撰《晋书》卷八十二时，已经尽可能地囊括了两晋史家事迹，由此构成了一篇特别的史学家群传，大大提升了史学家的历史地位。我们今天看到五代刘昫等所修《旧唐书》卷一百四十九、北宋欧阳修等所修《新唐书》卷一百三十二都是专写史学家群像的列传，这都反映出《晋书》卷八十二在中国史学史和史学批评史上留下的烙印。

《晋书》卷八十二对史学家之德行操守的关注，以及对史学家之学识才华的品评，在刘知幾提出的“史才三长”说那里得到了进一步的理论升华。

---

① 以上见房玄龄等：《晋书》卷八二《陈寿传》，中华书局1974年版，第2137-2138页。

② 房玄龄等：《晋书》卷八二后论，中华书局1974年版，第2159页。

第二节 “史才三长”说的提出及其理论意义

一、“良史”难得之忧

唐高祖、太宗、高宗三朝开展的大规模修前朝史活动，为唐代史学的发展奠定了深厚的根基。与此同时，人们对史学家自身修养的要求愈加严格，一种关于“良史”难得之忧的讨论随之兴起。

第一，朱敬则与《请择史官表》。谏官朱敬则《请择史官表》表达了他对史官选拔的重视和要求：

> 国之要者，在乎记事之官。是以五帝玄风，资其笔削；三王盛事，借以垂名。此才之难，其难甚矣。何以知其然？昔平王东迁，历年数百。齐桓之九合天下，晋文之一战诸侯，秦穆远霸西戎，楚庄利灵南海，礼乐人物，阒尔无闻，今之所存，独载鲁史。向者鲁无君子，记传则遗，雄霸远图，必坠于地，可不惜哉？只如齐周小国之主，尚能留意于史册，齐神武尝谓著作郎魏收曰：“卿勿见陈元康、杨遵彦等在吾目前趋走，谓吾以为勤劳，我后代声名，在于卿手。最是要事，勿谓我不知。”及文宣即位，又尝敕收曰：“好直笔，勿谓惧。我终不作魏太武诛史官。”又周文帝之为相也，纳柳虬之说，特命书法不隐，其志在惩劝如此。

伏以陛下圣德鸿业，诚可垂范将来，傥不遇良史之才，则大典无由而就也。且董狐、南史，岂止生于往代，而独无于此时？在乎求与不求，好与不好耳。今若访得其善者，伏愿勖之以公忠，期之以远大，更超加美职，使得行其道，则天下幸甚！①

朱敬则首先强调，“国之要者，在乎记事之官”，这就把史官的选拔任用提升到了国家大事的地位。接着，他举历史上重视国史修撰的典故，如先秦时期，重视设立记事之官的鲁国，其国史流传于世，而秦穆公、楚庄公的英雄事迹却不见于史册。他又赞赏北齐、北周的君主命史官书法不隐，惩恶劝善，其目的是为了说明史官、史书的重要功能。最后，他联系现实世界，指出不任用和提拔“良史”，就会使君主的“圣德鸿业”湮没于历史的漫漫长河。这里，朱敬则提出了一个重要问题，史官的善任与否关乎帝王之业在后世的流传情况，为此他表现出一种强烈的忧患意识，即“此才之难，其难甚矣”。

第二，刘知幾与《史通·核才》篇。对于朱敬则提出“此才之难，其难甚矣”的问题，史学批评家刘知幾也有深刻的认识和共鸣，他在《史通·核才》篇中，发出了这样的感慨：

夫史才之难，其难甚矣。《晋令》云：“国史之任，委

① 王溥：《唐会要》卷六三《史馆上》，上海古籍出版社2006年版，第1298页。

之著作，每著作郎初至，必撰名臣传一人。”斯盖察其所由，苟非其才，则不可叨居史任。[①]

刘知幾认为，“国史之任，委之著作”，“苟非其才，则不可叨居史任”，这里说的“才”不单单指向史官的才学修养，它更近于一种综合的要求，是一名优秀史官所应具备的各方面素质。

史载，武则天长安三年（703），朱敬则与刘知幾同撰《唐书》八十卷，那么，从朱敬则所言“此才之难，其难甚矣”，到刘知幾提出“史才之难，其难甚矣”，二者思想上的一致性当无疑义。这种关于“良史”难得的忧虑，是这一时期学者们对于“良史之才”的共同诉求，反映出唐代史家主体意识和自律精神的提升。

二、为何“文士多而史才少”？

据两《唐书》刘知幾本传记载，礼部尚书郑惟忠曾向掌修国史的刘知幾提出了一个问题：“自古已来，文士多而史才少，何也？”[②] 这个问题的提出，激发了刘知幾这位史学批评家在心中酝酿已久的关于史学家才、学、识的观点，并使之留于史册，是为著名的“史才三长”论。

前文提到，唐太宗贞观年间的史官群体中多有“良史之才”，而《晋书》卷八十二为两晋史家立群传则大大提升了史学

---

① 刘知幾：《史通·核才》，浦起龙《史通通释》本，上海古籍出版社2009年版，第231页。
② 刘昫等：《旧唐书》卷一〇二《刘子玄传》，中华书局1975年版，第3173页。

家的历史地位。那么，为什么半个多世纪之后，礼部尚书郑惟忠仍发出“自古文士多而史才少”的疑问呢？

首先，从史官的人物身份及其群体构成来看，唐初史官大多以文学之士担任。纵观盛唐时期大规模修史工作所汇聚的学者，他们虽然在中国史学史上作出了突出贡献，亦有许多被称为“良史之才”，但归根结底仍以文人自居。例如，撰写《周书》史论的岑文本就是一位博综经史的大文学家，有文集六十卷。史载文本“美谈论，善属文”,[①] 其他参与修史之人也多善文辞，如房玄龄、虞世南、姚思廉、于志宁、孔颖达等人皆供职于唐太宗为秦王时所设立的文学馆。唐太宗李世民登基后，又设立弘文馆，是为文学馆的延续。文人修史，喜采奇文异说，后来房玄龄等人所修《晋书》就因此而受到诟病。唐太宗显然很早注意到了这个问题，遂于贞观三年（629）别置史馆于禁中,[②] 完善了史官制度，并同时提高了史官选拔即史学家入仕的要求。他还下令“进士加读经、史一部”,[③] 意图培养专业的史才，但这并未能改变“世重文藻”之风。因此，当历史发展至郑惟忠、刘知幾所生活的时代时，他们仍然面临着“每两省虚职，乐观伫才，凡所拜授，必推文士”[④] 的情况，由此发出了“文士多而史才少”的疑问和感叹。

其次，从唐代史家的学风来看，他们本身也受到魏晋以来重

---

① 刘昫等：《旧唐书》卷七〇《岑文本传》，中华书局1975年版，第2535页。
② 王溥：《唐会要》卷六三《史馆上》，上海古籍出版社2006年版，第1285页。
③ 欧阳修、宋祁：《新唐书》卷四四《选举志上》，中华书局1975年版，第1160页。
④ 刘知幾：《史通·核才》，浦起龙《史通通释》本，上海古籍出版社2009年版，第233页

文风气的影响。唐人所修八部正史的人物传记中，往往表现出一种重文学的倾向。如姚思廉《梁书》写沈约“盖一代之英伟”[①]；《陈书》写江总“持清标简贵，加润以辞采，及师长六官，雅允朝望”[②]；令狐德棻等人在《周书·王褒庾信列传》后论中，以大篇幅详细论述中国古代文学的起源及其社会价值；[③] 魏徵等人修《隋书》大力推崇李德林、卢思道、薛道衡、虞世基等人的文学成就；等等。这种以文学成就高低来叙述和评定历史人物的论述，在唐修八史中比比皆是。从列传的设置上看，《北齐书》有《文苑传》；梁、陈、隋三《书》均有《文学传》；在《晋书》中，虽然作者们为史学家设立了群传（卷八十二），但《文苑传》却以类传形式独立出现，直观地反映出文学比史学更受到关注。一些在史学上贡献突出的人物，因其文坛地位而被置于《文苑传》中，如东晋史家袁宏撰《后汉纪》，与范晔《后汉书》并被刘知幾称为“世言汉中兴史者，唯范、袁二家而已”，[④] 但《晋书》作者着意于叙述袁宏“有逸才，文章绝美”，为“一时文宗”的文学成就，故将其列入《文苑传》之中，致使其史学家的身份几近于湮没。

再次，从个人修养的角度来看，人们对史才的要求往往更加严格。在历史上，大史学家往往是大文学家，两汉之司马谈、迁父子，班彪、班固父子，陈寿写《三国志》、范晔写《后汉书》，

---

① 姚思廉：《梁书》卷一三后论，中华书局 1973 年版，第 244 页。
② 姚思廉：《陈书》卷二七后论，中华书局 1972 年版，第 354 页。
③ 令狐德棻：《周书》卷四一后论，中华书局 1971 年版，第 742-743 页。
④ 房玄龄等：《晋书》卷九二《文苑·袁宏传》，中华书局 1974 年版，第 2391-2392 页。

都反映出这个特点。同时，一部好的史学著作往往也是一部耐人寻味的文学作品，两《唐书》中的多处记载表明“善属文”是唐代史家的基本素养。修《顺宗实录》的韩愈、修《建中实录》的沈既济，也都因他们在文学上的贡献而扬名后世。可以认为，“善属文”是“良史之才”的必要不充分条件，也就是说，一位良史往往同时是一位杰出的文章家，而一位著名的文士却不一定要有突出的史学造诣。这也在一定程度上促成了“文士多而史才少”的学术氛围和社会现象。

质而言之，在刘知幾任职于史馆的二十余年中，关于“良史”难得之忧和“文士多而史才少”的观念已经成为史馆中的一种共识。而这种观念一直发展至清代史学理论集大成者章学诚那里，仍然发出“千古多文人而少良史”[①] 的感叹。

三、刘知幾“史才三长”说的理论意义

面对郑惟忠提出“文士多而史才少”的问题，刘知幾从史学家的自身修养出发，结合自身丰富的修史经历，提出了他的看法，即著名的“史才三长”论，以此回应“史才”难得的问题。《旧唐书·刘子玄传》记载：

> 礼部尚书郑惟忠尝问子玄曰：“自古已来，文士多而史才少，何也?”对曰：“史才须有三长，世无其人，故史才

① 章学诚：《文史通义·史德》，叶瑛《文史通义校注》本，中华书局2014年版，第257页。

少也。三长：谓才也，学也，识也。夫有学而无才，亦犹有良田百顷，黄金满籯，而使愚者营生，终不能致于货殖者矣。如有才而无学，亦犹思兼匠石，巧若公输，而家无楩楠斧斤，终不果成其宫室者矣。犹须好是正直，善恶必书，使骄主贼臣，所以知惧，此则为虎傅翼，善无可加，所向无敌者矣。脱苟非其才，不可叨居史任。自敻古已来，能应斯目者，罕见其人。”时人以为知言。①

《新唐书》记载内容大致相同，略有简化。可以看出，在两《唐书》修撰者的笔下，刘知幾提出“史才三长”论，正是针对时任礼部尚书郑惟忠所发“文士多而史才少”这一问题而展开论述的。“才也，学也，识也”中的“才”，相对于“史才须有三长”中的“才”，前者是一个更加具体的范畴，它主要指向史学家的撰修能力，包括叙事、议论、裁剪史料、运用史体等各方面素质。刘知幾认为，如果缺少了这样的撰修能力，那么就如同让笨拙之人去经营百亩良田，始终是不能获得收益的。所谓“学”，是指历史学家所掌握的具体知识。正如《易·大畜》说“君子多识前言往行，以畜其德”，刘知幾认为，史学家必须掌握综合的知识，才能把它们就像筑造宫殿运用工具打造匠石一样填充进史书的骨架，成为史书的血肉。所谓“识”，是针对史学家的品格、胆识而言。刘知幾说，“识”要求史家“好是正直，

① 刘昫等：《旧唐书》卷一〇二《刘子玄传》，中华书局1975年版，第3173页。

善恶必书”，这和他在《史通·直书》篇中强调“直书其事，不掩其瑕”的思想是一致的。刘知幾认为，“才”“学”“识”是相辅相成的关系，三者缺其一，则不可称为真正的“史才”，不可叨居史职。可以看出，刘知幾的“史才三长”说，虽未直接讨论“良史”，但其所论内容，字字围绕“史才”，句句针对史家，是一篇重要的“良史”之论。

今天，我们从中国古代史学批评的发展史的角度来看，刘知幾的突出贡献在于，他将两汉魏晋南北朝隋唐长期以来人们关于史家修养的讨论凝练成“才”“学”“识”三个史学批评范畴，对当时和后世史学批评的发展产生了重要影响。“史才三长”说的理论意义在于：第一，作为史家自律的要求。刘知幾《史通·忤时》篇中提出史馆修史的“五不可”，是基于他本人丰富的史官经历而得到的认识，反映了他身为史官而对自身所处群体的一种深刻的反思。同样，“史才三长”说的提出，也是这种反思意识和自律精神的写照。“史才三长”提出后，被“时以为笃论”,[①] 成为唐人治史的风向标。唐德宗时期，赵元一以其亲身经历撰写《奉天录》，记述了建中四年（783）泾原之变，唐德宗仓皇出逃至奉天的历史。赵元一在《奉天录》自序中写道：

> ……法令施而逆子诛，《春秋》书而贼臣惧。……每思南史之笔，班马之作，莫不废食仰叹，且洪流壤堤犹可塞

① 欧阳修、宋祁：《新唐书》卷一三二《刘子玄传》，中华书局1975年版，第4522页。

也，烈火燎原尚可扑也，逆臣贼子难可迩也。睹此妖孽，摇动中原，莫不痛心疾首。是用书之简素，使好我者慕，恶我者惧。……夫史官之笔，才、识、学也；苟无三端，难以措其手足。元一不敏，敢窃凤凰之一毛，以效麒麟之千里。独学而无知，孤陋而寡闻，迹不践于邱门，文有惭于先哲。轻尘罕增于巨岳，坠露无益于广川。辄中萤烛之光，将助太阳之照。述而不作，有愧老彭。冀革前非，用警来祀云尔。[①]

在这篇序言中，赵元一反复地强调修史要惩恶劝善，直书实录，并以“夫史官之笔，才、识、学也；苟无三端，难以措其手足”来鞭策自己。是否可以这样认为：假使没有刘知幾的“史才三长”说，我们今天也许就没有机会看到这样一部秉笔直书的《奉天录》，那么，后人距离泾原之变的历史面貌就更加疏远了。这深刻地反映了刘知幾“史才三长”说的学术价值和历史影响。

第二，作为史学批评的标准。刘知幾“史才三长”说提出以后，历代史家围绕才、学、识三个范畴展开了讨论，使之成为一条史学批评的原则和标准。[②] 明人胡应麟论史家修养时，曾指出：“才、学、识三长，足尽史乎？未也。有公心焉、直笔焉。五者兼之，仲尼是也。董狐、南史，制作亡征，维公与直，庶几

① 赵元一：《奉天录序》，董诰等编：《全唐文》卷五二六，中华书局1983年版，第6723页。

② 论者认为，“经过宋朝的推扬，‘史才三长’论终成中国传统史家标准论的代名词”，见王嘉川：《唐宋元时期的“史才三长”论》，《史学理论研究》2014年第2期。

尽矣。秦汉而下，三长不乏，二善靡闻。"[1] 所谓"公心"和"直笔"实际上也是在"才""学""识"三个范畴基础上发展而来的。清代史学理论家章学诚论史家之德时，指出："才、学、识三者，得一不易，而兼三尤难。千古多文人而少良史，职是故也。……非识无以断其义，非才无以善其文，非学无以练其事，三者固各有所近也，其中固有似之而非者也。记诵以为学也，辞采以为才也，击断以为识也，非良史之才、学、识也。"[2] 可以看到，虽然章学诚认为刘知幾的"史才三长"说不尽完备，但是，正是"史才三长"说的存在激发了章学诚对于才、学、识三者关系的综合思考，并进一步提出"史德"这一新的批评范畴。在《文史通义》的《书教》《文德》《妇学》《与邵二云论修宋史书》等篇中，章学诚亦反复论及才、学、识。可见，在中国古代史学批评史上，"史才三长"说自提出以后，始终散发着它的魅力，甚至于文学批评家也吸收和借鉴了才、学、识这三个批评范畴。[3] 近代以后，梁启超大力倡导"新史学"，提出史家四长，即德、学、识、才，这也是站在刘知幾的肩膀上而作出的引申。时至今日，人们评价一个史学家，也未脱离"史才三长"说所提供的基本范畴，足见刘知幾"史才三长"说在中国史学批评史上所产生的深刻影响。

---

① 胡应麟：《史书占毕》卷一，见《少室山房笔丛》，中华书局 1958 年版，第 167-168 页。

② 章学诚：《文史通义·史德》，叶瑛《文史通义校注》本，中华书局 2014 年版，第 257 页。

③ 清人袁枚论："作史三长：才、学、识缺一不可，余谓诗亦如之，而识最为先。非识，则才与学俱偾用矣。"见《随园诗话》卷三，人民文学出版社 1982 年版，第 87 页。

第三节　关于史书体裁的辩难和“良史”观的新发展

一、关于编年、纪传优劣的辩难

任何事物都有其发生、发展的规律。在中国古代史书体裁的发展史上，一般说来，编年体史书出现较早，这与人们对时间的感知有关，也与甲骨文、金文的纪年有关。周厉王统治前后，中国历史有了准确的纪年，由此周王朝和一些诸侯国开始有了编年纪事的国史。[①] 孔子据鲁国国史而作《春秋》，其后《左传》《公羊传》《谷梁传》等书使编年体史书大行于世。汉武帝时代，太史公司马迁综合传世文献，创立了纪传体史书《史记》，作十二本纪、三十世家、七十列传、十表、八书，容纳和反映了社会历史的多方面内容。班固继而在《史记》的基础上断代为史，以成《汉书》，开创了纪传体皇朝史的先河，故至魏晋南北朝时期出现了纪传体朝代史撰述的高潮。在这个过程中，东汉荀悦的《汉纪》和东晋袁宏的《后汉纪》，尝试在编年体史书中网罗更多的历史人物，使编年体朝代史的撰述熠熠生辉，反映出编年、纪传二种史书体裁之间的相互影响。降至盛唐，在统治者的支持下，史馆大规模修前朝史，纪传体大行于世。中唐以后，则出现了编年体史书的复兴，如马总《通历》、柳芳《唐历》、姚康

① 参见白寿彝：《中国史学史》第 1 卷《先秦时期　中国古代史学的产生》，上海人民出版社 2006 年版，第 131-137 页。

《统史》等。可以说，一直到南宋袁枢《通鉴纪事本末》问世以前，编年体和纪传体始终占据着史书体裁发展的主导地位，二者交互影响，辩证发展。

从史学批评史上看，关于编年体和纪传体的辩难发展至隋唐时期已经成为一个多年聚讼的问题。例如，由北齐入隋的史官魏澹引范晔论："《春秋》者，文既总略，好失事形，今之拟作，所以为短。纪传者，史、班之所变也，网罗一代，事义周悉，适之后学，此焉为优，故继而述之。"他在此基础上认为，"司马迁创立纪传以来，述者非一，人无善恶，皆为立论。计在身行迹，具在正书，事既无奇，不足惩劝"，[①] 故作纪传体《魏书》。又如，唐初史官批评干宝《晋纪》、孙盛《晋阳秋》采用编年体，认为他们"所著之书惜非正典"[②]。这反映出，纪传体史书在隋朝至唐初时期的史学辩难中占据优势。

首先说刘知幾"二体"论和皇甫湜《编年纪传论》。在唐代，第一位对史书体裁问题作出理论总结的，是史学批评家刘知幾，他撰写的《史通》，首卷设立《六家》《二体》两篇，专门讨论史体问题。刘知幾对于史书体裁问题的贡献在于，他将关于编年、纪传孰优孰劣这个多年聚讼的问题凝练成"二体"论，并从史书体裁发展史的角度作出了总结，提出了二者不可偏废的综合的观点。

刘知幾在《史通·二体》篇中首先追溯了史书体裁的产生

---

① 魏徵等：《隋书》卷五八《魏澹传》，中华书局1973年版，第1419页。

② 房玄龄：《晋书》卷八二后论，中华书局1974年版，第2159页。

和发展，指出：“丘明传《春秋》，编年之祖。子长著《史记》，纪传之祖。载笔之体，于斯备矣。后来继作，相与因循，假有改张，变其名目，区域有限，孰能逾此！盖荀悦、张璠，丘明之党也；班固、华峤，子长之流也。惟此二家，各相矜尚。”这里，刘知幾是以《左传》和《史记》分别为编年体史书和纪传体史书的源头的。

接着，刘知幾对编年体和纪传体的优劣分别予以详细地剖析，他认为编年体史书的优点是便于阅览，“形于目前”，且文字简略，“语无重出”；而缺陷是对于一些重要的人物事件，缺乏细节描写，“纤芥无遗，语其粗也”。纪传体史书的长处在于通过本纪、列传、表、志等综合的体例，囊括天文、地理、国典、朝章等历史发展的方方面面；短处则是文字上的重复，“若乃同为一事，分在数篇，断续相离，前后屡出”，以及人物编次上的前后错置。如此看来，在刘知幾眼中，编年体和纪传体各有千秋，不可偏废。

刘知幾还看到东汉学者们对史书体裁作了探索：“班固以国例迁，设纪传以区分，使其历然可观，纲纪有别。荀悦厌其迂阔，又依左氏成书，翦截班史，篇才三十，历代褒之，有逾本传。”因此，刘知幾在《史通·二体》篇中，以班固《汉书》和荀悦《汉纪》分别作为编年体史书和纪传体史书的代表，并总结道：“班、荀二体，角力争先，欲废其一，固亦难矣。后来作者，不出二途。”[①]这里，他说编年、纪传“角力争先”，是一种辩证的态度。然而，所谓“后来作者，不出二途”，则反映了他所处时代史学发展以及基于此而形成的史学观念的局限性，毕竟，半个多世纪之后，典制体史书《通典》就问世了，而南宋袁枢《通鉴纪事本末》一出，则使纪事本末体一跃成为与编年、纪传具有相同地位的史书体裁，这就打破了“后来作者，不出二途”的格局。

再说裴光庭和萧颖士推崇编年体。唐玄宗开元年间，一种推崇编年而贬抑纪传的思潮流行起来。开元二十年（732），侍中裴光庭奏请修《续春秋》，他认为：“臣闻圣人述作，先宅天人之心，次纪皇王之迹，垂谟训于万代，示褒贬于一方。……《春秋》之义，非圣人谁能修之。伏惟陛下辟四门，修六典，高视风雅，发挥经术。微臣末学，待罪阿衡，职兼宏文，惧不胜任。昔《晋书》文词繁冗，穿凿多门，太宗特纡宸衷，亲为刊削，兼命儒学以成赞论，书称‘御制’。”[②] 裴光庭批评司马迁、班固所创纪传体有失《春秋》褒贬凡例。因此，他意在模仿《春秋》而重新修撰一部上起周代，下至隋朝的编年体通史。他的修撰计划没有真正完成，然而，在唐玄宗的支持下，编年体通史的撰写悄然复兴。

同样身处唐玄宗时期的著名文人萧颖士也是一位大力推崇编

① 以上所引见刘知幾：《史通·二体》，浦起龙《史通通释》本，上海古籍出版社2009年版，第26页。

② 王钦若等：《册府元龟》卷五五六《国史部·采撰二》，中华书局1982年版，第6684页。

年体的学者，他在给史官韦述的书信中写道：

古者左史记事，右史记言。记事者《春秋》经，记言者《尚书》是也。周德既衰，史官失守。孔圣断唐虞以下，删帝王之书，因《鲁史记》而作《春秋》，托微词以示褒贬。全身远害之道博，征恶劝善之功大。……有汉之兴，旧章顿革。马迁唱其始，班固扬其风，《纪》《传》平分，《表》《志》区别。其文复而杂，其体漫而疏，事同举措，言殊卷帙。首末不足以振纲维，支条适足以助繁乱，于是圣明之笔削、褒贬之文废矣。后进因循，学犹不及，竟增泛博，弥敦简要，其迷固久，非可一二言也。……①

萧颖士抨击纪传体史书的三个弊端：一在于文字繁复，二在于体例庞杂，三在于有失褒贬。因此，他要依据鲁国史，参考《左传》《公羊传》《谷梁传》等书的内容、体例，作一部“历代通典”。他还历数编年体史书的历史，从先秦《春秋》经传，到荀悦、袁宏二人所作两《汉纪》，再到南北朝时期各国学者所作的编年体史书，以至隋末有《后略》一书“行于世”，这是从史学遗产的角度总结了编年体史书的修撰传统。萧颖士的这番言论，直接向纪传体史书的修撰传统宣战，他的目的就是要“扶孔、左而中兴，黜迁、固为放命”。相关的记载也见于《新唐

① 萧颖士：《赠韦司业书》，李昉：《文苑英华》卷六七八，中华书局1966年版，第3494页。

书·萧颖士传》，史载：“（颖士）尝谓：‘仲尼作《春秋》，为百王不易法，而司马迁作本纪、书、表、世家、列传，叙事依违，失褒贬体，不足以训。’乃起汉元年讫隋义宁编年，依《春秋》义类为传百篇。在魏书高贵崩，曰：‘司马昭弑帝于南阙。’在梁书陈受禅，曰：‘陈霸先反。’又自以梁枝孙，而宣帝逆取顺守，故武帝得血食三纪；昔曲沃篡晋，而文公为五伯，仲尼弗贬也。乃黜陈闰隋，以唐土德承梁火德，皆自断，诸儒不与论也。”① 这段记载表明，与裴光庭相较，萧颖士把对《春秋》褒贬的期待和对编年体史书的推崇向前推进了，从这个意义上看，萧颖士真正是这场关于史书体裁的辩难中支持编年体阵营的先锋和战士，但其设想却偏离了史学发展的实际以致落空。

中唐时期皇甫湜撰写的《编年纪传论》，是唐人关于编年、纪传之辩难的集大成之作。皇甫湜，字持正，睦州新安人，有《皇甫湜集》三卷传世。② 皇甫湜生活的时代，是编年体复兴的时代，他清楚地看到了唐玄宗以后人们对于纪传体的抨击，于是在《编年纪传论》的开篇写道：“古史编年，至汉史司马迁，始更其制，而为纪传，相承至今，无以移之。历代论者，以迁为率私意，荡古法，纪传烦漫，不如编年。”由此可见，在皇甫湜的时代，纪传体在这场论争中已然被打压到边缘位置。站在这样一个史学批评发展史上的转折点，皇甫湜在《编年纪传论》中对

① 欧阳修、宋祁：《新唐书》卷二二〇《文艺中·萧颖士传》，中华书局 1975 年版，第 5768 页。

② 欧阳修、宋祁：《新唐书》卷一七六《皇甫湜传》，中华书局 1975 年版，第 5267 页。

史书体裁之论争表现出一种冷静、兼容的态度，文中写道：

> 湜以为合圣人之经者，以心不以迹；得良史之体者，在适不在同。编年、纪传，系于时之所宜、才之所长者耳，何常之有！故是非与众人同辩，善恶得圣人之中，不虚美，不隐恶，则为纪、为传、为编年，是皆良史矣。若论不足以析皇极，辞不足以杜无穷，虽为纪传编年，斯皆罪人。且编年之作，岂非以事系日，以日系月，以月系时，以时系年者哉？司马氏作纪，以项羽承秦，以吕后接之，亦以历年不可中废，年不可阙故书也。观其作之意，将以包该事迹，参贯话言，纤悉百代之务，成就一家之说，必新制度而驰才力焉。又编年纪事，束于次第，牵于混并，必举其大纲，而简于序事，是以多阙载，多逸文，乃别为著录，以备书之言语，而尽事之本末……今之作者，苟能遵纪传之体裁，同《春秋》之是非，文敌迁、固，直踪南、董，亦无上矣。倘谬乎此，则虽服仲尼之服，手握绝麟之笔，等古人之章句，署王正之日月，谓之好古则可矣，顾其书何如哉！[①]

这里，皇甫湜着重强调了“良史之体”的是非观、善恶观、不虚美、不隐恶四条原则。有几点值得特别关注：第一，皇甫湜明确提出“得良史之体者，在适不在同”，即只要掌握正确的方

① 皇甫湜：《编年纪传论》，董诰等编：《全唐文》卷六八六，中华书局 1983 年版，第 7030 页。

法，那么用纪传体或编年体写史，都可称“良史之体”，这是针对魏晋以来关于史书体裁的论辩而作出的总结；第二，他清晰地看到编年、纪传各有优劣，故不可简单地以编年抨击纪传，或以纪传取代编年；第三，他强调史学家应在既有的史学传统的基础上开拓创新，其要求就是，“遵纪传之体裁，同《春秋》之是非，文敌迁、固，直踪南、董”，这是一种很高的要求，包括了体裁、褒贬、文章、直书等诸方面考量。

以刘知幾和皇甫湜二人的观点相较，皇甫湜针对编年体史书提出“尽事之本末”的要求，比之于刘知幾“后来作者，不出二途”的观点，显然是对史书体裁的发展方向提出了新的期许。三百余年后，南宋袁枢以编年体史书《资治通鉴》为底本，修撰《通鉴纪事本末》，开创纪事本末体史书的新时代，可谓是皇甫湜“尽事之本末”这句话的异代知音。

唐人关于史书体裁的辩难，不仅提高了人们对史书体裁之重要性的认识，更加促进了史学家的创新精神。其中，皇甫湜的论述在中国古人关于史书体裁的批评中起着承前启后的作用，既可以看作是宋以前人们关于史书体裁问题的一次理论总结，也为新史书体裁的出现提供了思想上的准备。

二、唐代史家对“良史”的种种表述

自春秋时期孔子提出“董狐，古之良史”之后，在中国史学的发展历程中，随着人们对“良史”概念的反复运用，“良史”逐渐成为中国古代史学批评的一个重要范畴。正如前文所述，中国古代“良史”的内涵随着人们认识的深化而不断丰富和发展，既指向单一的或群体的史官、史家，亦指向历史著作，有时还指向治史之宏志。因此，在人们运用这一范畴来阐述问题时，除了注意到它在历史发展中逐步形成的具有某种相对稳定的内涵时，还应注意到它在不同时期所具有的时代性。以下关于唐人“良史”观的探讨，就是在这一前提下展开的。

第一，史馆修史活动与探索“良史”标准。唐高祖武德元年（618）至唐玄宗开元末年（741），李唐皇朝经历了百余年的发展而达到它的极盛时期。经历了隋朝的骤兴骤亡，唐初统治者非常重视从历史中吸取经验教训。唐太宗在其统治期间常与群臣讨论文史，他的名言“以史为鉴，可以知兴替”表现出对史学功能的重视。唐太宗非常重视修史之人的素养和史籍的优劣，他的“良史”观深刻地影响了唐初的集体修史活动：一方面，唐初史家集体修撰成果丰硕，离不开唐太宗对史学的重视及其制度上的保障；另一方面，唐太宗的“良史”观和史学批评思想又深刻地反映在史馆集体修史的成果之中。

由房玄龄等人修成的《晋书》在一定程度上反映了唐太宗统治集团的“良史”思想。《晋书》作者不仅一一对唐前修撰的晋史及其作者进行了批判，还运用载言的体例记载了两晋时人的“良史”官，如记西晋时人张辅论马班优劣，写道：

迁之著述，辞约而事举，叙三千年事唯五十万言；班固叙二百年事乃八十万言，烦省不同，不如迁一也。良史述事，善足以奖劝，恶足以监诫，人道之常。中流小事，亦无取焉，而班皆书之，不如二也。毁贬晁错，伤忠臣之道，不如三也。迁既造创，固又因循，难易益不同矣。又迁为苏秦、张仪、范雎、蔡泽作传，逞辞流离，亦足以明其大才。故述辩士则辞藻华靡，叙实录则隐核名检，此所以迁称良史也。[①]

张辅所论，从史文烦简、善恶褒贬、评价历史人物、为人物立传等方面指出司马迁“述辩士则辞藻华靡，叙实录则隐核名检”，堪称“良史”。其中，“良史述事，善足以奖劝，恶足以监诫”一句，不仅反映了张辅本人的“良史”观，也说明了唐太宗《修晋书诏》和唐修《晋书》作者所提倡的“良史”观念渊源有自。

唐高宗显庆元年（656），史馆修成《五代史志》，附于《隋书》，故称《隋志》。[②]《隋书·经籍志》总序引述楚灵王称赞左史倚相的话，即：“此良史也，能读《三坟》《五典》《八索》《九丘》。”《隋志》作者针对此言写道：“然则诸侯史官，亦非一人而已，皆以纪言书事，太史总而裁之，以成国家之典。不虚美，不隐恶，故得有所惩劝，遗文可观，则《左传》称《周志》，《国语》有《郑书》之类是也。”[③]《隋志》修成在《晋书》

① 房玄龄等：《晋书》卷六〇《张辅传》，中华书局1974年版，第1640页。底本原作“睢”，此处从之。

② 事见王溥：《唐会要》卷六三《史馆上·修前代史》，上海古籍出版社2006年版，第1288页。

③ 魏徵等：《隋书》卷三〇《经籍志》总序，中华书局1973年版，第904页。

之后，故这里所写的一些话，跟唐太宗《修晋书诏》的思想接近，而与盛唐史家为两晋史家群体立传（即《晋书》卷八二）亦有思想相通之处。或许受到《晋书》卷八十二为史学家立群传的影响，《隋志》作者指出，历史上的“良史”，当是一个个群体的存在、一代代人的延续，所以才产生了重大的作用。《隋志》作者对史官提出了明确的要求和标准，即：史官应具有“博闻强识，疏通知远”的个人修养，修史要奉行“书美以彰善，记恶以垂戒”的撰述原则，只有做到“穷圣人之至赜，详一代之亹亹”，才能称为优秀的史官。[①]

从唐初政治家和史学家针对一代史家或史官而作出的评价和提出的标准来看，他们的“良史”观不仅深刻影响了《晋书》《隋书》等八部正史的修撰，同时也借史官之笔反映在所修史著之中而影响后世。

第二，开展学术辩难与凝练“良史”认识。从唐玄宗天宝初年（约742）开始，李唐皇朝进入了由盛转衰的历史阶段，统治集团内部矛盾和社会危机日益凸显。历史形势的变化深刻影响了史学观念的发展，“史学家对于自身职责与社会之关系的认识，趋向于更加自觉、更加深刻”。[②] 总体上，这一时期的“良史”观在学术辩难中产生了更加具体而丰富的内涵。

辩难的一个主要方面是在关于史官职责的论辩中强调“良史”的德行、勇气与社会责任感。唐宪宗元和八年（813），著

---

① 魏徵等：《隋书》卷三三《经籍志》，中华书局1973年版，第992页。
② 瞿林东：《中国史学史纲》，北京师范大学出版社2010年版，第246页。

名文史学家韩愈任史馆修撰，他在任期曾撰文与刘秀才讨论有关史官职责的问题。在书信中，韩愈对史馆任职表达了“夫为史者，不有人祸，则有天刑”的消极态度，他认为，修史“在据事迹实录，则善恶自见”。[①]

对此，韩愈多年的好友柳宗元在《与韩愈论史官史》中对韩愈的消极观点提出了尖锐批评：

> 退之以为纪录者有刑祸，避不肯就，尤非也。史以名为褒贬，犹且恐惧不敢为；设使退之为御史中丞大夫，其褒贬成败人愈益显，其宜恐惧尤大也，则又扬扬入台府，美食安坐，行呼唱于朝廷而已耶？……又言“不有人祸，则有天刑”。若以罪夫前古之为史者，然亦甚惑。凡居其位，思直其道。道苟直，虽死不可回也；如回之，莫若亟去其位……是退之宜守中道，不忘其直，无以他事自恐。退之之恐，唯在不直、不得中道，刑祸非所恐也。[②]

柳宗元认为，为史官者，“凡居其位，思直其道”，进而提出了“宜守中道，不忘其直”的职业道德要求，这实际上涉及了史学家的德行、勇气和对社会的责任心等问题，[③] 反映出中唐时期史学家的“良史”观具有更鲜明的主体意识。

---

① 韩愈：《韩昌黎全集》外集卷二《答刘秀才论史书》，中国书店出版社 1994 年版，第 486–487 页。

② 柳宗元：《柳河东集》卷三一，上海人民出版社 1974 年版，第 498–499 页。

③ 瞿林东：《中国史学史纲》，北京师范大学出版社 2010 年版，第 247 页。

韩愈的另外一位门生李翱，在唐宪宗元和年间任国子博士、史馆修撰。李翱“性刚急，论议无所避”[①]，曾在与皇甫湜的学术交游中表达了他的“良史”观，他在《答皇甫湜书》一文中写道：

> 唐有天下，圣明继于周、汉，而史官叙事，曾不如范蔚宗、陈寿所为，况足拟望左丘明、司马迁、班固之文哉?!仆所以为耻。……故欲笔削国史，成不刊之书。用仲尼褒贬之心，取天下公是公非以为本：群党之所谓为是者，仆未必以为是，群党之所谓为非者，仆未必以为非。使仆书成而传，则富贵而功德不著者，未必声名于后；贫贱而道德全者，未必不煊赫于无穷。韩退之所谓‘诛奸谀于既死，发潜德之幽光’（按：此句出于韩愈《答崔立之书》[②]），是翱心也。[③]

上述内容，虽不像皇甫湜直接对“良史之体”发论，但亦从四个方面论述了作者的“良史”观念：从价值观念上看，李翱推崇“仲尼褒贬之心”，并以“道德全者”为记述对象，他明确提出“取天下公是公非以为本”，不以“群党”之是非为是非，表现出明确的史学自觉意识；[④] 从撰述内容上看，李翱强调

① 刘昫等：《旧唐书》卷一六〇《李翱传》，中华书局1975年版，第4207页。
② 韩愈：《韩昌黎全集》卷一六《答崔立之书》，中国书店出版社1994年版，第245页。
③ 李翱：《答皇甫湜书》，董诰等编：《全唐文》卷六三五，中华书局1983年版，第6410页。
④ 参见瞿林东：《中国史学史纲》，北京师范大学出版社2010年版，第248页。

记载历史事实，他曾上疏指出史书为人立传不可轻信行状，而应做到要“指事说实，直载其词，善恶功迹，皆据事实足以自见矣”①；从文字表述来看，李翱提倡范晔、陈寿叙事简洁之风，欲“笔削国史，成不刊之书”。史称李翱“性峭鲠，论议无所屈”②，他的史学思想往往表现出中晚唐时期“良史”观在学术辩难中走向深刻的发展路向。

辩难的又一个重要方面是将孔子作《春秋》作为“良史”标准。从唐玄宗开元年间裴光庭提出“约周公旧规，依仲尼新例”并得到唐玄宗的认可开始，人们将“良史”标准与孔子《春秋》更紧密地联系起来。例如，唐德宗、唐穆宗的修史诏书中明确提出“劝惩教化”的起源“在于《春秋》”，“彰善瘅恶”则是“仲尼《春秋》之职业”，这一点在盛唐统治者的修史诏书中并未体现。中唐时期的一些学人也持有这样的观点，如沈既济指出：“故善恶之道，在乎劝诫；劝诫之柄，存乎褒贬。是以《春秋》之义，尊卑轻重升降，几微仿佛，虽一字二字，必有微旨存焉。”③ 又如史官柳芳之子柳冕有一篇针对史官的史评指出：

> 昔周公制礼五百年，而夫子修《春秋》，夫子没五百年，而子长修《史记》。迁虽不得圣人之道，而继圣人之

---

① 王钦若等：《册府元龟》卷五五九《国史部·论议二》，中华书局1982年版，第6715页。

② 欧阳修、宋祁：《新唐书》卷一〇二《李翱传》，中华书局1975年版，第4280–4282页。

③ 沈既济：《论则天不宜称本纪议》，董诰等编：《全唐文》卷四七六，中华书局1983年版，第4866–4867页。

志；不得圣人之才，而得圣人之旨，自以为命世而生，亦信然也。……迁之过，在不本于儒教以一王法，使杨朱墨子，得非圣人，此迁之罪也。不在于叙远古，示将来也。

……夫圣人之于《春秋》，所以教人善恶也，修经志之，书法以劝之，立例以明之……故夫求圣人之道，在求圣人之心；求圣人之心，在书圣人之法。法者，凡例褒贬是也……苟知圣人之法，则知《春秋》之可兴；知《春秋》之可兴，则君子乎哉！[①]

柳冕明确提出“书圣人之法”“求圣人之心”“求圣人之道”是史官修史的标准。柳冕肯定了司马迁“（有）雄才，奋史笔，不虚美，不隐恶，守凡例而书之”，但他批评司马迁舍弃了《春秋》书法，指出“《春秋》尚古，而迁变古”，从这个角度出发，司马迁虽然在撰述上有伟大功绩，但因不知“圣人之法”，而不可称为“良史”。

唐代的儒学、文学与史学关系密切，《春秋》学派的兴起和古文运动的波及，都对“良史”观念的发展变化有一定的影响。中晚唐时期的“良史”观还表现在对文学家之史学成就的褒扬上。李肇《唐国史补》评价沈既济撰《枕中记》，似“庄生寓言之类”，韩愈撰《毛颖传》，“其文尤高，不下史迁”，称其二者

① 柳冕：《答孟判官论宇文生评史官书》，董诰等编：《全唐文》卷五二七，中华书局 1983 年版，第 5355 页。

“真良史才也”。[1] 这一记载，以“真良史才”褒奖文学作品，似并不妥当，但却从一个方面反映出唐人的“良史”观念产生了更加广泛的社会关注。中唐以后论“良史”者，除统治者外，大多是思想家、文学家，而少有史学家，这一方面是因为安史之乱后传世文献散佚，史学发展史上缺少有大作为的史学家，另一方面在一定程度上反映出中唐以后史学的发展向社会各领域渗透的趋势。

从唐人史学批评的根源上看，唐人关于“史才”与“良史”的讨论，是两汉魏晋南北朝以来史学批评传统的延续；而唐人对于史学功能的重视，则来源于有唐一代所创立的大一统的政治格局与社会背景。正是由于学术、政治、社会三者间的紧密关联，才激发出刘知幾的“史才三长”说以及唐人“良史”等观念的种种论述，从而促进史学批评的进一步发展，并促使史学家将这种反思意识和自律精神贯彻到史书修撰之中，由此产生了深刻的社会影响。有唐一代“良史”“史才”等观念的不断丰富和发展对史书修纂、史学思想、史学批评都产生了深刻影响。唐以后，“良史”观继续得到丰富和发展，与不同的时代思潮相结合，继续与史学的实践相辅相成。

---

① 李肇：《唐国史补》卷下，上海古籍出版社 1979 年版，第 55 页。

第六章　史注家的史学批评意识

为史作注，是魏晋南北朝隋唐时期历史文献学发展的一个重要方面。《汉书》颜师古注（下称《汉书》颜注）、《后汉书》李贤注，以及司马贞《史记索隐》、张守节《史记正义》可称为唐人史注的四部代表作。在具体的研究中，我们看到，唐人史注中常有注者对于史书、史才和史学的评论，由此成为唐代史学批评中的一个重要环节，这是因为，为史作注常被看作是注者表达史学见解的最直接的方式。史注家的史学批评思想一般散见于不同的注文之中，难得形成理论体系，但在史学批评史上，仍有其独特价值。

第一节　史注家提出的问题

一、颜师古《汉书叙例》提出的问题

唐太宗贞观十一年（637），出身儒学世家的颜师古受太子李承乾之命注释《汉书》，史载："时承乾在东宫，命师古注班

固《汉书》，解释详明，深为学者所重。承乾表上之，太宗令编之秘阁，赐师古物二百段、良马一匹。”[①]《汉书》颜注是“汉书学”史上的一座丰碑，也是中国古代史学史上的重要成果。

颜师古，名籀，以字行。师古出身名儒世家，他少览群书，精通文字训诂之学，长于文章之道。颜师古在李世民居秦王时期就受到重用，史载：“武德初，隐太子与秦王、齐王相倾，争致名臣以自助。太子有詹事李纲、窦轨、庶子裴矩、郑善果、友贺德仁、洗马魏徵、中舍人王珪……秦王有友于志宁、记室参军事房玄龄、虞世南……敦煌公府文学颜师古……齐王有记室参军事荣九思、户曹武士逸、典签裴宣俨，（袁）朗为文学。”[②] 在李世民登基后，颜师古与魏徵、岑文本等人同为贞观年间统治集团的核心人物，他们受到皇帝的委命，收购天下图书。但是，由于颜师古个性简峭，行事傲慢而屡屡遭贬，“仕益不进，罔然丧沮”，其后，师古“阖门谢宾客，巾褐裙帔，放情萧散，为林墟之适”。[③] 也许正是由于这个原因，我们今天所见吴兢《贞观政要》中，只有一处记载了颜师古的谏言，这与魏徵、岑文本等人相比，所距甚远。[④] 贞观十九年（645），颜师古随唐太宗东征，病逝于途中，时年六十五岁。

琅琊颜氏人才辈出，颜师古的治学风格也深受家学传统的熏陶。颜师古祖父颜之推为南北朝时名儒，所著《颜氏家训》是

---

① 刘昫等：《旧唐书》卷七三《颜师古传》，中华书局1975年版，第2595页。
② 欧阳修、宋祁：《新唐书》卷二〇一《袁朗传》，中华书局1975年版，第5269页。
③ 欧阳修、宋祁：《新唐书》卷一九八《颜师古传》，中华书局1975年版，第5642页。
④ 吴兢：《贞观政要》卷七《崇儒学》，上海古籍出版社1978年版，第220页。

中国古代家庭教育史上的丰碑，被后世誉为“家教规范”，由此可知，颜氏家族非常重视家庭教育和家学传承。颜师古之父颜思鲁，以学艺称，以儒学显，武德初年为秦王府记室参军。颜师古之弟颜相时，亦以学闻，武德年间为秦府学士。[①] 而在史学上对颜师古影响最深刻的，是他的叔父颜游秦，史载：游秦“撰《汉书决疑》十二卷，为学者所称，后师古注《汉书》，亦多取其义耳”[②]。由此可见，颜氏在唐前期形成了一个重要的史学世家。

颜师古崇尚古文之学，这从他以《易》为六经之首、提倡用古字等做法可见一斑。同时，颜氏家族擅长书法，尤以草隶书闻名于世，而师古却以篆籀（即古书体）见长，这也从一定程度上反映出其好古的治学风格，可谓人如其名。师古长于儒史，他与魏徵皆为“当世名儒”[③]，又与爱好经史的杨纂、令狐德棻交游密切，史载：“（杨）纂略涉经史，尤明时务。少与琅邪颜师古、燉煌令狐德棻友善。”[④] 师古又擅属文，武德中，“诏诰及军国大事，文皆出于颜师古”，时人温彦博也曾评价他“谙练时事，长于文法”。[⑤] 师古不仅钻研学术，更关注时事，正是这种治学中经世致用的底蕴，使他有机会参与多部重要官方著作的修撰，如与司马才章、王恭、王琰等诸儒士受诏撰定《五经》义

① 参见刘昫等：《旧唐书》卷七三《颜师古传》，中华书局 1975 年版，第 2595 页。
② 刘昫等：《旧唐书》卷七三《颜师古传》，中华书局 1975 年版，第 2596 页。
③ 欧阳修、宋祁：《新唐书》卷一三《礼乐志三》，中华书局 1975 年版，第 338 页。
④ 刘昫等：《旧唐书》卷七七《杨纂传》，中华书局 1975 年版，第 2673 页。
⑤ 刘昫等：《旧唐书》卷七〇《岑文本传》，中华书局 1975 年版，第 2536 页。

训，凡一百八十卷，名曰《五经正义》。[1] 作为这次朝廷重要学术活动的直接参与者，颜师古“辄引晋、宋已来古今本，随言晓答，援据详明，皆出其意表，诸儒莫不叹服”[2]。在修定经义的同时，师古还曾奉诏参与修“五代史”之《隋书》[3]，以及“五代史志”三十卷[4]，实为唐代史学乃至中国古代史学发展作出了重要贡献。师古还熟谙礼乐、制度掌故，曾受诏撰定弘农府君至高祖太武皇帝六庙乐曲舞名，并参与修撰《大唐仪礼》一百卷、《武德令》三十一卷。除了上述朝廷撰述活动，他还著有《匡谬正俗》八卷、《急就篇》一卷、《安兴贵家传》、《王会图》等，有《颜师古集》六十卷。[5] 这些情况反映出师古博学多识的学风、丰富的修撰经验，以及超群的史学素养。

颜师古承蒙李氏皇恩，奋力注书，并作《汉书叙例》（下称《叙例》）以明其志。[6] 今天所存《叙例》集中反映了他的学术批评意识，其核心思想是要匡正前人之误，为后人理解、研究《汉书》提供参考；同时，这也是认识颜师古作注的宗旨、方法和基本特点的门径。《叙例》开篇写道：

---

① 参见刘昫等：《旧唐书》卷七三《孔颖达传》，中华书局1975年版，第2602页。《五经正义》是中国古代经学发展史上的一座高峰，它上承东汉白虎通会议之旨，是为朝廷组织的经文注释工作，为李唐皇朝巩固大一统格局提供了理论指导。

② 参见刘昫等：《旧唐书》卷七三《颜师古传》，中华书局1975年版，第594页。

③ 参见欧阳修、宋祁：《新唐书》卷一〇二《令狐德棻传》，中华书局1975年版，第3983页。

④ 参见欧阳修、宋祁：《新唐书》卷五八《艺文志二》，中华书局1975年版，第1457页。

⑤ 参见《旧唐书·经籍志》《新唐书·艺文志》的有关著录，以及董诰等编：《全唐文》卷一四七至一八四，中华书局1983年版，第1487–1499页。

⑥ 今人辛德勇据《国家图书馆宋元善本图录》第0377号藏品宋嘉定十七年百鹭洲书院刻本及第0378号藏品宋建阳坊贾蔡琪家塾刻本，指出颜师古所作《叙例》原名《新注汉书叙例》。（见“辛德勇自述”公众号2020年6月26日发布）存此聊备一说。

储君体上哲之姿，膺守器之重，俯降三善，博综九流，观炎汉之余风，究其终始，懿孟坚之述作，嘉其宏赡，以为服、应曩说疏紊尚多，苏、晋众家剖断盖鲜，蔡氏纂集尤为牴牾，自兹以降，蔑足有云。怅前代之未周，愍将来之多惑，顾召幽仄，俾竭刍荛，匡正睽违，激扬郁滞，将以博喻胄齿，远覃邦国，弘敷锦带，启导青衿。曲禀宏规，备蒙嘉惠，增荣改观，重价流声。斗筲之材，徒思罄力，驽蹇之足，终惭远致。岁在重光，律中大吕，是谓涂月，其书始就。不耻狂简，辄用上闻，粗陈指例，式存扬榷。[1]

这段内容，一方面肯定了班固《汉书》在叙事上的成就，另一方面针对服虔、应劭、苏林、晋灼、蔡谟等人所作注解提出了批评意见，指出这些注文存在杂乱无序又互为抵牾的缺点。鉴于“汉书学”史上的这种情况，颜师古“怅前代之未周，愍将来之多惑”，他针对前人注释提出了四条作注原则：第一，对于符合事实和道理的旧注，“具而存之，以示不隐”；第二，对于“指趣略举，结约未伸”的旧注，“衍而通之，使皆备悉”；第三，对于“诡文僻见，越理乱真”的旧注，“匡而矫之，以祛惑蔽”；第四，对于“泛说非当，芜辞竞逐，苟出异端，徒为烦冗”的旧注，删去不取。这四个方面，反映了《汉书》颜注的基本原则，即：不妄改、不盲从，尊重前人成果，在此基础上扩

① 颜师古：《汉书叙例》，《汉书》书首，中华书局1962年版，第1页。

充、删取。这些原则也可以视为颜师古史学批评的宗旨。

需要指出的是，颜师古对于前人注书的疏漏持有一种理解的态度，例如，他分析前辈学人引用先秦文献时出现的阙文现象，认为：“六艺残缺，莫睹全文，各自名家，扬镳分路。是以向、歆、班、马、仲舒、子云所引诸经或有殊异，与近代儒者训义弗同，不可追驳前贤，妄指瑕颣，曲从后说，苟会扃涂。今则各依本文，敷畅厥指，非不考练，理固宜然。”对于《汉书》本纪、列传和表、志中相互矛盾的记载，他指出：“爰自陈、项，以讫哀、平，年载既多，综缉斯广，所以纪传表志时有不同，当由笔削未休，尚遗秕稗，亦为后人传授，先后错杂，随手率意，遂有乖张。”[①] 这都彰显出颜师古治学宽厚的态度和胸襟。

颜师古注释《汉书》是受当时的太子李承乾之命而作。因此，颜师古注《汉书》，既有为最高统治者及其接班人提供历史经验教训的资治性质，亦带有传播历史知识的历史教育关怀。颜师古本人具有明确的历史借鉴思想，《汉书》记载，董仲舒、刘向两人对鲁哀公四年（前 491）六月辛丑亳社遇灾的现象持有“以为亡国之社，所以为戒也”的观点，颜师古进一步发明指出：“存其社者，欲使君常思敬慎，惧危亡也。”[②] 颜师古还对《汉书》所载《尚书·泰誓》“正稽古建功立事，可以永年，传于亡穷”之文解释道：“言能正考古道以立功立事，则可长年享

---

① 以上见颜师古：《汉书叙例》，《汉书》书首，中华书局 1962 年版，第 3 页。
② 见班固：《汉书》卷二七上《五行志上》，中华书局 1962 年版，第 1330 页。

国。”[①] 这些内容都反映出颜师古深谙以史为鉴之道。

总体上，《汉书》颜注以训诂文字和考订史实为主，涉及西汉皇朝军事、政治、人物、事件的考据、评价，以及对《汉书》书法、体例的解释、评论，颜师古本人则被称为“班孟坚忠臣”。《汉书》颜注因其“考核固详”[②]，而同时成为“汉书学”史和史学史上的高峰，为后人研究汉朝史事及古代文字、语音留下了宝贵材料。

二、《后汉书》李贤注的学术传统和现实关怀

唐高宗永徽六年（655），李治与武则天的次子李贤出生，是为唐高宗第六子。幼年时的李贤好学不倦，熟读《尚书》《礼记》《论语》及古诗词歌赋，且容止端雅，天性聪敏，“深为高宗所嗟赏”。唐高宗上元二年（675），太子弘暴毙，李贤继立东宫，时年二十，高宗遂下令大赦天下，并命太子贤监国。史载李贤“处事明审，为时论所称”。然而，短短数年之后，李贤就因私藏兵器之罪名而被废为庶人（事在调露二年，公元680年）。文明元年（684），李贤客死巴州，年仅二十九岁。[③] 唐睿宗复位后，追谥李贤为章怀太子。

在章怀太子短暂的一生中，率领众儒注解范晔《后汉书》

---

① 见班固：《汉书》卷四一《平当传》，中华书局1962年版，第3050页。

② 赵翼：《陔余丛考》卷五“颜师古注《汉书》”条，上海古籍出版社2011年版，第97页。

③ 以上参见《旧唐书》卷八六《高宗中宗诸子·章怀太子贤传》，《新唐书》卷八一《三宗诸子·章怀太子贤传》，陕西省博物馆、乾县文教局唐墓发掘组：《唐章怀太子墓发掘简报》，《文物》1972年第7期。

大概是他留给后世最瞩目的成就。按两《唐书》所载，李贤注解《后汉书》，召集了当时一批著名的学者，他们是：张大安，上元中历太子庶子、同中书门下三品，“时章怀太子在春宫，令大安与太子洗马刘讷言等注范晔《后汉书》。宫废，左授普州刺史。光宅中，卒于横州司马”[①]。刘讷言，乾封中历都水监主簿，曾以《汉书》授沛王贤。及贤为皇太子，累迁太子洗马，兼充侍读。李贤被废后，高宗见而怒之，后讷言坐事配流振州而死。[②] 格希玄，“高宗时洛州司法参军，章怀太子召令与洗马刘讷言等注解范晔《后汉书》，行于代”[③]。此外，又有许叔牙[④]、成玄一、史藏诸、周宝宁等人。

与《汉书》颜注自明体例的做法不同，李贤等人没有留下专文交代作注的旨趣和体例，这是《后汉书》李贤注的一大遗憾。目前已有一些专论讨论《后汉书》李贤注的内容、特点和史源，[⑤] 有助于人们进一步认识它的修撰旨趣和体例。总体上看，《后汉书》李贤注显示出学术性和现实性的结合。

一方面，唐初统治者亲历隋代骤兴骤亡的历史命运，因而非常重视从历史中汲取经验教训。唐代建立之初，唐高祖便有诏修六代史。唐太宗有名言“以史为鉴，可以知兴替”，还曾发出

---

① 刘昫等：《旧唐书》卷六八《张公谨传》，中华书局 1975 年版，第 2508 页。

② 刘昫等：《旧唐书》卷一八九上《儒学列传上》，中华书局 1975 年版，第 4956 页。

③ 刘昫等：《旧唐书》卷七〇《岑文本传附格辅元传》，中华书局 1975 年版，第 2541 页。

④ 《旧唐书·许叔牙传》记其贞观二十三年卒，同书《章怀太子传》记其参与注《后汉书》，二传相异，未知孰是。

⑤ 如杨柳：《〈后汉书〉李贤注文字训诂研究》，复旦大学硕士论文，2008 年；洪海安：《章注〈后汉书〉的历史贡献》，《社会科学家》2009 年第 5 期；高明：《〈后汉书〉李贤注引〈说文〉考》，《南京师范大学文学院学报》2009 年第 4 期；等等。

"大矣哉，盖史籍之为用也"的感叹。贞观年间史馆的设立和五代史的修撰，都反映出唐代统治集团对掌握学术话语权和历史解释权的高度重视。由此，作为皇朝接班人的皇太子势必将治史作为一项重要的学习任务。而汉代是唐以前延续时间最长、统治影响最深刻的朝代，故治汉史成为重中之重。在这样的背景下，唐太宗时期太子李承乾命颜师古注《汉书》，唐高宗时期太子李贤召集诸儒为《后汉书》作注，二者都承载着为皇朝统治提供历史经验的政治诉求，也同时成为太子巩固自身政治地位的途径。正如清人王鸣盛曾指出的："唐初诸皇子好以著述争名，太宗子承乾命颜师古注《汉书》，泰引萧德言等撰《括地志》矣，贤又招儒臣为此。"[①]

另一个方面是，从史学发展史来看，唐高宗显庆元年（656），于志宁、李淳风等人撰成"五代史志"（附于《隋书》，故又称《隋志》），其中的《经籍志》对唐以前的图书文献作了系统的梳理、分类和著录。其"史部"将史书分为十三门类，正式确定了纪传体"正史"地位，由此，历代纪传史成为统治者及其接班人学习、阅读和参考的最重要的历史载籍。在唐初学者眼中，《汉书》《后汉书》断代为史的做法或许有利于宣扬封建皇朝统治的合法性。从实际效果来看，《后汉书》李贤注同《汉书》颜注一并成为研究两汉史的要籍。

需要注意的是，李贤召集众人注《后汉书》不仅有增强自

① 王鸣盛：《十七史商榷》卷二九"刘昭李贤注"条，上海书店2005年版，第202-203页。

身政治修养的现实需求，同时也表达了对于外戚干政的一种消极态度。正是这样一种态度的表达，一定程度上激化了武则天与李贤母子间的矛盾，使他的个人命运走向了最终的悲剧。纵观中国封建时期的朝代兴衰，外戚干政是导致王朝崩塌的一个重要因素，这一情况在东汉一朝尤为突出。东汉自和帝朝开始就在外戚干政和宦官掌权的交替斗争中走向衰落，因此，古代史家修史多致力于总结这一皇朝兴亡的内在原因。如东晋史家袁宏著《后汉纪》，着力叙述直谏于朝而受到迫害的谏官群像；南宋史家袁枢撰《通鉴纪事本末》，则专门设立《马后抑外家》《窦氏专恣》等篇目直指外戚干政；等等。那么，李贤等人在注《后汉书》时是否关注到这一历史现象呢？答案是肯定的。他们不仅关注到这一历史现象，而且着意于讨论、揭示其形成的背景、原因，以及对于皇朝统治的影响。试举下面两段注文来说明。

其一，在《后汉书·邓寇列传》中，范晔针对两汉以来的外戚家族作了一番评论，李贤等人对范晔的这段史论逐句作注，见下表所载：

范晔史论	李贤注文
汉世外戚，自东、西京十有余族，	高帝吕后、昭帝上官后、宣帝霍后、成帝赵后、平帝王后、章帝窦后、和帝邓后、安帝阎后、桓帝窦后、顺帝梁后、灵帝何后等家，或以贵盛骄奢，或以摄位权重，皆以盈极被诛也。

续表

范晔史论	李贤注文
非徒豪横盈极，自取灾故，必于贻衅后主，以至颠败者，其数有可言焉。	后主谓嗣君也。言外戚握权者，当先帝时或容免祸，必贻罪衅于嗣君，以至倾覆。数犹理也，其致败之理可得言焉。
何则？恩非己结，而权已先之；	言外戚之家，承隆宠于先帝，不结恩于后主，故权势先在其身也。
情疏礼重，而枉性图之；	图，谋也。其人既居权要，礼数不可不重，故后主枉其本性与之图谋政事，非心所好也。
来宠方授，地既害之；	后来宠者，方欲授之要职，而先代权臣见居其地，必须除旧方得授新，是地既害之也。
隙开势谢，谗亦胜之。	君臣有隙，上下离心，则权宠之人形势渐谢，于是谗人构会，寻亦胜也。①

这段内容，是《后汉书》李贤注中少见的专门针对历史现象而作出的注释。这说明李贤等人对汉代外戚参政的历史既有详细的研究，亦有独立的判断。

在《后汉书·崔骃列传》中，李贤等人反对外戚干政的观点更加明确。该篇记叙了汉和帝朝窦太后兄长窦宪以重戚干涉朝政，崔骃由此上书劝诫的内容。崔骃认为，外戚干政，既有损于朝纲，更无益于保全自身荣宠，他一针见血地指出："汉兴以后，迄于哀、平，外家二十，保族全身，四人而已。"对此，李

① 见范晔：《后汉书》卷一六《邓寇列传》，中华书局1965年版，第619页。

贤等人注曰：

> 外家，当为后家也。二十者，谓高帝吕后产、禄谋反诛，惠帝张皇后废，文帝母薄太后弟昭被杀，孝文帝窦皇后从昆弟子婴诛，景帝薄皇后、武帝陈皇后并废，卫皇后自杀，昭帝上官皇后家族诛，宣帝祖母史良娣为巫蛊死，宣帝母王夫人弟子商下狱死，霍皇后家破，元帝王皇后弟子莽篡位，成帝许皇后赐死，赵皇后废自杀，哀帝祖母傅太后家属徙合浦，平帝母卫姬家属诛，昭帝赵太后忧死是也。四人者，哀帝母丁姬，景帝王皇后，宣帝许皇后、王皇后，其家族并全。[①]

这段注文精辟地总结了皇后及外族干政的弊端，并着意突出外戚干政的不良后果。千年之后，清代学者赵翼还专门引用这一段注文，用来说明“两汉以外戚辅政，国家既受其祸，而外戚之受祸莫如两汉者”[②]。

上举两段注文，非常鲜明地反映出李贤等人对后族干政的抵制和不满。李贤生长在李唐皇朝的鼎盛时期，由唐太宗开创的贞观之治在政治上、社会上、思想上仍推动着历史的发展。但是，李唐皇朝的统治集团内部却暗藏汹涌，武后势力的不断膨胀，为

---

① 见范晔：《后汉书》卷五二《崔骃列传》，中华书局1965年版，第1720–1721页。

② 赵翼：《廿二史札记》卷三“两汉外戚之祸”条，王树民《廿二史札记校证》本，中华书局2013年版，第68页。

李氏统治埋下危机。需要注意的是，李贤立为太子在上元二年（675），这正是唐高宗与武则天合称“天皇”“天后”的第二年，而这时距离唐高宗麟德年间武则天开始临朝听政已有十余年了，武后的政治地位此时正处于不断上升的阶段。当然，此时的武后在朝中主要是依靠一些外朝力量如李义府等人的支持，高宗驾崩以前，武后在表面上仍抑制家族势力，以此平息悠悠之口。大力提拔武氏成员入仕，是在弘道元年（683）唐高宗离世以后的事。但是，从任何一个角度来看，李贤注中的种种观点的表达，都不利于武后和太子贤母子关系的平和发展。毋庸置疑，在具有高度敏锐的政治眼光的武则天眼中，李贤注中的上述内容可谓如鲠在喉。

综合上述情况，是否可以认为，李贤等人凭借对历史的观察而警惕李唐皇朝在武后临朝形势下的走向，故而在作注时借古讽今地写下了对于后族干政的批判。或许李贤召集众人为《后汉书》作注之初衷正是为了巩固自身的太子之位，由此挽救李氏皇族每况愈下的统治力量。然而，结合当时朝廷的内部形势来看，李贤注文中的某些内容反映出这位太子在政治上的稚嫩，从而起到了同预期相反的作用，并加速了他失去太子之位，导致了其后的悲惨命运。

三、司马贞、张守节提出的问题

著名的《史记》三家注中，司马贞《史记索隐》和张守节《史记正义》都成于唐代，他们二人和颜师古一样，也表现出鲜明的学术批评意识。

首先说司马贞与《史记索隐》。司马贞，字子正，河内人，开元年间为润州刺史，《全唐文》存其文四篇。[①] 司马贞自幼研习《史记》，熟悉唐前"史记学"史，他的老师是精于《史记》的崇文馆学士张嘉会，张氏"独善此书（指《史记》），而无注义"，司马贞"少从张学，晚更研寻"。司马贞奉《史记》为司马氏"家学"，将补撰《史记》作为继承"家学"的职志。带着补史的初衷，司马贞在前人基础上新撰《三皇本纪》，他认为："太史公作《史记》，古今君臣宜应上自开辟，下讫当代，以为一家之首尾。今阙三皇，而以五帝为首者，正以《大戴礼》有《五帝德》篇，又《帝系》皆叙自黄帝已下，故因以五帝本纪为首。其实三皇已还，载籍罕备。然君臣之始，教化之先，既论古史，不合全阙。近代皇甫谧作《帝王代纪》，徐整作《三五历》，皆论三皇以来事。斯亦近古之一证，今并采而集之作《三皇本纪》。虽复浅近，聊补阙云。"[②] 然而，当补史工作做到一半时，司马贞逐渐意识到"千载古史，良难抽绎"，故"更撰音义，重作述赞"。[③]《史记索隐》撰成时，司马贞任职弘文馆学士，他自号其书为《小司马史记》，是为"颜氏汉书"后的又一部重要的史注。

在《史记索隐序》中，司马贞提出了"探求异闻，采摭典

---

① 分别是：《〈孝经〉〈老子〉注、〈易传〉议》《史记索隐序》《史记索隐后序》《补史记序》。

② 司马贞：《三皇本纪序》，《史记》附录二，中华书局2014年版，第4051页。

③ 司马贞：《史记索隐后序》，见《史记》附录二，中华书局2014年版，第4046页。

故，解其所未解，申其所未申者，释文演注，又重述赞”的注史宗旨。[①] 他肯定徐广《史记音义》、裴骃《史记集解》、邹诞生《史记音义》、刘伯庄《史记音义》等书有助于人们研读《史记》，但批评它们或多或少存在缺乏讨论、短于旁通、疏于微义的不足，因此，司马贞要解前代所未解，申前人所未申。从这个意义上说，《史记索隐》是一部因学术批评而产生的史注。司马贞本人好辩驳，这使《史记索隐》带有突出的批评风格，同时，他的辩驳往往纠正了《史记》历代注家的谬误，一定程度上彰显了严谨的学风。

司马贞撰《史记索隐》具有鲜明的学术批评特点。今人应三玉总结《史记索隐》的特点有七个方面：其一，广引典籍及相关注家；其二，依托《集解》，“解其所未解，申其所未申者，释文演注”；其三，重辩证甚于辑集诸家之解；其四，多辨疑，驳正他家注者多有之；其五，司马贞虽多辩驳，好作案语，然亦不乏按而不断者（存疑）；其六，司马贞亦有不吝推许者；其七，注释内容丰富，方法多样。[②] 从《史记索隐》内容上看，司马贞确实好驳正前人注释，这使他的注文带有突出的批评风格。

司马贞《史记索隐》一出即成为治《史记》者入学之门径，八百余年后，明代毛晋还认为：“读史家多尚《索隐》，宋儒尤推小司马《史记》，与小颜氏《汉书》如日月并照。”[③]《史记索

① 司马贞：《史记索隐序》，见《史记》附录二，中华书局 2014 年版，第 4044 页。

② 应三玉：《〈史记〉三家注研究》，凤凰出版社 2008 年版，第 136-143 页。

③ 毛晋：《跋〈史记索隐〉后》，见汲古阁本《史记》书后。

隐》的学术地位可见一斑。

再说张守节与《史记正义》。唐开元二十四年（736），张守节呈献所撰《史记正义》三十卷，是为唐人史注的又一杰作。张守节，唐代文学家、史注家，长于地理之学。张守节出身儒学世家，从其《上史记正义表》中可知，他在开元中曾任“诸王侍读宣议郎”等职，后受到唐肃宗的称赞：“卿父子相从，大膺儒术，既精且博，甚道可师。出入禁庭，勤劳侍读，岁月滋久，宠益颇多。”[①] 张守节在上书表中阐发了他的注史初衷和史学批评思想：

> 《史记》者，汉太史公司马迁作。迁生龙门，耕牧河山之阳，南游江、淮，讲学齐、鲁之郡，绍太史继《春秋》，括文鲁史，而包《左氏》《国语》，采《世本》《战国策》，而摭《楚汉春秋》，贯紬经传，旁搜史子，上起轩辕，下既天汉。作十二本纪，帝王兴废悉详。三十世家，君国存亡毕著。八书，赞阴阳礼乐。十表，定代系年封。七十列传，忠臣孝子之诚备矣。笔削冠于史籍，题目足以经邦。裴骃服其善序事理，辩而不华，质而不俚，其文直，其事核，不虚美，不隐恶，故谓之实录。自刘向、扬雄，皆称良史之才。况坟典湮灭，简册缺遗。比之《春秋》，言辞古质。方之两《汉》，文省理幽。

---

① 唐肃宗：《张守节致仕诏》，董诰等编：《全唐文》卷四三，中华书局1983年版，第477页。

守节涉学三十余年。六籍九流，地里苍雅，锐心观采评史汉，诠众训释而作正义。郡国城邑，委曲申明，古典幽微，窃探其美，索理永惬，次旧书之旨，兼音解注，引致旁通，凡成三十卷。名曰史记正义。发挥膏肓之辞，思济沧溟之海。未敢侔诸祕府，冀训诂而齐流。庶贻厥子孙，世畴兹史。于时岁次丙子开元二十四年八月，杀青斯竟。

这段内容首先肯定刘向、扬雄、裴骃等人对司马迁“良史之才”的评论；继而发表己见，以《史记》与《春秋》《汉书》《后汉书》相较，指出《史记》具有“言辞古质”“文省理幽”的特点。从《史记正义》的内容来看，“言辞古质”“文省理幽”是注者着重关注和阐释的方面。

值得注意的是，张守节为自己所撰述的《史记》注取名“正义”，与唐太宗贞观年间下诏命孔颖达等人注疏五经而成的《五经正义》旨趣不同。正如研究者指出的：“由于张守节《正义》体制，还是六朝时代‘义疏’的做法，对注文虽然也推阐发明，但其所针对的，则主要是正文。至于注文，结合不都密切，不似孔颖达之疏解《五经》，那种寸步不离，犹恐失之的态度。”[①]“从作为史注的《史记正义》来看，虽号曰‘正义’，然与经籍注释之‘正义’却有所不同。‘疏不破注’的原则对经籍注释产生了广泛而深刻的影响，但史籍注释因内容及注释目的有

① 程金造：《〈史记正义〉〈索隐〉关系证》，《文史哲》，1962年第6期。

异于经注，因此‘疏不破注’的原则对史籍注释影响较小，史注有着广阔的诠释空间。当然在其中引及经籍注释内容时，这种影响还是明显的。”[①] 总而言之，《史记正义》同《史记索隐》一样，都体现了唐人史注的时代特点，表现出重视考辨和批评的注史风格，从一个方面揭示了唐代史注家的思想意境。

第二节 “两汉书”注与史学批评

一、隋唐之际的“汉书学”

隋唐之际《汉书》学的兴盛，突出地表现在涌现了一批专治《汉书》的学者。

隋朝刘臻，“精于两汉书，时人称为汉圣”[②]。当然，超过“汉圣”的人还是有的。学者杨汪曾经问《礼》于沈重，受《汉书》于刘臻。二人推许之曰：“吾弗如也。”隋炀帝时，杨汪任国子祭酒。炀帝“令百僚就学，与汪讲论。天下通儒硕学多萃焉，论难蜂起，皆不能屈”[③]。炀帝时期有一个光禄大夫于仲文，曾参掌文选事，亦撰成《汉书刊繁》三十卷。隋朝《汉书》学的泰斗，还应算是萧该和包恺。炀帝大业中，萧、包二人聚徒教授，著录者数千人，可谓盛况空前。史称：“于时《汉书》学

① 应三玉：《〈史记〉三家注研究》，凤凰出版社2008年版，第211页。
② 魏徵等：《隋书》卷七六《文学·刘臻传》，中华书局1973年版，第1731页。
③ 魏徵等：《隋书》卷五六《杨汪传》，中华书局1973年版，第1393页。

者，以萧、包二人为宗匠。”①

关于萧该，据《隋书·萧该传》记，隋文帝时，他被“拜国子博士。奉诏书与（何）妥正定经史，然各执所见，递相是非，久而不能就，上谴而罢之。该后撰《汉书》及《文选音义》，咸为当时所贵”。萧该的《汉书音义》，看来也是属于发愤之作。包恺，师从王仲通受《史记》《汉书》。包恺的《汉书》学知识，主要来源于王仲通。萧、包教授《汉书》，弟子数千，门庭若市，堪称隋朝《汉书》学的魁首，以至于隋末瓦岗军大将李密“尝欲寻包恺，乘一黄牛，被以蒲鞯，仍将《汉书》一帙挂于角上，一手捉牛靷，一手翻卷书读之”。②

唐初，“汉书学”继续发展。唐高祖时，曾任廉州刺史与鄂州刺史的颜游秦撰《汉书决疑》十二卷，成为唐代《汉书》学的开山。颜游秦是著名学者颜师古的叔父，所撰《汉书决疑》为学者所称，后颜师古注《汉书》，亦多取其义。颜师古注《汉书》，是在唐太宗贞观十一年（637），“时（太子）承乾在东宫，命师古注班固《汉书》，解释详明，深为学者所重。承乾表上之，太宗令编之秘阁”③。颜师古注《汉书》，用力至深，“时人谓杜征南（杜预）、颜秘书（颜师古）为左丘明、班孟坚忠臣”④，极为恰当。

---

① 魏徵等：《隋书》卷七五《儒林传·包恺传》，中华书局1973年版，第1716页。
② 刘昫等：《旧唐书》卷五三《李密传》，中华书局1975年版，第2207页。
③ 刘昫等：《旧唐书》卷七三《颜师古传》，中华书局1975年版，第2595页。
④ 欧阳修、宋祁：《新唐书》卷一九八《儒学传上·颜师古传》，中华书局1975年版，第5642页。

唐太宗至唐高宗时期，唐初的“汉书学”发展到它的极盛时期。“是时《汉书》学大兴，其章章者若刘伯庄、秦景通兄弟、刘讷言，皆名家。”秦景通与其弟秦景暐“俱有名，皆精《汉书》，号‘大秦君’‘小秦君’。当时治《汉书》，非其授者，以为无法云”。而刘讷言则“以《汉书》授沛王”[①]。如此看来，当时的“汉书学”，不仅涌现了一些著名学者，而且已形成了若干学派。隋朝的萧、包，唐初的颜、秦，都可视为突出的学派。初唐时期，还有郝处俊“好学，嗜《汉书》，崖略暗诵”[②]。赵弘智“学通《三礼》《史记》《汉书》”[③]。裴炎“在馆垂十载，尤晓《春秋左传》及《汉书》”[④]。还有家族世传《汉书》之学的，如姚思廉“少受《汉书》于（父）察，尽传其业”[⑤]，姚珽“尝以其曾祖察所撰《汉书训纂》，多为后之注《汉书》者隐没名氏，将为己说；珽乃撰《汉书绍训》四十卷，以发明旧义，行于代”[⑥]。中唐之后，“汉书学”仍然受到重视。史载，李德裕“幼有壮志，苦心力学，尤精《西汉书》《左氏春秋》”[⑦]。郗士美“年十二，通《五经》《史记》《汉书》皆能成诵”[⑧]。这些人物，在唐代历史上或是知名学者，或是朝廷重臣，他们对《汉

① 欧阳修、宋祁：《新唐书》卷一九八《儒学传上·敬播传》，中华书局1975年版，第5656页。
② 欧阳修、宋祁：《新唐书》卷一一五《郝处俊传》，中华书局1975年版，第4215页。
③ 刘昫等：《旧唐书》卷一八八《孝友传·赵弘智传》，中华书局1975年版，第4922页。
④ 刘昫等：《旧唐书》卷八七《裴炎传》，中华书局1975年版，第2843页。
⑤ 欧阳修、宋祁：《新唐书》卷一〇二《姚思廉传附姚察传》，中华书局1975年版，第3978页。
⑥ 刘昫等：《旧唐书》卷八九《姚璹传附姚珽传》，中华书局1975年版，第2907页。
⑦ 刘昫等：《旧唐书》卷一七四《李德裕传》，中华书局1975年版，第4509页。
⑧ 欧阳修、宋祁：《新唐书》卷一四三《郗士美传》，中华书局1975年版，第4692页。

书》的精研和嗜爱，反映出“汉书学”在唐代的发达。

隋唐之际“汉书学”的发展，在当时有广泛的基础。萧、包门人数千，颜家叔侄相承，秦氏兄弟齐名，姚氏祖孙相袭，皆致力于“汉书学”。这说明当时的士人中颇有一些人热衷此道。隋唐之际“汉书学”的兴盛，又是得到当时某些统治人物的重视和支持的。杨汪任国子祭酒，隋炀帝“令百僚就学，与汪讲论”。颜师古注《汉书》，更是奉持皇谕；注成之后，又得到当朝唐太宗的赏识。敬播注《汉书》，则是在唐太宗的重要辅臣房玄龄的具体指示下进行的。[①] 如此等等，都反映了当时统治集团中的一些人物十分重视《汉书》研究。与此同时，《汉书》之学还受到少数民族统治者和将领的倾慕，史载，契丹人哥舒翰“好读《左氏春秋传》及《汉书》，疏财重气，士多归之”[②]。同为契丹族将领的李光弼“好读班固《汉书》，异夫庸人武夫者”[③]，铁勒族人浑瑊“好书，通《春秋》《汉书》，尝慕《司马迁自叙》，著《行纪》一篇，其辞一不矜大”[④]。高丽有爱书籍的风俗，并开设扃堂供未婚子弟学习读书骑射，所设书目有“《五经》及《史记》、《汉书》、范晔《后汉书》、《三国志》、孙盛《晋春秋》、《玉篇》、《字统》、《字林》，又有《文选》”[⑤]，尤为时人爱重。这些情况反映出，作为唐人眼中正史纪传的典范，

---

① 欧阳修、宋祁：《新唐书》卷一九八《儒学传上·敬播传》，中华书局1975年版，第5656页。

② 刘昫等：《旧唐书》卷一〇四《哥舒翰传》，中华书局1975年版，第3212页。

③ 欧阳修、宋祁：《新唐书》卷一三六《李光弼传》后论，中华书局1975年版，第4597页。

④ 欧阳修、宋祁：《新唐书》卷一五五《浑瑊传》，中华书局1975年版，第4894页。

⑤ 刘昫等：《旧唐书》卷一九九上《东夷传·高丽传》，中华书局1975年版，第5320页。

《汉书》不仅受到唐朝廷的重视，也影响到周边少数民族地区，彰显出中原文化的魅力。

那么，为什么当时统治集团中的某些人物对《汉书》这样感兴趣？“汉书学”为什么会吸引那么多的人关注并成为显学，而《史记》却“传者甚微”？唐初的历史学家们对于这个问题是做了回答的，他们认为：

> (司马) 谈卒，其子迁又为太史令，嗣成其志。上自黄帝，讫于炎汉，合十二本纪、十表、八书、三十世家、七十列传，谓之《史记》。迁卒以后，好事者亦颇著述，然多鄙浅，不足相继。至后汉扶风班彪，缀后传数十篇，并讥正前失。彪卒，明帝命其子固续成其志。以为唐、虞、三代，世有典籍，史迁所记，乃以汉氏继于百王之末，非其义也。故断自高祖，终于孝平、王莽之诛，为十二纪、八表、十志，六十九传，潜心积思，二十余年。①

《隋书》作者的这些议论，不是没有根据的。班固继承其父班彪《王命论》的“汉德承尧”的思想，认为“汉绍尧运”，批评司马迁“私作本纪”，把刘氏皇朝的历史“编于百王之末，厕于秦、项之列”。可见，唐人是窥见班固的这一主旨的。

《汉书》作为纪传体皇朝史的始祖，它的产生是由一定的客

---

① 魏徵等：《隋书》卷三三《经籍志二》史部“正史”篇小序，中华书局1973年版，第956–957页。

观历史条件决定的，其中主要之点在于：它是统一的皇朝政治的需要和产物。但是，从著述者的主观认识来看，也有其不可忽视的思想条件，即“以汉氏继于百王之末，非其义也”。从历史编纂学的角度来看，不可能每个朝代都按照《史记》那样去撰写通史，都毫无例外地从黄帝写到当今。因此，随着统一的封建皇朝的建立，随着封建国家政治的巩固、经济的发展、文化的繁荣，等等，势必要求出现“包举一代”的纪传体朝代史，于是《汉书》继《史记》之后应运而生。它的产生是合情合理的。但是，若因为司马迁以汉史“编于百王之末，厕于秦、项之列”，就似乎是小视了刘汉皇朝，所以必须“断自高祖”以体现“汉绍尧运”，这就显示出史识上不如司马迁了。但班固的这个主旨，符合封建皇朝的“君权神授”说，正因为如此，魏晋以来，虽有“三史”（即《史记》《汉书》《东观汉记》）之学，然则《汉书》逐渐显要，《史记》“传者甚微”，这是毫不足怪的。

隋唐之际，《史记》《汉书》的这两种不同的命运，即便在著名的史学评论家刘知幾的笔下，亦不例外。刘知幾批评司马迁《史记》为体不当，撰述烦琐，“可谓劳而无功，述者所宜深戒也”[①]。可是刘知幾对于《汉书》的评论却完全是另一种口气，他写道：

如《汉书》者，究西都之首末，穷刘氏之废兴，包举

① 刘知幾：《史通·六家》，浦起龙《史通通释》本，上海古籍出版社2009年版，第18页。

一代，撰成一书。言皆精练，事甚该密，故学者寻讨，易为其功，自尔迄今，无改斯道。[①]

在某种意义上看，这是刘知幾对隋唐之际“汉书学”之所以成为显学的一个理论上的总结。

在梳理、了解隋唐之际“汉书学”的发展情况之后，我们还应关注到在“汉书学”影响下《后汉书》研究的进展及其特点。范晔《后汉书》博采诸家所长、著为一家之言，受到时人和后人重视，古人有其书成而诸家东汉史皆废的观点。当然，这是一种夸张的说法，例如东晋袁宏的编年体《后汉纪》便完整地流传至今。在魏晋南北朝时期关于东汉史的十数家撰述中，范晔《后汉书》确实具有代表性，在它修成之后，便后者居上备受推崇。待到《隋书·经籍志》列范晔《后汉书》于正史之列，表明其书取得了朝廷认可的学术地位，盛唐时期史学批评家刘知幾总结道：“世言汉中兴史者，唯范、袁二家而已。”[②] 范晔《后汉书》最大的遗憾是十志未成，范晔本人下狱而死。为了弥补这一缺憾，南朝人刘昭将范晔《后汉书》同司马彪《续汉书》八志整合成为一书。但是，在刘昭以后的很长一段时间里，范书和彪书仍各自单行，直至宋代才开始以合刻的形式流传。因此，现所见《后汉书》纪传部分用李贤注，志用刘昭注。

在唐初，人们所习“三史”仍沿用六朝时《史记》《汉书》

① 刘知幾：《史通·六家》，浦起龙《史通通释》本，上海古籍出版社2009年版，第20–21页。
② 刘知幾：《史通·古今正史》，浦起龙《史通通释》本，上海古籍出版社2009年版，第318页。

《东观汉记》的旧例，其中又以治《汉书》为先。唐以后，《后汉书》逐渐取代《东观汉记》而成为“三史”之一。[①] 据《唐会要》所载，至迟在唐穆宗长庆二年（822）谏议大夫殷侑请奏设立三史科时，《后汉书》已经取代《东观汉记》入为“三史”。[②] 在此之前，章怀太子李贤召集众儒注《后汉书》，反映出他卓越的史学眼光，而这次注释活动，也成为《后汉书》学术地位得以提升的有利条件。

从这一学术背景出发，注释《后汉书》是有唐一代治汉史之风大盛的学术环节之一。从“两汉书”本身所记载的内容来看，东汉的制度、风俗、文化等大多沿袭于西汉，因此，《后汉书》多载西汉一朝历史典故。于是，为《后汉书》作注，首先就要熟识西汉的历史、地理、典制，可以认为，精研《汉书》、熟悉“汉书学”成果，是成功为《后汉书》作注的基础。前文所述《后汉书》李贤注团队中的诸位学者，不乏以治《汉书》闻名于世之人，这些人大多从李贤封沛王时就伴其左右。如刘讷言被推为“汉书学”之“宗匠”，并“并以《汉书》授沛王贤”。[③] 此外，李贤的侍读兼老师李善也长于“汉书学”，曾撰写

---

① 四库馆臣曾将《后汉书》取代《东观汉记》的原因归于“唐章怀太子李贤集诸儒注范书，盛行于代，此书遂微”。(《四库全书总目》卷五十《史部·别史类》，中华书局1965年版，第446页）后来学者对此多有讨论，参见雷闻：《唐代的“三史”与三史科》，《史学史研究》2001年第1期。

② 参见窦禄军：《唐代三史科及相关史实考论》，《历史教学问题》2017年第1期。

③ 刘昫等：《旧唐书》卷一八九上《儒学上·秦景通传附刘讷言传》，中华书局1975年版，第4956页。

《汉书辩惑》三十卷。[①] 另有李贤的府僚、著名诗人王勃也善治《汉书》，史载："（勃）六岁善文辞，九岁得颜师古注《汉书》读之，作《指瑕》以擿其失。"[②] 这些情况都反映出，李贤封王以来的学术环境离不开"汉书学"的熏陶，从而为他组织众人注解《后汉书》打开了学术视野。

二、《汉书》颜师古注中的史学批评

《汉书》颜注是隋唐之际"汉书学"的一座高峰，蕴于其中的丰富的史学批评思想，值得深入挖掘。《汉书》颜注主要从以下几个方面关注了史家、史书和史学发展。

第一，重视核对《汉书》原文，关注《汉书》产生的时代特点。颜师古本人在思想上具有复古倾向，他曾参与贞观年间关于郡县和分封的讨论，史载："时天下已定，帝与名臣萧瑀等喟然讲封建事，欲与三代比隆，而魏徵、李百药皆谓不然。徵意以唐承大乱，民人雕丧，始复生业，遽起而瓜分之，故有五不可之说。百药称帝王自有命，历祚之短长不缘封建。……而颜师古独议建诸侯，当少其力，与州县杂治，以相维持。然天子由是罢不复议。"[③] 这很鲜明地反映出颜师古在分封制度上的复古思想。

颜师古批判后人注史不尊重《汉书》原文的做法，即："近代注史，竞为该博，多引杂说，攻击本文，至有诋诃言辞，掎摭

---

① 刘昫等：《旧唐书》卷一八九上《儒学上·曹宪传附李善传》，中华书局 1975 年版，第 4946 页。

② 欧阳修、宋祁：《新唐书》卷二〇一《文艺上·王勃传》，中华书局 1975 年版，第 5739 页。

③ 欧阳修、宋祁：《新唐书》卷七八《宗室传》，中华书局 1975 年版，第 3537 页。

利病，显前修之纰僻，骋己识之优长，乃效矛盾之仇雠，殊乖粉泽之光润。今之注解，翼赞旧书，一遵轨辙，闭绝歧路。”[1] 如针对司马相如所作词赋，颜师古指出：“近代之读相如赋者多矣，皆改易文字，竞为音说，致失本真，徐广、邹诞生、诸诠之、陈武之属是也。今依班书旧文为正，于彼数家，并无取焉。”[2] 对于《汉书》所载礼乐和诗歌，颜师古认为应“各依当时律吕，修短有节，不可格以恒例”，否则就会造成“读者茫昧，无复识其断章，解者支离，又乃错其句韵，遂使一代文采，空韫精奇，累叶钻求，罕能通习”[3]。这就是说，后人注史，要尊重和依循书成之时的时代特征。当然，颜师古并不刻板地强调遵循《汉书》原文，他提出“郡县之名，土俗各有别称，不必皆依本字”[4]，这就是说，当地名有歧义时，应据历史风俗而定称谓。

与此相对应的是，颜师古推崇《汉书》用古字的做法。他批评前人传钞、注释《汉书》时妄自更改原文所用古字，指出：“《汉书》旧文多有古字，解说之后屡经迁易，后人习读，以意刊改，传写既多，弥更浅俗。今则曲核古本，归其真正，一往难识者，皆从而释之。”“古今异言，方俗殊语，末学肤受，或未能通，意有所疑，辄就增损，流遁忘返，秽滥实多。今皆删削，

---

① 颜师古：《汉书叙例》，《汉书》书首，中华书局1962年版，第3页。
② 见班固：《汉书》卷五七上《司马相如传上》，中华书局1962年版，第2529页。
③ 颜师古：《汉书叙例》，《汉书》书首，中华书局1962年版，第2页。
④ 见班固：《汉书》卷二八下《地理志下》，中华书局1962年版，第1637页。

克复其旧。"[①] 从史书的本来面貌来看，"《汉书》往往存古体字"[②] 确实是其书的一大特点，颜师古既尊重史书原文，也宣扬古文之学。据笔者统计，在《汉书》颜注之中，有五十三处批评《汉书》"流俗本"在用字上擅改、妄加原文，如：

——《伍被传》记"今我令缓先要成皋之口"，颜师古指出："缓者，名也，不言其姓。今流俗书本于缓上妄加楼字，非也。"[③]

——《晁错传》记"高皇帝亲除大害，去乱从"，颜师古指出："从音子容反。乱从，谓祸乱之踪迹也。一曰，乱谓作乱者，从谓合从者，若六国时为从者也。今书本从下或有顺字，或有治字，皆非也，后人妄加之也。"[④]

——《卫青传》记"民母之子皆奴畜之，不以为兄弟数"，颜师古指出："言郑季正妻本在编户之间，以别于公主家也。今流俗书本云'牧羊人间，先母之子不以为兄弟数'，妄增也。"[⑤]

——《司马相如传》记"其东则有蕙圃，衡兰芷若"之文，颜师古指出："兰即今泽兰也。今流俗书本'芷若'下有'射干'字，妄增之也。"[⑥] 同传"推蜚廉，弄解廌"，颜师古指出："推亦谓弄之也，其字从手。今流俗读作椎击之椎，失其义矣。"[⑦] 又同传记载"相如以为列仙之儒居山泽间"，颜师古指

① 颜师古：《汉书叙例》，《汉书》书首，中华书局1962年版，第2页。
② 见班固：《汉书》卷六六《车千秋传》，中华书局1962年版，第2884页。
③ 见班固：《汉书》卷四五《伍被传》，中华书局1962年版，第2170页。
④ 见班固：《汉书》卷四九《晁错传》，中华书局1962年版，第2290页。
⑤ 见班固：《汉书》卷五五《卫青传》，中华书局1962年版，第2471页。
⑥ 见班固：《汉书》卷五七上《司马相如传上》，中华书局1962年版，第2535页。
⑦ 见班固：《汉书》卷五七上《司马相如传上》，中华书局1962年版，第2563页。

出："儒，柔也，术士之称也，凡有道术皆为儒。今流俗书本作传字，非也，后人所改耳。"①

——《于定国传》记"定国食酒至数石不乱"，如淳作注"食酒犹言喜酒也"，颜师古不以为意，指出："若依如氏之说，食字当音嗜，此说非也。下叙定国子永乃言嗜酒耳。食酒者，谓能多饮，费尽其酒，犹云食言焉。今流俗书本辄改食字作饮字，失其真也。"②

这些内容，分别揭露《汉书》"流俗本"对原文进行"妄加""妄增""妄改"以致造成"失其义""失其真"的现象，反映出重视史实、史义是颜师古史学批评的基础和要旨。

第二，关于史书体裁体例的批评。体裁体例是中国古代史学批评的核心环节，颜师古注《汉书》亦有多处关于史书体例的见识。

——推崇《汉书》列传"以事类相从"的做法。在《汉书》列传开篇之首，服虔指出："传次其时之先后耳，不以贤智功之大小也。"即《汉书》列传以人物在历史舞台上的出现先后为序。颜师古则进一步指出："虽次时之先后，亦以事类相从。如江充、息夫躬与蒯通同传，贾山与路温舒同传，严助与贾捐之同传之类是也。"③ 从《汉书》的具体做法来看，颜师古所说更为准确，而这种发源于《史记》的以类相从的做法，经过班固

① 见班固：《汉书》卷五七下《司马相如传下》，中华书局1962年版，第2592页。
② 见班固：《汉书》卷七一《于定国传》，中华书局1962年版，第3043页。
③ 见班固：《汉书》卷三一《陈胜传》，中华书局1962年版，第1785页。

《汉书》发扬，也为司马彪、范晔等后世史家所袭承和发展，丰富了纪传体史书中类传的编撰形式。

——重视史书中的载文和载言。颜师古认为，史书载文应择取重要部分，而不必一定载入全文。他十分称赞《汉书·贾谊传》选载贾谊上疏的做法，指出：“谊上疏言可为长太息者六，今此至三而止，盖史家直取其要切者耳。故下赞云‘掇其切于世事者著于传’。”[①] 这是说，《汉书》选贾谊上疏中“切于世事”的部分入史，便于反映人物思想，应为后世史家楷模。晋人张辅在论马、班优劣时，曾以《汉书》文字多于《史记》而诟病前者，对此，清代赵翼的反驳意见很具代表性：

> 盖迁喜叙事，至于经术之文，干济之策，多不收入，故其文简。固则于文字之有关于学问，有系于政务者，必一一载之，此其所以卷帙多也。今以《汉书》各传，与《史记》比对，多有《史记》所无而《汉书》增载者，皆系经世有用之文，则不得以繁冗议之也。[②]

赵翼列举《汉书·贾谊传》《晁错传》《路温舒传》《贾山传》《邹阳传》《枚乘传》《韩安国传》《公孙弘传》增载之文，以及汉武帝之后的诸多人物列传之中所载“有用章疏”，总结

---

① 见班固：《汉书》卷四八《贾谊传》，中华书局1962年版，第2260页。

② 赵翼：《廿二史札记》卷二“汉书多载有用之文”条，王树民《廿二史札记校证》本，中华书局2013年版，第30页。

道："总计《汉书》所载文字皆有用之文。"这一观点，与颜师古所言"掇其切于世事者著于传"大致同义。

——肯定班固的撰述之功。历史上班固子承父志修《汉书》，后人多有诟其抢夺父功之辞。颜师古则在《汉书·叙传》的注文中指出：

> 自"皇矣汉祖"以下诸叙，皆班固自论撰《汉书》意，此亦依放《史记》之叙目耳。史迁则云为某事作某本纪、某列传。班固谦，不言"作"而改言"述"，盖避作者之谓圣，而取述者之谓明也。但后之学者不晓此为《汉书》叙目，见有"述"字，因谓此文追述《汉书》之事，乃呼为"汉书述"，失之远矣。挚虞尚有此惑，其余曷足怪乎！[①]

上述内容大意是说，班固《汉书》所设本纪、列传、诸表、诸志，皆有明确的体例和宗旨，班固自谓"述"不谓"作"，但后人不可以此而小觑甚至忽略了班固撰《汉书》的功劳。颜师古还为班固所作诸论赞正名，他指出："《汉书》诸赞，皆固所为。其有叔皮先论述者，（谓）固亦具显以示后人，而或者谓固窃盗父名，观此可以免矣。"[②] 由此可见，《汉书》颜注一出即得"班孟坚忠臣"之称，名符其实。

第三，关于史书书法的批评。作为参与贞观年间多次大规模

---

① 见班固：《汉书》卷一〇〇下《叙传下》，中华书局1962年版，第4236页。
② 见班固：《汉书》卷七三《韦贤传附子玄成传》，中华书局1962年版，第3130页。

修撰活动的核心人物，颜师古十分关注史书书法问题，这在《汉书》颜注中也有所反映：

——关于追叙。史家在著述过程中，为了增加记事的完整性，往往需要打破顺序性记事而追叙某事，颜师古注意到《汉书》的追叙书法，称之为“追书”。例如：《蒯通传》记“蒯通，范阳人也，本与武帝同讳”，颜师古指出：“本名为彻，其后史家追书为通。”[①]《樊哙传》记载：“项羽曰：‘能复饮乎？’哙曰：‘臣死且不辞，岂特酒乎！且沛公先入定咸阳，暴师霸上，以待大王。’”颜师古指出：“时项羽未为王，故《高纪》云‘以待将军’。此言大王，史追书耳。”[②]《叔孙通传》记“会十月。汉七年，长乐宫成，诸侯群臣朝十月”，颜师古指出：“适会七年十月，而长乐宫新成也。汉时尚以十月为正月，故行朝岁之礼，史家追书十月。”[③]《游侠·陈遂传》记载：“及宣帝即位，用遂，稍迁至太原太守，乃赐遂玺书曰：‘制诏太原太守：官尊禄厚，可以偿博进矣。妻君宁时在旁，知状。’”颜师古曰：“史皇孙名进而此诏不讳之，盖史家追书故有其字耳。”[④]《儒林·田何传》记“汉兴，田何以齐田徙杜陵，号杜田生”，颜师古指出：“高祖用娄敬之言徙关东大族，故何以旧齐田氏见徙也。初徙时未为杜陵，盖史家本其地追言之也。”[⑤]《匈奴传》记

① 见班固：《汉书》卷四五《蒯通传》，中华书局1962年版，第2159页。
② 见班固：《汉书》卷四一《樊哙传》，中华书局1962年版，第2069页。
③ 见班固：《汉书》卷四三《叔孙通传》，中华书局1962年版，第2127页。
④ 见班固：《汉书》卷九二《游侠·陈遂传》，中华书局1962年版，第3709页。
⑤ 见班固：《汉书》卷八八《儒林传》，中华书局1962年版，第3597页。

“是以文帝中年，赫然发愤，遂躬戎服，亲御鞍马，从六郡良家材力之士”，颜师古指出：“六郡，谓陇西、天水、安定、北地、上郡、西河也。其安定、天水、西河，武帝所置耳，史本其土地，而追言也。”[①] 由此可见，史家不仅可以追书其人其事，亦可以追书地名、官名、纪年等，而颜师古认为，这些“追书”的内容需要加以辨别，以免混淆。

——关于褒贬。在《谷永传》中，颜师古对“崔杼之乱”作注指出“齐崔杼弑其君光”。[②] 对于“季友鸩叔牙，《春秋》贤之；赵盾不讨贼，谓之弑君”，颜师古作注指出：“季友，鲁桓公少子，庄公母弟也。叔牙亦桓公子。庄公有疾，叔牙欲立其同母兄庆父，故季友使针季鸩之。公羊传曰：‘季子杀兄何善尔？诛不得避兄弟，君臣之义也。’赵盾，晋大夫赵宣子也，灵公欲杀之。宣子将出奔，而赵穿攻灵公于桃园，宣子未出山而复，太史书曰：‘赵盾弑其君。’宣子曰：‘不然’。曰：‘子为正卿，亡不越境，反不讨贼，非子而谁？’孔子曰：‘董狐，古之良史也，书法不隐。赵宣子，古之良大夫也，为法受恶。’”[③] 还有，关于“天子微弱，诸侯力政，讥臣不讨贼”，他指出：“力政谓以兵力相加也。讥臣不讨贼者，《春秋》之义。”[④] 这些内容表明，颜师古本人重视以君臣、父子为纲的《春秋》大义，更赞同《春秋》褒贬书法，以崔杼、赵盾作为名义上的弑君者，并认可董狐

① 见班固：《汉书》卷九四下《匈奴传》下，中华书局 1962 年版，第 3831 页。
② 见班固：《汉书》卷八五《谷永传》，中华书局 1962 年版，第 3468 页。
③ 见班固：《汉书》卷九三《佞幸·董贤传》，中华书局 1962 年版，第 3737 页。
④ 见班固：《汉书》卷九五《西南夷两粤朝鲜传》，中华书局 1962 年版，第 3857 页。

笔下的“《春秋》之义”，反映出作注者鲜明的史学褒贬意识。

第四，谨慎的史料观。谱牒是《隋书·经籍志》史部所设立的史学门类之一。颜师古认为，在修史中运用谱牒材料需十分谨慎，他特别强调私谱之文不可信，如关于眭弘的姓氏，他指出：“眭音息随反。今河朔尚有此姓，音字皆然。而韦昭、应劭并云音桂，非也。今有炅姓，乃音桂耳。汉之炔钦又不作眭字，宁可混糅将为一族？又近代学者旁引炅氏谱以相附著。私谱之文出于闾巷，家自为说，事非经典，苟引先贤，妄相假托，无所取信，宁足据乎？”[①] 又如关于《扬雄传》中“偪扬侯”之说，晋灼注释说道：“《汉名臣奏》载张衡说，云晋大夫食采于扬，为扬氏，食我有罪而扬氏灭。无扬侯。有扬侯则非六卿所偪也。”颜师古同意晋说，并进一步指出：“雄之自序谱谍盖为疏谬，范、中行不与知伯同时灭，何得言当是时偪扬侯乎？”[②] 再如关于萧望之是萧何后人的说法，颜师古指出：“近代谱谍妄相托附，乃云望之萧何之后，追次昭穆，流俗学者共祖述焉。但鄼侯汉室宗臣，功高位重，子孙胤绪具详表、传。长倩巨儒达学，名节并隆，博览古今，能言其祖。市朝未变，年载非遥，长老所传，耳目相接，若其实承何后，史传宁得弗详？《汉书》既不叙论，后人焉所取信？不然之事，断可识矣。”[③] 这些内容表明，颜师古对于谱牒的史料价值有严谨的认识，他不反对以谱牒之文

---

① 见班固：《汉书》卷七五《眭弘传》，中华书局 1962 年版，第 3153 页。
② 见班固：《汉书》卷八七上《扬雄传上》，中华书局 1962 年版，第 3513 页。
③ 见班固：《汉书》卷七八《萧望之传》，中华书局 1962 年版，第 3271 页。

入史，但更强调官修之谱的可靠性。

对于《汉书》取杂说入传记以丰富人物事迹的做法，颜师古持较为明确的反对态度。在《东方朔传》中，班固指出："朔之诙谐，逢占射覆，其事浮浅，行于众庶，童儿牧竖莫不眩耀。而后世好事者因取奇言怪语附着之朔，故详录焉。"颜师古则认为："言此传所以详录朔之辞语者，为俗人多以奇异妄附于朔故耳。欲明传所不记，皆非其实也。而今之为《汉书》学者，犹更取他书杂说，假合东方朔之事以博异闻，良可叹矣。他皆类此。"① 这就是说，史书修撰必须采用真实性高的材料，而不能以奇异传闻随意入史。例如，关于匡衡又名匡鼎的说法，他赞同服虔"鼎犹言当也，若言匡且来也"、应劭"鼎，方也"的观点，而否定张晏"匡衡少时字鼎，长乃易字稚圭。世所传衡与贡禹书，上言'衡敬报'，下言'匡鼎白'，知是字也"的解释。颜师古说道：

> 服、应二说是也。贾谊曰"天子春秋鼎盛"，其义亦同。而张氏之说盖穿凿矣。假有其书，乃是后人见此传云"匡鼎来"，不晓其意，妄作衡书云"鼎白"耳。字以表德，岂人之所自称乎？今有《西京杂记》者，其书浅俗，出于里巷，多有妄说，乃云匡衡小名鼎，盖绝知者之听。②

---

① 见班固：《汉书》卷六五《东方朔传》，中华书局1962年版，第2877页。
② 见班固：《汉书》卷八一《匡衡传》，中华书局1962年版，第3331页。

这里，颜师古指责《西京杂记》“出于里巷，多有妄说”，自有一定道理。但是，从今天人们关于《西京杂记》的研究来看，[①] 颜师古之说未免偏漏而忽略了野史、笔记的史学价值。

第五，追求文字表达的简洁。文字烦简是中国古代史学批评中的一个重要问题，其论述不绝于时。颜师古关于文字烦简的观点，主要在于强调措辞得当、通物达情。这可以从两方面来理解：一个方面是针对《汉书》文字烦简。在《汉书·陈胜传》文末有这样一段记载：“胜虽已死，其所置遣侯王将相竟亡秦。高祖时为胜置守冢于砀，至今血食。王莽败，乃绝。”颜师古对这段文字作注指出：“‘至今血食’者，司马迁作《史记》本语也。‘莽败乃绝’者，班固之词也。于文为衍，盖失不删耳。”[②] 这就是说，“王莽败，乃绝”一句之前为班固承钞《史记》之文，而“王莽败，乃绝”一句为班固后加之文。颜师古认为，该句于文意无用，是为衍文，间接指出《汉书》此处文字不如《史记》精炼。另一个方面是针对前人注释文字的烦简而作出批评。《汉书·循吏·文翁传》记载：“减省少府用度，买刀布蜀物，赍计吏以遗博士。”对此，如淳作注道：

> 金马书刀，今赐计吏是也。作马形于刀环内，以金镂之。

---

① 关于《西京杂记》的史料价值，参见刘宁：《论〈西京杂记〉的文学史料价值》，《求索》2009 年第 3 期；丁宏武：《考古发现对〈西京杂记〉史料价值的印证》，《文献》2006 年第 2 期；韩晋芳、罗见今：《〈西京杂记〉中的汉代科技史料》，《故宫博物院院刊》2003 年第 3 期。

② 见班固：《汉书》卷三一《陈胜传》，中华书局 1962 年版，第 1795 页。

晋灼作注道：

> 刀，书刀；布，布刀也。旧时蜀郡工官作金马书刀者，似佩刀形，金错其拊。布刀，谓妇人割裂财布刀也。

颜师古则指出：

> 少府，郡掌财物之府，以供太守者也。刀，凡蜀刀有环者也。布，蜀布细密（环）也。二者蜀人作之皆善，故赍以为货，无限于书刀布刀也。如、晋二说皆烦而不当也。[①]

颜师古批评如淳、晋灼将注释的重点放在“刀布”，而忽视了“二者蜀人作之皆善，故赍以为货”这一社会现象，所以称其二人注释“烦而不当”。

第六，关注《汉书》中的避讳笔法。例如，《郊祀志》记载“野鸡夜鸣”，颜师古指出：“野鸡，亦雉也，避吕后讳，故曰野鸡。”[②] 这是避讳改字。《五行志》记“严公二十年‘夏，齐大灾’”，指出：“严公，谓庄公也，避明帝讳，故改曰严。凡《汉书》载谥姓为严者，皆类此。”[③] 同卷又记“《左氏传》曰，宋灾，乐喜为司城”，颜师古指出：“司城，本司空，避武公之

---

① 以上见班固：《汉书》卷八九《循吏·文翁传》，中华书局1962年版，第3625页。

② 见班固：《汉书》卷二五上《郊祀志上》，中华书局1962年版，第1195页。颜师古之前，如淳曾指出“野鸡，雉也。吕后名雉，故曰野鸡”。

③ 见班固：《汉书》卷二七上《五行志上》，中华书局1962年版，第1322页。

讳，故改其官为司城。”[①] 前者是避讳改前人谥号，后者是避讳改前代官名。《艺文志》著录荀况著《孙卿子》三十三篇，颜师古指出：“本曰荀卿，避宣帝讳，故曰孙。”[②] 这是避讳改前人姓氏。此外还有因避讳而改前代地名，如《地理志》记“广川”，颜师古指出：“阚骃云其县中有长河为流，故曰广川也。至隋仁寿元年，初立炀帝为皇太子，以避讳故，改为长河县，至今为名。”[③] 由这些内容可知，颜师古已经关注并解释了《汉书》叙述中各种类型的避讳，他还纠正了被前人误读的避讳现象，如《王䜣传》记“王莽妻即咸女，莽篡位，宜春氏以外戚宠”。张晏作注指出：“莽讳取同姓，故氏侯邑也。”颜师古否定张说，认为：“若云王氏则与莽族相涉，故以侯号称之耳。莽本以与谭得姓不同，祖系各别，故为婚娶，既非私窃，不须避讳，讳亦不可掩也。”[④] 由此可见，颜师古本人已经初步具备了“避讳学”意识，而这种自觉梳理前人避讳的做法，对于后人研究历史上的避讳现象以及建立避讳学方法论多有启示。

总体上看，《汉书》颜注反映出作注者自觉的史学批评意识和较为深刻的史学思想，其中关于史书体例、书法、避讳、载文、烦简等内容的论述，为人们认识、研究唐人的史学批评提供了丰富的材料。

---

① 见班固：《汉书》卷二七上《五行志上》，中华书局1962年版，第1324页。

② 见班固：《汉书》卷三〇《艺文志》，中华书局1962年版，第1725页。同一避讳又见《汉书》卷三六《楚元王传》。

③ 见班固：《汉书》卷二八下《地理志下》，中华书局1962年版，第1633页。

④ 见班固：《汉书》卷六六《王䜣传》，中华书局1962年版，第2888页。

三、《后汉书》李贤注中的史学批评

如前所述，《后汉书》李贤注是一项集学术性和政治性为一体的史学工程。正如中华书局点校本《后汉书》前言中指出的那样，李贤等人的注释，侧重在字句的诠释，这是它最突出的特点。[①] 与此同时，李贤等人的注文中也反映出注者的历史观和史学观，为我们研究唐人史注中的史学批评提供了一些参考。

首先，在对《后汉书》李贤注中涉及的史学思想及史学批评的内容作出整理后，我们认为，李贤等人史学批评的重点在于强调典雅、实录的撰述原则。可以说，这是自唐高祖以来，唐代统治集团史学价值观的核心所在。唐高宗在著名的《简择史官诏》中曾强调，“修撰国史，义在典实”，[②] 这八个字表明，高宗一朝将“典实”作为修史的第一要义。李贤显然继承了他的父皇的史学观，《后汉书》李贤注中多处可见注者们对“典实”的重视。例如，《班彪列传》载有班固《两都赋》，赋中评价扬雄、司马相如的文章：“义正乎扬雄，事实乎相如，非唯主人之好学，盖乃遭遇乎斯时也。”对此，李贤等人注曰：“扬雄作《长杨》《羽猎赋》，司马相如作《子虚》《上林赋》，并文虽藻丽，其事迂诞，不如主人之言义正事实也。”[③]《后汉书》又载，班固“作《典引篇》，述叙汉德。以为相如《封禅》，靡而不典，扬雄

① 中华书局编辑部：《后汉书》出版说明，中华书局1965年版，第8页。
② 宋敏求编：《唐大诏令集》卷八一《简择史官诏》，商务印书馆1959年版，第467页。
③ 见范晔：《后汉书》卷四〇下《班彪列传下》，中华书局1965年版，第1371页。

《美新》，典而不实”。李贤等人对“靡而不典”的解释是“文虽靡丽，而体无古典”；对“典而不实”的解释是“体虽典则，而其事虚伪，谓王莽事不实”。[①]

从这两段内容可以看出，李贤等人对于文学创作和历史撰述所应遵循的规范作出了清晰划分：从形式上看，文学作品体裁多元、不拘一格，而历史撰述应力求体例规范、结构典雅。例如，班彪批评司马迁为项羽、陈涉立本纪、世家，而将刘氏淮南王、衡山王降为列传，认为《史记》“细意委曲，条列不经”。对此，李贤等人颇有同感，他们认为“陈涉起于垄亩，数月被杀，无子孙相继，著为世家，淮南、衡山，汉室之王胤，当世家而编之列传，言进退之失也”。[②] 这表明史注家更加推崇《汉书》整齐、规范的体例。从内容上看，文学作品辞藻华丽，可作夸张修辞，而历史撰述必须尊崇历史事实，直书其事。例如，李贤等人批评《东观汉记》为孙程等十九位宦官美饰出身，当然，他们也替《东观汉记》的作者们作出了解释，“盖当时史官惧程等威权，故曲为文饰”，[③] 这反映出李贤等人评价前人修史成果时的包容态度。

质言之，把形式上“典”和内容上“实”的要求，即体例上的典雅之美和叙事上的直书实录相结合，就是李贤等人对史书修撰提出的根本要求，这可以帮助人们更好地理解唐高宗所说的

---

① 见范晔：《后汉书》卷四〇下《班彪列传下》，中华书局1965年版，第1375页。
② 见范晔：《后汉书》卷四〇上《班彪列传上》，中华书局1965年版，第1327页。
③ 见范晔：《后汉书》卷七八《宦者列传》，中华书局1965年版，第2514页。

"修撰国史义在典实"。

其次，在"典实"的基础上，李贤等人还关注《春秋》褒贬书法。《后汉书·霍谞传》中有这样一段记载，有人向大将军梁商诬告霍谞的舅舅宋光，当时年仅十五岁的霍谞奏记于梁商，为舅舅辩白。霍谞援引《春秋》褒贬笔法，指出："谞闻《春秋》之义，原情定过，赦事诛意，故许止虽弑君而不罪，赵盾以纵贼而见书。此仲尼所以垂王法，汉世所宜遵前修也。"对此，李贤等人作注指出：

> 《公羊传》曰："冬，葬许悼公。贼未讨何以书葬？不成乎弑也。许悼公是止进药而杀，是以君子加弑焉。葬许悼公是君子之赦止。赦止者，免止罪之辞也。"何休注云："原止欲愈父之病，无害父之意，故赦之。"是原情定过也。又曰："晋史书赵盾弑其君。赵盾曰：'天乎无辜，吾不弑君。'太史曰：'尔为仁为义，人杀尔君而不讨贼，此非弑君如何？'此赦事诛意也。"[①]

所谓"原情定过"，是说许悼公姜买虽因其子姜止献药而死，但姜止初衷并无"害父之意"，所以不能将许悼公之死完全怪罪于其子，故《春秋》记"葬许悼公"以赦其罪。[②] 所谓"赦

---

① 见范晔：《后汉书》卷四八《杨李翟应霍爰徐列传》，中华书局 1965 年版，第 1615-1616 页。

② 《春秋公羊传·昭公十九年》，阮元校刻：《十三经注疏》，中华书局 1980 年版，第 2324 页。

事诛意”，是说赵盾虽未杀害晋灵公，但却没有追讨凶手赵穿等人，形成了对赵穿等人弑君行为的包庇，因而必须承担“弑君”的罪名。这是中国史学上著名的《春秋》褒贬书法，北周史官柳虬曾概括道：“古者人君立史官，非但记事而已，盖所以为鉴诫也。动则左史书之，言则右史书之，彰善瘅恶，以树风声。故南史抗节，表崔杼之罪；董狐书法，明赵盾之愆。是知执笔于朝，其来久矣。”[①] 这就是说，史官不仅要记录历史，还要在伦理层面对历史人物、事件作出评判。李贤等人对《春秋》之义作了详细的注释，表明他们十分认同史学彰善瘅恶的社会功能。无独有偶，《汉书》颜注也对春秋褒贬书法多次致意，正如《隋书·经籍志》的作者们强调“书美以彰善，记恶以垂戒，范围神化，昭明令德，穷圣人之至赜，详一代之亹亹”[②]，这反映出唐人对史学鉴戒功能的认同和需求。值得特别注意的是，唐人虽继承了中国史学上褒贬书法的思想，但他们所强调的褒贬，是在实录原则基础上的惩恶劝善，并不完全等同于先秦时期以价值判断为先的《春秋》笔法。

再次，从《后汉书》李贤注文中所运用的文献来看，作注者具有比较开阔的史学眼光。《隋书·经籍志》史部网罗各种历史文献分为十三类，这在一定程度上反映出史学的发展给予史学家更加开阔的学术眼光。而在《后汉书》李贤注中，作注者不仅对《隋志》史部各门类的书日有所征引、考证，还运用文集

① 令狐德棻等：《周书》卷三八《柳虬传》，中华书局1971年版，第681页。
② 魏徵等：《隋书》卷三三《经籍志·史部》大序，中华书局1973年版，第992页。

(如《张衡集》《蔡邕集》《孔融集》)、诗歌(包括少数民族诗歌[①])等文献材料，反映出《后汉书》注释团队博览善择的学风。

《后汉书》李贤注关于汉代典故、制度、风俗、文化、民族等各方面内容的考证，也使它成为今天人们读《后汉书》、治东汉史必要的参考。诚然，在中国古代史学批评史上，李贤等人的观点并不能覆盖史书修撰的各项内容，但是，他们思想中的方方面面却可以反映出唐代统治集团的史学观念。总体上，后世学者对李贤等人的注释工作予以较高的评价，王先谦曾说："详观章怀之范注，不减于颜监之注班。"当然，他也看到了李贤等人所注因成于重手，而不免有错漏的缺憾。[②] 此外，今人研究还强调李贤注在保存汉魏时代的文学文献方面具有突出的贡献，[③] 这也是其学术价值的重要表现。

四、"两汉书"注史学批评之比较

从李唐皇朝前期的政治形势来看，李承乾命颜师古注《汉书》和李贤召集众人注《后汉书》，都包含着突出的政治诉求。这种现实关怀既是出于为皇位继承人提供历史知识和治国经验的考虑，亦是出于通过文学馆、崇贤馆的学术活动为在位太子凝结政治资源、巩固政治地位的需要。在这个意义上，这两部流传至

---

① 见范晔：《后汉书》卷八六《南蛮西南夷列传》，中华书局1965年版，第2855-2856页。

② 王先谦：《后汉书集解》，中华书局1984年版，第4页。

③ 参见高明：《论〈后汉书〉李贤注的文学文献价值——以东汉文学研究为中心》，《西藏民族大学学报》(哲学社会科学版)2016年第5期。

今的唐人史注具有十分相近的现实指向。就学术层面来讲，《汉书》颜注是“汉书学”兴盛之下的产物，而《后汉书》李贤注亦受“汉书学”的影响颇深，这表明，《汉书》颜注和《后汉书》李贤注具有共同的学术史根源。在具体的注文中，这两部史注之间既有相似性，亦有各自的特点。

首先，《汉书》颜注和《后汉书》李贤注都善于吸收、借鉴前人史注。《汉书》颜注常引韦昭、应劭、如淳、晋灼等人的注文，并在其基础上作出新的考证、注释和进一步反思、评价。颜师古尤其吸收、借鉴颜游秦《汉书决疑》的内容。值得注意的是，颜师古不仅成功地注释了《汉书》，他还对《汉书》的卷帙作出了调整，将《汉书》析为百二十卷，这在“汉书学”史上是一个分水岭，影响至今。

《后汉书》李贤注也是在前人基础上修成的，在唐以前，已有一些为《后汉书》作注的成果，如南朝梁刘昭、北魏刘芳等人先后为《后汉书》作注，南朝陈宗道先生臧竞《范汉音训》，隋萧该《范汉音》。李贤等人作注之时，必然会参考、借鉴这些已有的成果。但是，李贤注中却鲜少在注文中标记出“某某曰”的字样，这是它有别于《汉书》颜注的地方。历代学者关于《后汉书》李贤注与刘昭注的关系展开了论辩。清代考据学家王鸣盛曾有一段引发辩难的论述，其文曰：

> 《梁书·文学传》：“刘昭，字宣卿，平原高唐人。幼清警，外兄江淹早称赏之。……集《后汉》同异，注范蔚宗

书一百八十卷，世称博悉。……”《南史·文学传》略同。考昭注范氏纪传、司马氏志，今世所行纪十二卷、志三十卷、传八十八卷，即其本也。《梁书》所云一百八十卷，“八十”当作“三十”。唐章怀太子贤既用其本改其注矣，于志仍用昭注。注纪传易，注志难，避难趋易也。且昭所注《续志》颇有可观，则其纪传注必佳，仍旧可耳，何必改作？唐初诸皇子好以著述争名，太宗子承乾命颜师古注《汉书》，泰引萧德言等撰《括地志》矣，贤又招儒臣为此，枉使刘注零落不全，恐有意存掩美改坏旧注，并袭取旧注攘为己有者。

……唐刘知幾《史通》第五卷云：“范蔚宗之删《后汉》，简而且周，疏而不漏，盖云备矣。而刘昭采其所捐以为补注，言尽非要，事皆不急，譬人有吐果之核、弃药之滓，愚者重加捃拾，洁以登荐，持此为工，多见其无识也。”愚谓知幾称蔚宗之美甚确，至其诋斥刘昭恐未必然。大约唐初人有此一种议论，所以李贤辈有事改撰，昭注遂遭废去大半，就如知幾之言，则昭注似裴松之之于陈寿。松之虽少裁断，其博亦有可取，此等入正文则烦猥，入注犹差可，况昭注必胜松之邪？凡著述，空际掉弄，提唱驰骋，愈多愈乱人意，纪载实事以备参考，虽多不甚可憎。[①]

① 王鸣盛：《十七史商榷》卷二九“刘昭李贤注”条，上海书店2005年版，第202-203页。

王鸣盛认为刘昭才学颇盛，“世称博悉”，因此所注《后汉书》纪传本为一体，具有较高的学术价值。至李贤等人，则选择了较为简单的纪传部分作注，志仍用刘昭注，因此导致“刘注零落不全”，他指出李贤等人有“袭取旧注攘为己有”的嫌疑。王鸣盛还为《后汉书》刘昭注正名，认为刘知幾对刘昭注的批评是不符合事实的。由此，《后汉书》李贤注成为一桩学术盗取的悬案。

对于王鸣盛提出李贤等人“避难趋易”“攘为己有”的观点，钱大昕持反对意见，后者认为：“刘昭注《后汉志》三十卷，本自单行，与章怀太子所注范史九十卷各别。其并于范史，实始于宋乾兴元年，盖因孙奭之请。昭本注范史纪传，又取司马氏《续汉志》兼注之，以补蔚宗之阙。厥后章怀太子别注范史，而刘注遂废。惟志三十卷，章怀以非范氏书，故注不及焉。而司马、刘二家之书，幸得传留至今，与范史并列学官。”[①] 余嘉锡《四库提要辩证》援引钱氏的观点，进一步指出：“王鸣盛《十七史商榷》虽知刘昭用《续志》补入，而又谓章怀于志仍用昭注为避难就易，是盖以为章怀作注时，已用昭所注《续汉志》合为一书，而未尝考之《书录解题》也。其于范史与司马志之分合，可谓明辨以晳矣。”[②] 实际上，结合刘知幾的评价以及今天所见《后汉书》志的部分所存刘昭注的体例，可见，刘昭作

---

① 钱大昕：《十驾斋养新录》卷六“司马彪续《汉书》志附范史以传”条，上海书店1983年版，第127页。

② 余嘉锡：《四库提要辩证》卷三《后汉书一百二十卷》条，中华书局1985年版，第127页。

注确实在补充史实方面用力甚勤，与裴松之注《三国志》有异曲同工之妙。而《后汉书》纪传部分李贤等人的注，则更关注于字音字义的训诂、注解，间或发表注者的历史观点和史学评论，二者旨趣不同。[①] 因此，从体例上看，李贤注与刘昭注之间并不存在窃取之说。

其次，《汉书》颜注与《后汉书》李贤注之间也存在因袭关系。一个值得细究的现象是，在《后汉书》李贤注中，人们可以轻易地发现李贤等人对于《汉书》中记载的人物、掌故、制度、风俗、地理等内容的引用，据笔者统计，《后汉书》李贤注征引《汉书》有六百五十余处。但是，在具体的注文中，却鲜少直接引用颜师古的注文，[②] 这与司马贞《史记索隐》、张守节《史记正义》广引《汉书》颜注的做法形成鲜明对比。

李贤出生在颜师古离世后十年，两人生活年代相距不远，李贤等人注《后汉书》时，《汉书》颜注已成且广获好评，因此，在当时的学术环境下注释新书，自然不会忽略颜注的成就，尤其是注释《后汉书》必须建立在深谙汉朝掌故、精读《汉书》的基础之上。身处东宫，李贤是最便于翻阅《汉书》颜注的人。那么，李贤等人的《后汉书》注中少见《汉书》颜注，则不可不理解为是一种刻意的忽略和回避。有学者指出："颜师古的

---

① 有研究者通过对比李贤注和刘昭注中对儒家经典专注的择取，指出："章怀注与刘昭注在对涉及儒家经典阐释的传注的择取上各有其取向，且对传注的指称方式也不尽相同，笔者以为两注并不存在前后因袭的情况。"（胡海忠：《两〈汉书〉注中所见唐代前期儒经阐释之倾向性及其特征研究》，华东师范大学硕士论文，2015 年，第 193-194 页）

② 仅见注者于《后汉书》卷一〇下《皇后纪下》中引用了一条颜师古关于字音的注文。（中华书局 1965 年版，第 460 页）

《汉书》注并非水平不高，但这是衔前朝废太子李承乾之命而作，多少有些忌讳，所以李贤的工作班子大概要有所规避，整个注释风格多少要有所区别，不能给人以袭人故智的印象（虽然实际动机如出一辙）。”[①] 这是说，李贤等人因为李承乾谋逆被废的经历而刻意回避出自李承乾之命的《汉书》颜注。这种说法，更近于一种揣测，毕竟，《汉书》颜注的学术地位并未因李承乾的废立而受到大的冲击。另一种比较可信的解释是，李贤所主持的《后汉书》注释团队在学统上更重今文经学，注中对谶纬之学的推崇即反映出这种学术上的偏好，而《汉书》颜注却表现出鲜明的尚古倾向。还有研究者指出，李贤身边的学者、僚属及《后汉书》的注释团队与北方大族关系密切，[②] 这或许也导致了李贤等人与具有南学渊源的颜师古在治学上的不同取向。

再有，在注释方法上，颜注和李贤注都善于运用注中互见的形式以达到省文、前后参证的目的。这种注释方法，当来源于对太史公所创立的“互见法”的继承和发展，其形式主要有两种：一是注中互见，一般以“解在某某”“说在某某”注出；二是文中互见，一般以“事在某某”“语在某某”注明。前者是为了减少对同一字句、典故、人物的重复注释，后者则是直接运用了“互见法”来阐释历史事实。

---

① 戚学民：《〈后汉书〉李贤注与〈文选〉李善注——论李善注影响的扩张》，《社会科学研究》2012 年第 3 期。

② 胡海忠：《两〈汉书〉注中所见唐代前期儒经阐释之倾向性及其特征研究》，华东师范大学硕士论文，2015 年，第 198-200 页。

此外，颜师古还擅长通过比对《汉书》前后文而展开校勘、注释和考证，这一点，亦来源于其家学传统。有研究者指出，颜师古祖父颜之推就擅长运用各种校勘方法："在分析解决《史记》和《汉书》将'娼'误为'媚'的问题上，颜之推运用了他校、本校、参校和理校，证据确切，很有说服力。"[①] 这使《汉书》颜注在方法上略胜《后汉书》李贤注一筹。

第三节 《史记》注与史学批评

一、"史记学"在唐代的兴起

经过魏晋南北朝时期的发展，史注至唐代已成为治史之必要门径。与《汉书》一经问世便成为显学不同，《史记》受到重视是在东汉中后期以后的事。两汉魏晋南北朝是"史记学"的萌芽期，不论是关于马班优劣的辩难、对《史记》体例的讨论，还是对司马迁之史才、叙事的评论，都促进了《史记》的传播和"史记学"的兴起。这一时期，有徐广《史记音义》十三卷、裴骃《史记集解》八十卷、邹诞生《史记音义》三卷等。隋朝有柳顾言善《史记》，多作音旨。唐初所修"五代史志"，以《史记》为"正史"之大宗，奠定了《史记》在唐代以至于中国古代史学史上的地位。与之相呼应的，是人们对《史记》研究的进一步深入。"称'史记学'为《史记》之学，并认为形成

① 刘治立：《魏晋南北朝时期史注研究》，北京师范大学博士学位论文，2009年，第55页。

于唐代，基本符合事实。”[①] 盛唐史学批评家刘知幾《史通》中就有多处讨论《史记》体裁体例及书法问题，其后又有刘伯庄、司马贞、张守节、李玄植、高子贡、陆士季等人精于《史记》。其中，司马贞《史记索隐》三十卷和张守节《史记正义》三十卷优于诸家，受到宋人及后世推崇，与裴骃《史记集解》合称为“史记三家注”。《史记》三家注原各单行，宋时始将三者合为一编，散列于正文下。关于史记三家注的版本等问题，历代学者多有讨论。

司马贞《史记索隐》序对唐前“史记学”作了简要的论述和评价，对徐广《史记音义》、裴骃《史记集解》、邹诞生《史记音义》、刘伯庄《史记音义》等人的注释进行了正、反两方面的评价，反映出他的学术批评意识，又阐述了自己作《史记索隐》的撰写旨趣、内容、功用和目的，即：“家传是书，不敢失坠，初欲改更舛错，裨补疏遗，义有未通，兼重注述。”[②] 司马贞《史记索隐》和张守节《史记正义》都是在对前人成果的批判继承的基础上而成书的。可以说，“史记学”的兴趣和发展是唐人注释《史记》的学术史根源。下面主要总结和论述司马贞《史记索隐》、张守节《史记正义》中的史学批评内容和思想。

① 张新科：《史记学概论》，商务印书馆2003年版，第107页。
② 见司马迁：《史记》附录二，中华书局2014年版，第4044页。

二、《史记索隐》《史记正义》中的史学批评

《史记索隐》《史记正义》（本章节以下正文中简称《索隐》《正义》，标题、表格、注释、参考文献除外）均反映出作注者自身突出的史学批评意识，同时，二者又各有特点，表现为：《索隐》长于音义，《正义》详于论理；《索隐》着意立论，《正义》重在疏通。以下几个方面反映了二者史学批评的内容和特点。

第一，论史体史例。司马贞和张守节都对《史记》五种体例，即“本纪”“表”“书”“世家”“列传”之名称由来作了疏通、阐释。司马贞指出：“纪者，记也。本其事而记之，故曰本纪。又纪，理也，丝缕有纪。而帝王书称纪者，言为后代纲纪也”；[①]“表者，录其事而见之。……谓事微而不著，须表明也，故言表也”；[②]“书者，五经六籍总名也。此之八书，记国家大体。班氏谓之志，志，记也”；[③]“系家者，记诸侯本系也，言其下及子孙常有国”；[④]“列传者，谓叙列人臣事迹，令可传于后世，故曰列传”。[⑤]

司马贞总体上肯定了太史公《史记》立五体的创获，但他对《史记》某些篇目的设置提出了不同意见：

——关于“本纪”。《索隐》指出，汉惠帝时吕太后“以女

① 见司马迁：《史记》卷一《五帝本纪》，中华书局2014年版，第1页。
② 见司马迁：《史记》卷一三《三代世表》，中华书局2014年版，第623页。
③ 见司马迁：《史记》卷二三《礼书》，中华书局2014年版，第1371页。
④ 见司马迁：《史记》卷三一《吴太伯世家》，中华书局2014年版，第1747页。
⑤ 见司马迁：《史记》卷六一《伯夷列传第一》，中华书局2014年版，第2581页。

主临朝，自孝惠崩后立少帝而始称制”，应“合附《惠纪》而论之”，“或别为《吕后本纪》”，[①] 而《史记》不设《孝惠本纪》，却独作《吕后本纪》，是全隐没了汉惠帝之朝，于例不合。

——关于“世家”，《索隐》认为项羽不应入本纪，而应降为“系家”（世家），其理由是“（项羽）争雄一朝，假号西楚，竟未践天子之位，而身首别离，斯亦不可称《本纪》，宜降为系家”；[②]《索隐》认为，孔子、陈涉入世家有理可循，前者“非有诸侯之位，而亦称系家者，以是圣人为教化之主，又代有贤哲，故称系家焉”，[③] 后者“以其所遣王侯将相竟灭秦，以其首事也”，虽立数月而亡且无后，但亦可称“世家”。[④]《索隐》还指出，张耳、吴芮“势侔楚、汉，位埒齐、韩，俱怀从沛之心，咸享誓河之业。爵在列侯之上，家传累代之基，长沙既曰令终，赵王亦谓善始”，故“可列同系家焉”。[⑤]

——关于“列传”。《索隐》指出，老子、韩非“二人教迹全乖，不宜同传，先贤已有成说，今则不可依循。宜令老子、尹喜、庄周同为传，其韩非可居《商君传》末”；[⑥] 鲁连、屈原为六国时人，贾谊、邹阳是西汉官员，“事迹虽复相类，年代甚为乖觉。其邹阳不可上同鲁连，贾生亦不可上同屈平。宜抽鲁连同

---

① 见司马迁：《史记》卷九《吕太后本纪》，中华书局2014年版，第503页。
② 见司马迁：《史记》卷七《项羽本纪》，中华书局2014年版，第379页。
③ 见司马迁：《史记》卷四七《孔子世家》，中华书局2014年版，第2309页。
④ 见司马迁：《史记》卷四八《陈涉世家》，中华书局2014年版，第2365页。
⑤ 见司马迁：《史记》卷八九《张耳陈馀列传》，中华书局2014年版，第3121页。
⑥ 见司马迁：《史记》卷六三《老子韩非列传》，中华书局2014年版，第2603页。

田单为传，其屈原与宋玉等为一传，其邹阳与枚乘、贾生等同传”；[①] 国侨、羊舌肸等人为“古之贤大夫”，应“合著在《管晏》之下，不宜散入《循吏》之篇”；[②] 《萧相国》《曹相国》《留侯》《绛侯》《五宗》《三王》六篇则应合为一篇。[③]

司马贞对人物传记设立的意见，大多以传主的历史身份为标准，如指出吴王刘濞虽发动了七王之乱，但因其汉之宗室的身份，应与楚元王同为一篇。[④] 这个说法，相较于太史公不拘一格以人物对历史进程的影响为立传标准，略显刻板。

与司马贞相近，张守节也关注《史记》五体的体例问题，如他指出《匈奴列传》本在《平津侯主父列传》之后，列位第五十二，“今第五十者，先生（指司马迁）旧本如此，刘伯庄音亦然。若先诸传而次四夷，则司马、汲郑不合在后也”。[⑤] 值得特别关注的是，张守节专设“论史例”一条，文中指出：

> 古者帝王右史记言，左史记事，言为《尚书》，事为《春秋》。太史公兼之，故名曰《史记》。并采六家杂说以成一史，备论君臣父子夫妻长幼之序，天地山川国邑名号殊俗物类之品也。
>
> 太史公作《史记》，起黄帝、高阳、高辛、唐尧、虞

---

① 见司马迁：《史记》卷八三《鲁仲连邹阳列传》，中华书局2014年版，第2981页。
② 见司马迁：《史记》卷一一九《循吏列传第》，中华书局2014年版，第3769页。
③ 见司马迁：《史记》卷五四《曹相国世家》，中华书局2014年版，第2455页。
④ 见司马迁：《史记》卷一〇六《吴王濞列传第》，中华书局2014年版，第3415页。
⑤ 见司马迁：《史记》卷一〇十《匈奴列传》，中华书局2014年版，第3483页。

舜、夏、殷、周、秦，讫于汉武帝天汉四年，合二千四百一十三年。作本纪十二，象岁十二月也。作表十，匀天之刚柔十日，以记封建世代终始也。作书八，象一岁八节，以记天地日月山川礼乐也。作世家三十，象一月三十日，三十辐共一毂，以记世禄之家辅弼股肱之臣忠孝得失也。作列传七十，象一行七十二日，言七十者举全数也，余二日象闰余也，以记王侯将相英贤略立功名于天下，可序列也。合百三十篇，象一岁十二月及闰余也。而太史公作此五品，废一不可，以统理天地，劝奖箴诫，为后之楷模也。[①]

这段内容，以天文星历与《史记》之十二本纪、十表、八书、三十世家、七十列传相对应，为后世学者了解和研究《史记》体例提供了诸多参考。但文中提到“古者帝王，右史记言，左史记事，言为《尚书》，事为《春秋》。太史公兼之，故名曰《史记》”，系守节之误。今人陈直考证指出：“《史记》名称，有谓始于班彪父子者，有谓始于王肃者，有谓始于两晋者，有谓始于《隋书·经籍志》者，众说纷纭，莫衷一是，今据东汉的碑刻，及其他可靠文献材料，互参考证，决定开始于东汉桓帝之时。”[②] 在东汉以前，《史记》一直以“太史公书”为名流传，因此，张守节以“史记”对应“右史记言，左史记事”，并认为是司马迁自命其名，是错误的看法。

---

① 见司马迁：《史记》附录三，中华书局2014年版，第4059页。

② 陈直：《太史公书名考》，《文史哲》1956年第6期。

第二，论史料的采择和运用。这主要有三个方面：

——关于史料的来源。《索隐》指出，《卫康叔世家》中“卫人因葬之釐侯旁，谥曰共伯，而立和为卫侯，是为武公”的记载，是“太史公采杂说而为此记耳”；[①] 而《三代世表》中司马迁自云“以五帝系谍”，是由于“《大戴礼》有《五帝德》及《帝系》篇，盖太史公取此二篇之谍及《尚书》，集而纪黄帝以来为系表也”。[②] 司马迁在《项羽本纪》后论中写道“吾闻之周生”，裴骃认为周生为“周时贤者”，而《正义》则引孔文祥云：“周生，汉时儒者，姓周也。”并进一步指出：“太史公云‘吾闻之周生’，则是汉人，与太史公耳目相接明矣。”[③] 这些内容，都对《史记》史料来源之广作了正面评价。此外，《史记·田敬仲完世家》记载“桓公午五年，秦、魏攻韩，韩求救于齐。齐桓公召大臣而谋”，《索隐》谓“大臣”为驺忌、段干朋，“如《战国策》威王二十六年邯郸之役有此谋臣耳。又南梁之难在宣王二年，有驺子、田忌、孙膑之谋。《战国策》又有张田。其辞前后交互，是记史者所取各异，故不同耳”[④]。这里，司马贞揭示出由于史料来源存在差异，进而会造成不同史书之间对同一事件记载的差异。

——关于史料的运用。《史记》叙事简洁，对于相同的记载，常采用“互见法”避免重复，但亦不乏例外，如《屈原贾

---

① 见司马迁：《史记》卷三七《卫康叔世家》，中华书局2014年版，第1926页。
② 见司马迁：《史记》卷一三《三代世表》，中华书局2014年版，第624页。
③ 见司马迁：《史记》卷七《项羽本纪》，中华书局2014年版，第428页。
④ 见司马迁：《史记》卷四六《田敬仲完世家》，中华书局2014年版，第2288页。

生列传》和《楚世家》中都有关于秦为“虎狼之国”的记载，《索隐》指出：“《楚世家》昭雎有此言，盖二人同谏王，故彼此各随录之也。”[①] 这解释了《史记》如此排比史料的目的在于保证每一人物传记的完整性。《正义》也关注到《史记》对史料的运用，指出：“太史公据古文并诸子百家论次，择其言语典雅者，故著为《五帝本纪》，在《史记》百三十篇书之首。”[②] 这肯定了《史记》拣择史料的用心。

——提倡传疑精神。《史记·殷本纪》记：“帝中壬即位四年，崩，伊尹乃立太丁之子太甲。”张守节指出：“《尚书》孔子序云‘成汤既没，太甲元年’，不言有外丙、仲壬，而太史公采《世本》，有外丙、仲壬，二书不同，当是信则传信，疑则传疑。”[③] 司马贞认为，传疑实际上是实录精神的体现，他指出：“《汉书·齐王传》云使祝午劫琅邪王至齐，因留琅邪王不得反国。泽乃说求入关，齐乃送之。与此文不同者，刘氏以为燕、齐两史各言其主立功之迹，太史公闻疑传疑，遂各记之，则所谓实录。”[④] 可以说，司马贞的这段论述，揭示了传疑和实录的内在关联。

值得关注的是，司马贞、张守节二人自身也秉承了太史公的传疑精神，对于来源不明的史料，他们提出了疑问，以待后人研究。如《史记·秦始皇本纪》记“右秦襄公至二世，六百一十

---

① 见司马迁：《史记》卷八四《屈原贾生列传》，中华书局 2014 年版，第 3013 页。
② 见司马迁：《史记》卷一《五帝本纪》，中华书局 2014 年版，第 56 页。
③ 见司马迁：《史记》卷三《殷本纪》，中华书局 2014 年版，第 128 页。
④ 见司马迁：《史记》卷五一《荆燕世家》，中华书局 2014 年版，第 2423 页。

岁”，《正义》指出：“《秦本纪》自襄公至二世，五百七十六年矣。《年表》自襄公至二世，五百六十一年。三说并不同，未知孰是。”① 又如《鲁周公世家》记“公贱妾声子生子息。息长，为娶于宋。宋女至而好，惠公夺而自妻之”，《索隐》指出：“《左传》宋武公生仲子，仲子手中有‘为鲁夫人’文，故归鲁，生桓公。今此云惠公夺息妇而自妻。又经传不言惠公无道，《左传》文见分明，不知太史公据何而为此说。”② 再如《宋微子世家》记“（宋景公）六十四年，景公卒。宋公子特（德）攻杀太子而自立，是为昭公”，《索隐》指出：“按《左传》，景公无子，取元公庶曾孙公孙周之子德及启畜于公宫。及景公卒，先立启，后立德，是为昭公。与此全乖，未知太史公据何而为此说。”③ 这些疑问的提出，反映了作注者的严谨精神，也为后人研读《史记》提供了参考。

第三，针对历史事实的批评。这主要包含两方面内容。

一是关注《史记》记事的准确性。例如，《赵世家》记“缪王日驰千里马，攻徐偃王”，《索隐》指出：“谯周曰：‘徐偃王与楚文王同时，去周穆王远矣。且王者行有周卫，岂闻乱而独长驱日行千里乎？’并言此事非实也。”④ 《孔子世家》记“孔子适齐，为高昭子家臣，欲以通乎景公。与齐太师语乐，闻韶音，学之，三月不知肉味”，《索隐》指出：“按《论语》，子语鲁太师

① 见司马迁：《史记》卷五《秦本纪》，中华书局 2014 年版，第 290 页。
② 见司马迁：《史记》卷三三《鲁周公世家》，中华书局 2014 年版，第 1849 页。
③ 见司马迁：《史记》卷三八《宋微子世家》，中华书局 2014 年版，第 1969 页。
④ 见司马迁：《史记》卷四三《赵世家》，中华书局 2014 年版，第 2148 页。

乐，非齐太师也。又‘子在齐闻韶，三月不知肉味’，无‘学之’文。今此合《论语》齐、鲁两文而为此言，恐失事实。”①在作注者看来，历史事实是一部史学著作的根本所在，只有做到事得其实，才能称为一部良史。

二是在对史实质疑的同时，进一步分析《史记》记事之误的原因：有因年代久远而产生记事顺序上的颠倒，如《吴太伯世家》记“齐鲍氏弑齐悼公”，《索隐》指出：“公名阳生。《左传》哀十年曰‘吴伐齐南鄙，齐人杀悼公’，不言鲍氏。又鲍牧以哀八年为悼公所杀，今言鲍氏，盖其宗党尔。且此伐在艾陵战之前年，今记于后，亦为颠倒错乱也。”② 有疏漏之误，如《孔子世家》记“及釐子卒，懿子与鲁人南宫敬叔”，《索隐》指出：“《左传》及《系本》，敬叔与懿子皆孟僖子之子，不应更言‘鲁人’，亦太史公之疏耳。”③ 《鲁周公世家》记“周公卒后，秋未获，暴风雷，禾尽偃，大木尽拔。周国大恐。成王与大夫朝服以开金縢书”，《索隐》指出：“据尚书，武王崩后有此雷风之异。今此言周公卒后更有暴风之变，始开金縢之书，当不然也。盖由史迁不见古文《尚书》，故说乖误。”④ 《燕召公世家》记“惠公至燕而死”，《索隐》指出：“《春秋》昭三年‘北燕伯款奔齐’，至六年，又云‘齐伐北燕’，一与此文合。《左传》无纳款之文，而云‘将纳简公，晏子曰“燕君不入矣”，齐遂受赂而

① 见司马迁：《史记》卷四七《孔子世家》，中华书局 2014 年版，第 2316 页。
② 见司马迁：《史记》卷三一《吴太伯世家》，中华书局 2014 年版，第 1779 页。
③ 见司马迁：《史记》卷四七《孔子世家》，中华书局 2014 年版，第 2313 页。
④ 见司马迁：《史记》卷三三《鲁周公世家》，中华书局 2014 年版，第 1842 页。

还’。事与此乖，而又以款为简公。简公去惠公已五代，则与《春秋经传》不相协，未可强言也。”[①] 有因循前人之误，如《晋世家》记“周作晋文侯命：‘王若曰：父义和’”，裴骃为之注曰：“孔安国曰：‘同姓，故称曰父。’马融曰：‘王顺曰，父能以义和我诸侯。’”《索隐》则指出：“《尚书》文侯之命是平王命晋文侯仇之语，今此文乃襄王命文公重耳之事，代数悬隔，勋策全乖。太史公虽复弥缝《左氏》，而《系家》颇亦时有疏谬。裴氏《集解》亦引孔、马之注，而都不言时代乖角，何习迷而同醉也？然计平王至襄王为七代，仇至重耳为十一代而十三侯。又平王元年至鲁僖二十八年，当襄二十年，为一百三十余岁矣，学者颇合讨论之。而刘伯庄以为盖天子命晋同此一辞，尤非也。”[②] 这是说历代作注者因循前人之误，不加考辨，造成了史实之误的延续，是为“习迷而同醉”。同样的情况还有《郑世家》有关“郑人共立其子掘突，是为武公”的记载，《索隐》指出：“谯周云‘名突滑’，皆非也。盖古史失其名，太史公循旧失而妄记之耳。”[③]

作注者关于史书所载历史事实的考辨，受到求真精神的驱使。这种求真精神，一定程度上反映了中国古代史学批评走向深入的发展趋势。需要注意的是，作注者的考证有时未必准确，例如《史记·宋微子世家》记：“（宋襄公）十四年夏，襄公病伤

① 见司马迁：《史记》卷三四《燕召公世家》，中华书局 2014 年版，第 1880 页。
② 见司马迁：《史记》卷三九《晋世家》，中华书局 2014 年版，第 2011-2012 页。
③ 见司马迁：《史记》卷四二《郑世家》，中华书局 2014 年版，第 2123 页。

于泓而竟卒。”《索隐》认为：“《春秋》战于泓在僖二十三年，重耳过宋及襄公卒在二十四年。今此文以重耳过与伤泓共岁，故云‘是年’。又重耳过与宋襄公卒共是一岁，则不合更云‘十四年’。是进退俱不合于《左氏》，盖太史公之疏耳。”[①] 据今人杨伯峻考证：“重耳过宋当在鲁僖之二十二年，即宋襄之十三年，《宋世家》之言可据。”[②] 由此可知，作注者虽重视事实，但其考辨的准确性却未必超出《史记》原文，这需要读者详加辨别。

第四，论史书叙事。一个方面是提出记事详备本末的要求。司马贞生活在人们对史书体裁展开激烈辩难进而提出“纪事之本末”的时代，他在《索隐》中强调记事要周备始末，反映了这一时期人们对史学发展提出的新课题。《史记·仲尼弟子列传》记载春秋时期越国灭吴，将吴晋争强、越王袭吴，杀吴王夫差而戮其相等相隔数年之事一并叙述。《索隐》欣赏这种叙事方法，指出：“《左传》越灭吴在哀二十二年，则事并悬隔数年。盖此文欲终说其事，故其辞相连。”[③] 《索隐》还对《陈杞世家》所记诸分封国提出：“薛，奚仲之后，任姓，盖夏、殷所封，故春秋有滕侯、薛侯。邾，曹姓之国，陆终氏之子会人之后。邾国，今鲁国驺县是也。然三国微小，春秋时亦预会盟，盖史缺无可叙列也。又许文叔、太岳之胤，二邾、曹姓之君，并通好诸侯，同盟大国，不宜全没其事，亦可叙其本末，补《许邾世

① 见司马迁：《史记》卷三八《宋微子世家》，中华书局 2014 年版，第 1965 页。
② 《左传·僖公二十三年》，杨伯峻《春秋左传注》本，中华书局 1981 年版，第 408 页。
③ 见司马迁：《史记》卷六七《仲尼弟子列传》，中华书局 2014 年版，第 2674 页。

家》。”[①] 这里，《索隐》明确提出“叙其本末”，这是希望对一姓之国由受封到退出历史舞台的始终作一完整叙述。《索隐》还认为，史书中的叙事和论赞都应囊括始末，指出：“夫叙事美功，合有首末，惩恶劝善，是称褒贬。观太史公赞论之中，或国有数君，或士兼百行，不能备论终始，自可略申梗概。遂乃颇取一事，偏引一奇，即为一篇之赞，将为龟镜，诚所不取。斯亦明月之珠，不能无纇矣。今并重为一百三十篇之赞云。”[②]

另一个方面是提倡省文与尚简。司马贞高度评价《史记》叙事“网络古今，叙述惩劝，异《左氏》之微婉，有南史之典实”[③]；“太史良才，实纂先德。周游历览，东西南北。事核词简，是称实录”[④]；等等。这都是在称赞《史记》文约事丰的特点。例如，《吴太伯世家》中有关“王余昧二年，楚公子弃疾弑其君灵王代立焉”的记载，《春秋·昭公十三年》记“夏四月，楚公子比自晋归于楚，弑其君虔于乾谿，楚公子弃疾杀公子比”，《左传》也有相同记载，而《史记》却“以词繁不录”。[⑤]这都是尚简文风的反映，司马贞疏发《史记》的文风，也反映了他本人尚简的追求。

《史记》书成以后，十篇有目无文，故后世学者补史记者甚多，其中，褚少孙所补流传最广。相较于对《史记》的高度赞

---

① 见司马迁：《史记》卷三六《陈杞世家》，中华书局2014年版，第1917页。
② 见司马迁：《史记》卷一《五帝本纪》，中华书局2014年版，第56页。
③ 见司马迁：《史记》附录二，中华书局2014年版，第4048页。
④ 见司马迁：《史记》卷一三〇《太史公自序》，中华书局2014年版，第4029页。
⑤ 见司马迁：《史记》卷三一《吴太伯世家》，中华书局2014年版，第1764页。

扬，《索隐》《正义》对褚少孙所补部分的文字表述提出了尖锐的批评："其叙事烦芜陋略，无可取"；[①]"日者、龟策言辞最鄙陋，非太史公之本意也"；[②]"今褚少孙唯取太卜占龟之杂说，词甚烦芜，不能裁剪，妄皆穿凿，此篇不才之甚也"；[③]等等。这些都是针对褚少孙所补文字内容之繁复而提出的批评，反映出作注者提倡省文、尚简的思想。

第五，论《史记》避讳书法。唐人避讳之风甚盛。[④]从《汉书》颜注到《后汉书》李贤注，再从司马《索隐》到张氏《正义》，史注家十分关注史书中的避讳现象，这与唐人讲究避讳的风气是密切相关的。《索隐》《正义》所指出的避讳现象见下表所列：

《史记》所载	《史记索隐》	《史记正义》
常、卫既从，大陆既为。	此文改恒山、恒水皆作"常"，避汉文帝讳故也。[⑤]	
丁卯，封长公主子蟜为隆虑侯。	音林闾。避殇帝讳改之。[⑥]	
七年中，庄侯	壮侯。按：五侯斩项籍，皆谥"壮"。《汉表》以为"庄"，皆避讳改作"严"，误也。[⑦]	

① 见司马迁：《史记》卷一二八《龟策列传》，中华书局2014年版，第3917页。
② 见司马迁：《史记》卷一二八《龟策列传》，中华书局2014年版，第3917页。
③ 见司马迁：《史记》卷一三〇《太史公自序》，中华书局2014年版，第4026页。
④ 参见陈垣：《史讳举例》，科学出版社1958年版，第145页。
⑤ 见司马迁：《史记》卷二《夏本纪》，中华书局2014年版，第68页。
⑥ 见司马迁：《史记》卷一一《孝景本纪》，中华书局2014年版，第563页。
⑦ 见司马迁：《史记》卷一八《高祖功臣侯者年表》，中华书局2014年版，第1104页。

续表

《史记》所载	《史记索隐》	《史记正义》
而自以为获水德之瑞，更名河曰“德水”，而正以十月，色上黑。		音征。以秦始皇名讳之，故改也。①
庆父竟立庄公子开，是为湣公。	《系本》名启，今此作“开”，避汉景帝讳耳。《春秋》作“闵公”也。②	
郑国字子徒。	家语薛邦字徒，史记作“国”而家语称“邦”者，盖避汉祖讳而改。③	家语云薛邦字徒，史记作“国”者，避高祖讳。“薛”字与“郑”字误耳。④
邦巽字子敛。	《家语》“巽”作“选”，字子敛。文翁图作“国选”，盖亦避汉讳改之。⑤	
荀卿，赵人。	名况。卿者，时人相尊而号为卿也。仕齐为祭酒，仕楚为兰陵令。后亦谓之孙卿子者，避汉宣帝讳改也。⑥	
邹阳者，齐人也。	忌，会稽人，姓庄氏，字夫子。后避汉明帝讳，改姓曰严。⑦	

① 见司马迁：《史记》卷二六《历书》，中华书局2014年版，第1504页。
② 见司马迁：《史记》卷三十八《宋微子世家》，中华书局2014年版，第1944页。
③ 见司马迁：《史记》卷六七《仲尼弟子列传》，中华书局2014年版，第2701页。
④ 见司马迁：《史记》卷六七《仲尼弟子列传》，中华书局2014年版，第2701页。
⑤ 见司马迁：《史记》卷六七《仲尼弟子列传》，中华书局2014年版，第2702页。
⑥ 见司马迁：《史记》卷七四《孟子荀卿列传》，中华书局2014年版，第2853页。
⑦ 见司马迁：《史记》卷八三《鲁仲连邹阳列传》，中华书局2014年版，第2993页。

续表

《史记》所载	《史记索隐》	《史记正义》
会景帝不好辞赋，是时梁孝王来朝，从游说之士齐人邹阳、淮阴枚乘、吴庄忌夫子……	徐广、郭璞皆云名忌字夫子。按：邹阳传云枚先生、严夫子，此则夫子是美称，时人以为号。汉书作“严忌”者，案忌本姓庄，避明帝讳改姓严也。①	

总体上看，《索隐》《正义》指出的避讳现象大多是避皇帝讳而改人名、地名。此外，《史记》中的避父讳改字现象也为司马贞、张守节所关注，他们指出：“谈者，史迁之父名，迁例改为‘同’。”② 如张孟谈改为张孟同、李谈改为李同、赵谈改为赵同。③ 了解了这些避讳，便于读者探寻史事原貌。

第六，论史学功用。史学与社会的关系问题，是中国古人史学批评的重要环节，在唐代史学上表现得十分突出。司马贞和张守节研读、注解《史记》用力甚勤，他们深入地阐释了太史公《史记》“居今识古”的鉴戒思想。司马迁有言：“居今之世，志古之道，所以自镜也，未必尽同。帝王者各殊礼而异务，要以成功为统纪，岂可绲乎？观所以得尊宠及所以废辱，亦当世得失之林也。”对此，《索隐》引申道：“言居今之代，志识古之道，得以自镜当代之存亡也。言观今人臣所以得尊宠者必由忠厚，被废辱者亦由骄淫，是言见在兴废亦当代得失之林也。”④ 可见，司

① 见司马迁：《史记》卷一一七《司马相如列传》，中华书局 2014 年版，第 3638 页。

② 见司马迁：《史记》卷四三《赵世家》，中华书局 2014 年版，第 2164 页。

③ 见司马迁：《史记》卷四三《赵世家》、卷七十六《平原君虞卿列传》、卷一二五《佞幸列传》，中华书局 2014 年版，第 2164、2879、3878 页。

④ 见司马迁：《史记》卷一八《高祖功臣侯者年表》，中华书局 2014 年版，第 1050 页。

马贞的确传承了经世致用的“家学”传统。此外，《索隐》还指出《史记》之十表是“为成学治文者要删焉”，即“表见《春秋》《国语》，本为成学之人欲览其要，故删为此篇焉”，[①] 这是肯定了《史记》十表的教化功能。

张守节也十分关注史学的鉴戒功能，在《匈奴列传》中，太史公写道：“席中国广大，气奋，人主因以决策，是以建功不深。尧虽贤，兴事业不成，得禹而九州宁。”张守节指出：“言尧虽贤圣，不能独理，得禹而九州安宁。以刺武帝不能择贤将相，而务谄纳小人浮说，多伐匈奴，故坏齐民。故太史公引禹圣成其太平，以攻当代之罪。”[②] 这是点明《史记》借古讽今的特点。“居今识古”作为中国古代史学的一个核心观念，是史学与社会相互作用的具体表现。[③] 作注者对“居今识古”的阐述和评论，反映出唐人对史学功用的认识走向了更加自觉的阶段。

三、《史记索隐》《史记正义》史学批评的特点与联系

如前所述，司马贞《索隐》和张守节《正义》在内容上多有相近之处，关于二者之间是否存在相承关系，古今学者皆有论述。清人邵晋涵认为：“守节能通裴骃之训辞，折司马贞之异同。”[④] 而钱大昕则指出：“两人生于同时，而其书不相称引。”[⑤]

---

① 见司马迁：《史记》卷一四《十二诸侯年表》，中华书局 2014 年版，第 650 页。

② 见司马迁：《史记》卷一一〇《匈奴列传》，中华书局 2014 年版，第 3526 页。

③ 参见瞿林东等：《“居今”何以“识古”——关于中国古代史学发展一个核心观念的对话》，《光明日报》2017 年 6 月 12 日，第 14 版。

④ 邵晋涵：《南江书录》“史记正义”条，见刘世珩刻《聚学轩丛书》本，第 4 页。

⑤ 钱大昕：《廿二史考异》卷五《史记五》，上海古籍出版社 2004 年版，第 89 页。

对于钱、邵两人的不同观点，今人程金造和黄烈各持一端，前者对司马贞、张守节的生平、历职、学派及具体的注文等方面进行了详细的排比、论争，指出“张氏之撰《史记正义》，确乎是曾见到小司马《索隐》之书的”，而宋人将《史记》三家注合刊，“除掉它们训义较为优洽以外，岂不是更见到《索隐》疏通了《集解》，而《正义》又疏通了《索隐》，三者有联带关系”。[①]我们认为，就《正义》和《索隐》中所反映出的史学批评思想来看，二者确实存在史学观方面的联系。

从注史旨趣来看，二者皆重视义理的阐发。司马贞曾评价刘伯庄《史记音义》，称其“音乃周备，义则更略，惜哉!”[②] 张守节在《上史记正义序》中讲到作注旨趣在于“索理允惬，次旧书之旨，兼音解注，引致旁通”，[③] 这表明，《索隐》和《正义》都具有重视说理的作注原则。例如，关于安阳之名，《正义》引用《括地志》所载“安阳县，相州所理县。七国时魏宁新中邑，秦昭王拔魏宁新中，更名安阳”，又据《史记·张耳传》所载“章邯军巨鹿南，筑甬道属河，饷王离。项羽数绝邯甬道，王离军乏食。项羽悉引兵渡河，遂破章邯，围巨鹿下。又云渡河湛船，持三日粮”，指出：“从滑州白马津赍三日粮不至邢州，明此渡河，相州漳河也。宋义遣其子襄相齐，送之至无盐，即今郓州之东宿城是也。若依颜监说，在相州安阳，宋义送子不可弃军

① 参见程金造：《〈史记正义〉〈索隐〉关系证》，《文史哲》1962年第6期。应三玉：《〈史记〉三家注研究》，凤凰出版社2008年版，第285页。

② 见司马迁：《史记》附录二，中华书局2014年版，第4046页。

③ 见司马迁：《史记》附录三，中华书局2014年版，第4057页。

渡河，南向齐，西南入鲁界，饮酒高会，非入齐之路。义虽知送子曲，由宋州安阳理顺，然向巨鹿甚远，不能数绝章邯甬道及持三日粮至也。均之二理，安阳送子至无盐为长。济河绝甬道，持三日粮，宁有迟留？史家多不委曲说之也。”① 又如，《史记·吴王濞列传》记载汉高祖刘邦以占卜之辞告诫刘濞之语：“汉后五十年东南有乱者，岂若邪？”应劭指出：“克期五十，占者所知。若秦始皇东巡以厌气，后刘项起东南，疑当如此耳。”如淳认为：“度其贮积足用为难，又吴楚世不宾服。”《索隐》对应、如二家之说作出进一步考辨：“应氏之意，以后五十年东南有乱，本是占气者所说，高祖素闻此说，自以前难未弭，恐后灾更生，故说此言，更以戒濞。如淳之说，亦合事理。”② 由此可见，司马贞、张守节二人都认为为史作注要符合“事理”。有学者研究指出：“作为唐代史籍注作的《索隐》和《正义》，则更多地受义疏体的影响，表现出唐疏重辨析、考证并发义理的特点。”③ 可以推知，司马贞、张守节对于《史记》“善序事理”的撰述风格是十分肯定并推崇的。

从《索隐》和《正义》在后世的传播及其价值来看，一般而言，《索隐》的地位高于《正义》。当然，无论是从史注考辨的角度，还是从史学批评的角度来观察，二者皆为治《史记》者不可忽略的参考对象，正如清人钱大昕所指出的：“司马长于

---

① 见司马迁：《史记》卷七《项羽本纪》，中华书局2014年版，第391页。
② 见司马迁：《史记》卷一〇六《吴王濞列传》，中华书局2014年版，第3416页。
③ 应三玉：《〈史记〉三家注研究》，凤凰出版社2008年版，第288-290页。

驳辨，张长于地理，要皆龙门功臣，难以偏废。”① 可以认为，《索隐》《正义》推动了人们更好地掌握历史知识，同时，对于我们今天关注和发掘唐人的史学批评和史学理论亦具有重要价值。

有唐一代的史注家具有自觉的史学批评意识。从性质上看，《汉书》颜注和《后汉书》李贤注与朝廷组织的学术活动关系密切，而《索隐》《正义》则是私人注史成果，四部史注在一定程度上代表了唐代史注发展的高峰。从内容上看，史注家们不仅关注史书内容的真实性和褒贬书法，也关注史书的体裁体例文字烦简等问题。这些内容，可视为唐代史学批评发展的一个侧面。从时间上看，《汉书》颜注成于唐太宗贞观年间，《后汉书》李贤注和《索隐》成于唐高宗时期，而《正义》成书于唐玄宗开元二十四年（736）。因此，这四部杰出的史注又共同彰显出李唐皇朝前半期史家群体的自觉精神，从一个方面反映出这一时期开阔的学术气象。唐人史注史学批评的诸多内容，既有其存在的学术根源（如隋唐时期“汉书学”“史记学”的发展、史注作为治史途径的不断发展、唐人的学术批评意识和关于“良史”的种种讨论），也有其产生的现实背景。这些原因和背景，也是研究唐代史注家史学批评的思想时所不能忽视的。

隋唐时期还有另一种形式的史注，即自注其书，如刘知幾自注《史通》、杜佑自注《通典》等。关于刘、杜二人的史学批评思想，可见本书其他章节的讨论。

---

① 钱大昕：《廿二史考异》卷五《史记五》，上海古籍出版社2004年版，第89页。

第七章　诸多领域史学批评的广泛展开

在历史撰述中，历代正史是最受人们关注的著作，随着正史撰述的积累，这方面的批评意见逐渐多了起来。唐代兴起的一种制度史形式“会要”，其中有关史馆制度和修史的记录，也汇集了一些史学批评的资料。中晚唐勃兴的杂史、笔记，尤其是历史笔记，往往反映出作者的史学批评意识。以上这几个领域所包含的史学批评，进一步呈现出唐代史学批评广泛展开的局面。

第一节　正史撰述史与史学批评

一、刘知幾关于古今正史的批评

刘知幾《史通》外篇撰有《古今正史》专篇，对唐以前及唐初的历代正史撰述发表了整体的、系统的评论。《古今正史》篇与《隋书·经籍志》史部正史类相比较，可以看出二者的区别：

第一，《隋志》史部正史类小序，首记史官之设，继而简述《史记》《汉书》《东观汉记》《三国志》的问世，于是明确写道："自是世有著述，皆拟班、马，以为正史。"[①] 而《古今正史》篇于司马迁著《史记》以前，叙史官之设及历史撰述，似已超出"正史"范围，故对"正史"未曾予以说明。

第二，《隋志》史部正史类著录诸书，仅限于纪传体朝代史，而《古今正史》篇则同时涉及并评说编年体朝代史，其篇末写道："大抵自古史臣撰录，其梗概如此。盖属词比事，以月系年，为史氏之根本，作生人之耳目者，略尽于斯矣。自余偏记小说，则不暇具而论之。"[②] 在这段带有篇末后论性质的文字中，作者仍未论及"正史"之性质，至于"偏记小说"自非正史，似不必作此赘说。

第三，《隋志》史部正史类著录诸书，包含有关正史的音义、集解、集注等研究著作，如《史记》之下有《史记音义》《古史考》等，《汉书》之下有《汉书集解音义》《汉书音训》《汉书注》《汉书训纂》《汉书驳议》等，《三国志》之下有《论三国志》《三国志评》等。《古今正史》篇对这方面关注不多，只注意到《古史考》、裴松之《三国志注》。当然，著录者较易，评论者实难，当是二者相异的基本原因。

第四，这是二者更重要的区别，即《隋志》史部正史类旨

① 魏徵等：《隋书》卷三十三《经籍志二》，中华书局1973年版，第957页。

② 刘知幾：《史通·古今正史》，浦起龙《史通通释》本，上海古籍出版社2009年版，第349页。按：据刘知幾此说，疑其撰《古今正史》篇或早于撰内篇中之《杂述》篇，故言"不暇具而论之"。此种疑惑，注此聊为一说。

在著录，于各书之间并无直接联系的交代，而《古今正史》篇旨在阐述古今正史的撰述与演变，给人以联系的、发展变化的正史撰述史的印象和知识。

刘知幾对各类史书的批评主要反映在《史通》内篇关于史书体裁、体例的论述之中，也多见于撰述思想、原则、方法诸篇，如《直书》《曲笔》《采撰》《书事》《探赜》《鉴识》等。其《古今正史》篇既以阐述“正史”撰述历程为其主旨，则批评只是在阐述中有所涉及。这里，只就其批评之突出者稍作说明。

——评谯周《古史考》：谯周“以迁书周、秦已上或采家人诸子，不专据正经，于是作《古史考》二十五篇，皆凭旧典以纠其缪。今则与《史记》并行于代焉”①。

——评《汉书》：“而《古今人表》尤不类本书。始自汉末，迄乎陈世，为其注解者凡二十五家，至于专门受业，遂与《五经》相亚。”②

——评《汉纪》：“其言简要，亦与纪传并行。”③

——评范晔《后汉书》、袁宏《后汉纪》：范晔“乃广集学徒，穷览旧籍，删烦补略，作《后汉书》，凡十纪、十志、八十列传，合为百篇。会晔以罪被收，其十志亦未成而死。先是，晋东阳太守袁宏抄撮《汉氏后书》，依荀悦体，著《后汉纪》三十

① 刘知幾：《史通·古今正史》，浦起龙《史通通释》本，上海古籍出版社2009年版，第313页。

② 刘知幾：《史通·古今正史》，浦起龙《史通通释》本，上海古籍出版社2009年版，第314页。

③ 刘知幾：《史通·古今正史》，浦起龙《史通通释》本，上海古籍出版社2009年版，第315页。

篇。世言汉中兴史者，唯范、袁二家而已”①。

——评陈寿《三国志》：“至晋受命，海内大同，著作陈寿乃集三国史，撰为《国志》，凡六十五篇。夏侯湛时亦著《魏书》，见寿所作，便坏己草而罢。及寿卒，梁州大中正范頵表言《国志》明乎得失，辞多劝诫，有益风化，愿垂采录。于是诏下河南尹，就家写其书。”②

——评裴松之《三国志注》：“宋文帝以《国志》载事伤于简略，乃命中书郎裴松之兼采众书，补注其阙。由是世言《三国志》者，以裴注为本焉。”③

——评王铨、王隐、干宝：“历阳令陈郡王铨有著述才，每私录晋事及功臣行状，未就而卒。子隐，博学多闻，受父遗业，西都事迹，多所详究。过江为著作郎，受诏撰晋史。为其同僚虞预所诉，坐事免官。家贫无资，书未遂就，乃依征西将军庾亮于武昌镇。亮给其纸笔，由是获成，凡为《晋书》八十九卷。咸康六年（340），始诣阙奏上。隐虽好述作，而辞拙才钝。其书编次有序者，皆铨所修；章句混漫者，必隐所作。时尚书郎领国史干宝，亦撰《晋纪》，自宣迄愍七帝，五十三年，凡二十二卷。其书简略，直而能婉，甚为当时所称。”④

——评唐修《晋书》：“皇家贞观中，有诏以前后晋史十有八家，制作虽多，未能尽善，乃敕史官更加纂录。采正典与杂说

① 刘知幾：《史通·古今正史》，浦起龙《史通通释》本，上海古籍出版社2009年版，第318页。
② 刘知幾：《史通·古今正史》，浦起龙《史通通释》本，上海古籍出版社2009年版，第322页。
③ 刘知幾：《史通·古今正史》，浦起龙《史通通释》本，上海古籍出版社2009年版，第322页。
④ 刘知幾：《史通·古今正史》，浦起龙《史通通释》本，上海古籍出版社2009年版，第324–325页。

数十余部，兼引伪史十六国书，为纪十、志二十、列传七十、载记三十，并叙例、目录合为百三十二卷。自是言晋史者，皆弃其旧本，竞从新撰者焉。”[①]

——评沈约、裴子野：“至齐著作郎沈约，更补缀所遗，制成新史。始自义熙肇号，终乎昇明三年，为纪十、志三十、列传六十，合百卷，名曰《宋书》。永明末，其书既行，河东裴子野更删为《宋略》二十卷。沈约见而叹曰：‘吾所不逮也。’由是世之言宋史者，以裴《略》为上，沈《书》次之。”[②]

——评吴均《齐春秋》：“吴均亦表请撰齐史，乞给起居注并群臣行状。有诏：‘齐氏故事，布在流俗，闻见既多，可自搜访也。’均遂撰《齐春秋》三十篇。其书称梁帝为齐明佐命，帝恶其实，诏燔之。然其私本竟能与萧氏所撰并传于后。”[③]（按：“萧氏所撰”即《南齐书》）

——评董统：“后燕建兴元年，董统受诏草创后书（按：指后燕史），著本纪并佐命功臣、王公列传，合三十卷。慕容垂称其叙事富赡，足成一家之言。但褒述过美，有惭董、史之直。”[④]

——评崔鸿《十六国春秋》：“魏世黄门侍郎崔鸿，乃考核众家，辨其同异，除烦补阙，错综纲纪，易其国书曰录，主纪曰传，都谓之《十六国春秋》。鸿始以景明之初求诸国逸史，逮正始元年，鸠集稽备，而犹阙蜀事，不果成书。推求十有五年，始

① 刘知幾：《史通·古今正史》，浦起龙《史通通释》本，上海古籍出版社2009年版，第325页。
② 刘知幾：《史通·古今正史》，浦起龙《史通通释》本，上海古籍出版社2009年版，第328页。
③ 刘知幾：《史通·古今正史》，浦起龙《史通通释》本，上海古籍出版社2009年版，第329页。
④ 刘知幾：《史通·古今正史》，浦起龙《史通通释》本，上海古籍出版社2009年版，第333页。

于江东购获，乃增其篇目，勒为一百二卷。鸿殁后，永安中，其子缮写奏上，请藏诸秘阁。由是伪史宣布，大行于时。”①

——评崔浩国史案：“元魏史，道武时，始令邓渊著国记，唯为十卷，而条例未成。暨乎明元，废而不述。神䴥二年，又诏集诸文士崔浩、浩弟览、高谠、邓颖、晁继、范亨、黄辅等撰国书，为三十卷。又特命浩总监史任，务从实录。复以中书郎高允、散骑侍郎张伟并参著作，续成前史书，叙述国事，无隐所恶，而刊石写之，以示行路。浩坐此夷三族，同作死者百二十八人。自是遂废史官。”②

——评魏收《魏书》：“齐天保二年，敕秘书监魏收博采旧闻，勒成一史。又命刁柔、辛元植、房延祐、睦仲让、裴昂之、高孝干等助其编次。收所取史官，惧相凌忽，故刁、辛诸子并乏史才，唯以仿佛学流，凭附得进。于是大征百家谱状，斟酌以成《魏书》。上自道武，下终孝靖，纪、传与志凡百三十卷。收谄齐氏，于魏室多不平。既党北朝，又厚诬江左。性憎胜己，喜念旧恶，甲门盛德与之有怨者，莫不被以丑言，没其善事。迁怒所至，毁及高曾。书成始奏，诏收于尚书省与诸家论讨。前后列诉者百有余人。时尚书令杨遵彦，一代贵臣，势倾朝野，收撰其家传甚美，是以深被党援。诸讼史者皆获重罚，或有毙于狱中。群怨谤声不息。孝昭世，敕收更加研审，然后宣布于外。武成尝访诸群臣，犹云不实，又令治改，其所变易甚多。由是世薄其书，

① 刘知幾：《史通·古今正史》，浦起龙《史通通释》本，上海古籍出版社2009年版，第335页。
② 刘知幾：《史通·古今正史》，浦起龙《史通通释》本，上海古籍出版社2009年版，第338页。

号为‘秽史’。”①

——评柳虬与牛弘：“宇文周史，大统年有秘书丞柳虬兼领著作，直辞正色，事有可称。至隋开皇中，秘书监牛弘追撰《周纪》十有八篇，略叙纪纲，仍皆抵忤。皇家贞观初，敕秘书丞令狐德棻、秘书郎岑文本共加修缉，定为《周书》五十卷。”②

——评“五代史纪传”与“五代史志”：“初，太宗以梁、陈及齐、周、隋氏并未有书，乃命学士分修。事具于上。仍使秘书监魏徵总知其务，凡有赞论，徵多预焉。始以贞观三年创造，至十八年方就（原注：唯姚思廉贞观二年起，功多于诸史一岁），合为《五代纪传》，并目录凡二百五十二卷。书成，下于史阁。唯有十志，断为三十卷，寻拟续奏，未有其文。又诏左仆射于志宁、太史令李淳风、著作郎韦安仁、符玺郎李延寿同撰。其先撰史人，唯令狐德棻重预其事。太宗崩后，刊勒始成。其篇第虽编入《隋书》，其实别行，俗呼为《五代史志》。”③

——评许敬宗修唐国史：

> 贞观初，姚思廉始撰纪传，粗成三十卷。至显庆元年，太尉长孙无忌与于志宁、令狐德棻、著作郎刘胤之、杨仁卿、起居郎顾胤等，因其旧作，缀以后事，复为五十卷。虽云繁杂，时有可观。龙朔中，敬宗又以太子少师总统史任，

---

① 刘知幾：《史通·古今正史》，浦起龙《史通通释》本，上海古籍出版社2009年版，第339页。

② 刘知幾：《史通·古今正史》，浦起龙《史通通释》本，上海古籍出版社2009年版，第343页。

③ 刘知幾：《史通·古今正史》，浦起龙《史通通释》本，上海古籍出版社2009年版，第345页。按：此处说“至十八年方就”，有误，《五代纪传》成书于贞观十年（636），首尾七年。

更增前作，混成百卷。如《高宗本纪》及永徽名臣、四夷等传，多是其所造。又起草十志，未半而终。敬宗所作纪传，或曲希时旨，或猥饰私憾，凡有毁誉，多非实录。必方诸魏伯起，亦犹张衡之蔡邕焉。其后左史李仁实续撰《于志宁》《许敬宗》《李义府》等传，载言记事，见推直笔。惜其短岁，功业未终。至长寿中，春官侍郎牛凤及又断自武德，终于弘道，撰为《唐书》百有十卷。凤及以暗聋不才，而辄议一代大典，凡所撰录，皆素责私家行状，而世人叙事罕能自远。或言皆比兴，全类咏歌，或语多鄙朴，实同文案，而总入编次，了无厘革。其有出自胸臆，申其机杼，发言则嗤鄙怪诞，叙事则参差倒错。故阅其篇第，岂谓可观；披其章句，不识所以。既而悉收姚、许诸本，欲使其书独行。由是皇家旧事，残缺殆尽。①

在上举的十几个事例中，大致可以分为正面评论与负面评论。其正面评论的几个要素：

一是治史当以丰富的资料为基础，如称赞谯周《古史考》对《史记》“皆凭旧典以纠其缪”；称赞裴松之对《三国志》“兼采众书，补注其阙”；称赞范晔《后汉书》“穷览旧籍，删繁补略”；称赞唐修《晋书》“采正典与杂说数十余部，兼引伪史十六国书……自是言晋史者，皆弃其旧本，竞从新撰矣”；称赞

① 刘知幾：《史通·古今正史》，浦起龙《史通通释》本，上海古籍出版社2009年版，第346-347页。

崔鸿《十六国春秋》“考核众家，辨其同异，除繁补阙，错综纲纪……由是伪史宣布，大行于时”；等等。

二是提倡史文简要，如称赞荀悦《汉纪》“其言简要，亦与纪传并行”；称赞裴子野删沈约《宋书》为《宋略》二十卷，“由是言宋史者，以裴《略》为上，沈《书》次之”；等等。

三是倡导直书、实录精神，如称干宝撰史，“其书简略，直而能婉，甚为当时所称”；肯定崔浩“总监史任，务从实录”，“叙述国事，无隐所恶”；盛赞北周史官柳虬“直辞正色，事有可称”和唐代史官李仁实“载言纪事，见推直笔”的修史风格；等等。

四是关注史书的编次有序，如肯定袁宏“抄撮汉氏后书，依荀悦体，著《后汉纪》”；评论王隐《晋书》称“其书编次有序者，皆铨所修；章句混漫者，必隐所作”（按：王铨系王隐之父）；称赞魏徵修史“总知其务，凡有赞论，徵多预焉”；等等。

五是关注历史撰述的社会影响，如引用时人之语，称赞陈寿《三国志》“辞多劝诫，有益风化”；称赞《汉书》注家之多以及袁宏、范晔两家在“世言汉中兴史者”中的重要地位；论《宋略》，论唐修《晋书》；等等。这些都表明了这种关注。

其负面评论者主要在于：

一是曲笔作史，如论许敬宗“所作纪传，或曲希时旨，或猥饰私憾，凡有毁誉，多非实录”；评董统撰“后燕史”，“褒述过美，有惭董、史之直”；评魏收《魏书》“既党北朝，厚诬江左。性憎胜己，喜念旧恶”；等等。

二是编次混乱，如批评牛弘“追撰《周纪》十有八篇，略叙纪纲，仍皆抵忤”；论唐代史官牛凤及“以暗聋不才，而辄议一代大典，凡所撰录……总入编次，了无厘革”；认为《汉书·古今人表》“尤不类本书”；等等。

三是拙于叙事，如评王隐“虽好述作，而辞拙才钝，其书章句混漫”；评牛凤及著史，“其有出自胸臆，申其机杼，发言则嗤鄙怪诞，叙事则参差倒错”，在文辞与结构上都存在问题；等等。

综上，可以从纵向上略见《史通·古今正史》篇对正史（含纪传、编年二体）撰述史中涉及史家、史书的评论；同时，也可以从横向上略见评论者刘知幾所关注的问题，而这些问题不论是经验还是教训，都可视为中国古代史学批评史上的一次总结，后人修史定将从中获得诸多启示和借鉴。

刘知幾《史通·古今正史》篇对北齐史家魏收所撰《魏书》作出完全否定的批评，这涉及唐代史家关于魏收《魏书》评价的一桩史学公案，影响所及，直至于今，故下文作专题阐述。

二、魏收《魏书》评价的一桩史学公案

从史学批评史的视角来看，唐太宗认为“深副朕怀”的“五代史”，确也深藏着一桩史学公案。这桩公案的核心问题是关于魏收《魏书》的评价：唐太宗贞观三年（629）重启“六代史”修撰事宜，史臣“众议”认为，魏收《魏书》和魏澹《魏书》二书“已为详备，遂不复修”。这既是“众议”的结论，为

何李百药在其所撰写的《北齐书·魏收传》中，对魏收本人和魏收《魏书》大加挞伐？该传写道：

所引史官，恐其凌逼，唯取学流先朝依附者。……修史诸人祖宗姻戚多被书录，饰以善言。收性颇急，不胜能平，夙有怨言，多没其善。每言："何物小子，敢共魏收作色，举之则使上天，按之当使入地。"

这是在说魏收的为人和作史态度极差。

《北齐书·魏收传》又写道：

时论既言收著史不平，文宣（高洋）诏收于尚书省与诸家子孙共加讨论，前后投诉者百有余人，云"遗其家世职位"，或云"其家不见记录"，或云"妄有非毁"。收皆随状答之。……然犹群口沸腾，敕魏史且勿施行，令群官博议。听有家事者入署，不实者陈牒。于是众口喧然，号为"秽史"，投牒者相次，收无以抗之。

这是借用"众口"把魏收《魏书》称作"秽史"，而其缘由，多与"家世"或"家事"相关，而少有涉及北魏一朝之政事。此后，北齐孝昭帝高演时，"帝以魏史未行，诏收更加研审。收奉诏，颇有改正"。武成帝高湛时，"复敕更审，收又回换"。魏收《魏书》虽一改、再改，以至三改，但终未被朝廷废除。

《北齐书·魏收传》的结尾处写了这几句话：魏收“既缘史笔，多憾于人，齐亡之岁，收冢被发，弃其骨于外”。[①]

以上这些关于魏收和魏收《魏书》的记述与评价，怎么能同七年前即贞观三年（629）在唐太宗诏命重启修撰前朝史时，关于魏收《魏书》和魏澹《魏书》“众议以魏史既有魏收、魏澹二家，已为详备，遂不复修”的判断和结论相吻合呢？李百药作为受命修撰《北齐书》的当事人，他也应是“众议”中的一员，他怎么能用上述那些记述与评论来反映一部“已为详备”的北魏史撰述呢；对于“众议”作了“已为详备”评价的魏收《魏书》，他为何没有只字肯定而是处处诋毁呢？

值得注意的是，参与《五代史志》修撰的李延寿，其所撰《北史·魏收传》几乎全录《北齐书·魏收传》，但在该传后论中却写下这样一段评论：

> 论曰：伯起少颇疏放，不拘行检，及折节读书，郁为伟器。学博今古，才极纵横，体物之旨，尤为富赡，足以入相如之室，游尼父之门。勒成魏籍，追踪班、马，婉而有则，繁而不芜，持论序言，钩深致远。但意存实录，好抵阴私，至于亲故之家，一无所说，不平之议，见于斯矣。[②]

---

① 以上所引均见李百药：《北齐书》卷三七《魏收传》，中华书局1972年版，第488、491、494-495页。

② 李延寿：《北史》卷五六《魏收传》，中华书局1974年版，第2048页。

这里说的“相如之室”“尼父之门”“追踪班、马”等虽属过誉之辞，但其作出正面评价却是毫无疑义的。李延寿也说到魏收的缺点，是“意存实录，好抵阴私”，前半句本是优点，后半句是缺点。以这样的评价来看待《北齐书·魏收传》，显然是不能协调的。李延寿撰《北史·魏收传》袭用了《北齐书·魏收传》的叙事，但他用这样的评论来“调和”“淡化”传文中的诋毁之辞，可见其良苦用心。

但是，关于魏收《魏书》的评论，并未至此结束。刘知幾于唐中宗景龙四年（710）撰成的《史通》一书，在《古今正史》篇中关于魏收《魏书》的评价，基本上袭用了《北齐书·魏收传》的说法，但在批评的口气和观点上更加重了分量，认为：“收谄齐氏，于魏室多不平。既党北朝，又厚诬江左。……由是世薄其书，号为‘秽史’。”[1] 刘知幾作出上述评价的“根据”已超出了李百药所举出的“家世”或“家事”的范围，从而进一步渲染了魏收《魏书》的“不实”和“秽史”性质。

刘知幾说的“收谄齐氏，于魏室多不平”，似指魏收《魏书·孝静纪》所述东魏、北齐更迭事，尤其是卷末夹叙夹议的一段文字，其中有这样的表述：

及将禅位于文宣，襄城王旭及司徒潘相乐、侍中张亮、黄门郎赵彦琛等求入奏事。帝在昭阳殿见之，旭曰：“五行

① 刘知幾：《史通·古今正史》，浦起龙《史通通释》本，上海古籍出版社2009年版，第339页。

递运，有始有终。齐王圣德钦明，万姓归仰。臣等昧死闻奏，愿陛下则尧禅舜。”帝便敛容答曰：“此事推挹已久，谨当逊避。”又云：“若尔，须作诏书。”侍郎崔劼、裴让之奏云：“诏已作讫。”即付杨愔，进于帝，凡十条。书讫，帝曰：“将安朕何所？复若为而去？”杨愔对曰：“在北城别有馆宇，还备法驾，依常仗卫而去。”帝乃下御座，步就东廊，口咏范蔚宗《后汉书赞》云：“献生不辰，身播国屯。终我四百，永作虞宾。”所司奏请发，帝曰：“古人念遗簪弊履，欲与六宫别，可乎？”高隆之曰：“今天下犹陛下之天下，况在后宫。”乃与夫人妃嫔已下诀，莫不欷歔掩涕。……及出云龙门，王公百僚衣冠拜辞，帝曰：“今日不减常道乡公、汉献帝。”众皆悲怆，高隆之泣洒。遂入北城下司马子如南宅。及文宣行幸，常以帝自随。帝后封太原公主，常为帝尝食以护视焉。竟遇鸩而崩。[①]

这段文字把“禅代”各方的强势和无奈写得淋漓尽致，可以说，这是中国古代皇朝“禅代”之际的常见现象，并非魏收特有之笔。至于刘知幾说的“既党北朝，又厚诬江左”，当主要是指魏收《魏书》中的《僭晋司马叡传》《岛夷刘裕传》《岛夷萧道成传》等传而言，如果这个判断可以成立的话，《史通·古今正史》篇在讲到沈约《宋书》、萧子显《南齐书》时，却并未

① 魏收：《魏书》卷一二《孝静纪》，中华书局1974年版，第314页。

指出《宋书·索虏传》《南齐书·魏虏传》的“厚诬”北朝。这是否表明，在这个具体问题上，刘知幾没有做到采用统一的史学批评标准，因而出现了对魏收《魏书》批评的偏颇。

综上，关于魏收《魏书》的批评，盛唐史家有不同的认识。概括说来是三种评论：一是贞观三年（629）史官们“众议”定为“已为详备”的结论；二是贞观十年（636）成书的《北齐书·魏收传》引用北齐时“众口喧然，号为‘秽史’”；三是唐高宗显庆四年（659）成书的李延寿《北史·魏收传》作了较高的正面评价，可视作“已为详备”评价的发展。唐中宗景龙四年（710）成书的《史通》赞同“秽史”之说，并加重了这种评价的分量。而“秽史”之说，影响所及，直至近代。

追本溯源，李百药为何违背“众议”的结论写成那样一篇《魏收传》呢？有一个原因，多少可以得到一点说明，即为掩饰其父李德林在北齐时的无作为。《隋书·李德林传》记李德林在北齐时被人誉为“经国大体，是贾生、晁错之俦，雕虫小技，殆相如、子云之辈”；记其两次复书答魏收关于《齐书》起元事，均居学术上风。记其入北周后，被武帝宇文邕称作“天上人”。又因助隋文帝以隋代周有功，深受隋文帝器重，说道：“必令公贵与国始终。”又记：“德林既少有才名，重以贵显，凡制文章，动行于世。或有不知者，谓为古人焉。”然而传末的一句话是：“敕撰《齐书》未成。”[①] 对于在北齐、北周与隋三朝都

① 魏徵等：《隋书》卷四二《李德林传》，中华书局1973年版，第1194、1198、1202、1203、1208页。

享有盛誉的李德林来说，没有完成皇家修史之命，实为一件憾事，而与其同为北齐史官的魏收却撰成皇皇巨著《魏书》，二者形成极大的反差。正是这种反差，是身为唐初史官而又承担撰写《北齐书》的李百药所难以接受的。魏收及其《魏书》在《北齐书》中不能不有所表述，但也不能有太好的表述，从而使李百药改变“众议”有关魏收《魏书》的结论，造成了千余年来史学批评上的这桩公案。①

三、关于《史记》的批评

隋唐之际有“汉书学”的兴盛，而唐代史注家对《史记》《汉书》多有批评，其旨趣异同，在所难免。值得注意的是，在《隋书·经籍志》问世后，“史记学”也悄然兴起，这是《隋志》作者们所未能见到的学术气象。这些内容，本书上一章已作了明确论述。这里，说说关于《史记》的批评。

隋朝末年，大臣杨素计划命学人续写《史记》。《陈书·陆琼传》记：陆琼第三子从典，字由仪，“笃好学业，博涉群书，于班史尤所属意。年十五，本州举秀才。……仕隋为给事郎，兼东宫学士。又除著作佐郎。右仆射杨素奏从典续司马迁《史记》迄于隋，其书未就”。② 这一记载表明：第一，《史记》在统治阶

① 清代史家王鸣盛在《十七史商榷》一书中指出：“愚谓魏收手笔虽不高，亦未见必出诸史之下，而被谤独甚，乃其后改修者甚多，而总不能废收之书。千载而下，他家尽亡，收书岿然特存，则又不可解。”见该书卷六五“魏收《魏书》”条，上海古籍出版社 2013 年版，第 874 页。又参见周一良：《魏收之史学》，《燕京学报》1935 年第 18 期；瞿林东：《说〈魏书〉非“秽史”》，《江汉论坛》1985 年第 5 期。

② 姚思廉：《陈书》卷三〇《陆琼传》，中华书局 1972 年版，第 398 页。

层和学人中的影响是始终存在的；第二，杨素命人续《史记》的主张，可与数百年前班彪续写《太史公书》的做法遥相呼应，可见以纪传体形式撰写通史的设想，在历史撰述史上并非偶然。可惜，因隋末大乱，没有留下陆从典的有关撰述资料。

与杨素、陆从典对《史记》的评价完全相悖的，是否定《史记》的史学价值与历史价值。这样的"史学批评"，竟然在唐玄宗开元、天宝之际先后出现了两次，名义上都是在维护《春秋》的传统，实则是背离《春秋》而带着明显的政治目的。

第一次批评《史记》是以"续《春秋》经传"的名义展开的，史载：

> 开元二十年三月丁卯，奏曰："臣闻圣人述作，先宅天人之心，次纪皇王之迹，垂谟训于万代，示褒贬于一方。汤武道衰，斯文将坠，周公补其绝细，仲尼振其颓纲。然后乐正雅颂，惩恶劝善。自获麟已来，代历千祀。班、马以纪传黜凡例，魏、晋以篡杀为揖让，既挠乱前轨，又聋瞽后代。《春秋》之义，非圣人谁能修之？伏惟陛下辟四门，修六典，高视风雅，发挥经术。微臣末学，待罪阿衡，职兼弘文，惧不胜任。昔《晋书》文词繁冗，穿凿多门，太宗特纡宸衷，亲为刊削，兼命儒学以成赞论，书称御制。臣等不胜大愿，上自周敬，下至有隋，约周公旧规，依仲尼新例，修《续春秋经》，具有褒贬。伏望进御，裁定指归，如先朝故事。其传请与馆内直学士张琪、李融等，如左丘明受经，

敷畅圣意，属词比事，原始要终，审逆顺之端，定君臣之叙，继周孔之绝迹，阐文武之鸿休，传之无穷，永为程式。”帝手诏报曰：“太上立德，其次立言，所以稽象纬而垂训诫也。卿博古知今，通才达识，处弼谐之任则忠谠日闻，综坟籍之司则文儒道长。今欲正人伦而美教化，因旧史而作《春秋》，斥班、马之纰缪，继经、传之褒贬，著述之美当如斯焉。将以先朝取朕裁定，虽宪章前烈而事业相悬。卿且就功，随了继进。”①

这段记载包含了太多的内容：一是否定纪传体史书《史记》《汉书》，“既挠乱前轨，又聋瞽后代”；二是比附唐太宗重修《晋书》并为之作了后论，有“书称御制”的名号；三是模仿《春秋》经传作《续春秋经》，“上自周敬，下至有隋”；四是经文“敷畅圣意”而馆臣作传。这篇奏言表明，奏言者既无视《史记》《汉书》的价值，更不懂得《春秋》经传是怎样形成的，竟然写出如此狂躁无知的话语。

如同裴光庭“奏言”的荒唐程度一样，唐玄宗不仅同意裴光庭的“奏言”，而且进一步发展了这些荒谬的言论，对裴光庭竟以“博古知今，通才达识”相许，此虚妄之一；视“斥班、马之纰缪”与“继经、传之褒贬”为相同之意念，此虚妄之二；以“取朕裁定”不可理喻之举比附“宪章前烈”的辉煌业绩，

① 王钦若等：《册府元龟》卷五五六《国史部·采撰二》，中华书局1960年版，第6684页。

此虚妄之三。

《旧唐书》关于这件事有简单的记述，它这样写道：“光庭又引寿安丞李融、拾遗张琪、著作佐郎司马利宾等，令直弘文馆，撰《续春秋传》。上表请以经为御撰，而光庭等依左氏之体为之作传，上又手制褒赏之。光庭委笔削于李融，书竟不就。”[①]这里省去了唐玄宗君臣所说的那些“纰缪”之言，但却道出了事情的结果：“书竟不就”。

严格说来，裴光庭的“奏言”和唐玄宗的“受诏”答复，都不能作为本来意义上的史学批评看待，但此事揭示了一个重要的道理，即以不适当的政治诉求来看待史家、史书、史学现象时，其“批评”、判断必然失之偏颇。不论从政治上看，还是从学术上看，此种思维与做法均不足取。

第二次批评《史记》也是以否定《史记》、张扬“《春秋》义类”为其宗旨。唐玄宗天宝年间，有一从“补秘书正字”进入仕途的学人萧颖士认为，《史记》改变了《春秋》的传统，不足为训，另撰编年体史书，自汉迄隋，在历史认识和价值判断上提出自己的看法。《新唐书·萧颖士传》写道：

尝谓：“仲尼作《春秋》，为百王不易法，而司马迁作本纪、书、表、世家、列传，叙事依违，失褒贬体，不足以训。”乃起汉元年讫隋义宁编年，依《春秋》义类为传百

① 刘昫等：《旧唐书》卷八四《裴行俭传附裴光庭传》，中华书局1975年版，第2807页。

篇。在魏书高贵崩，曰：“司马昭弑帝于南阙。”在梁书陈受禅，曰：“陈霸先反。”又自以梁枝孙，而宣帝逆取顺守，故武帝得血食三纪；昔曲沃篡晋，而文公为五伯，仲尼弗贬也。乃黜陈闰隋，以唐土德承梁火德，皆自断，诸儒不与论也。有太原王绪者，僧辩裔孙，撰《永宁公辅梁书》，黜陈不帝，颖士佐之，亦著《梁萧史谱》及作《梁不禅陈论》以发绪义例，使光明云。[①]

这里叙述两件事，一是萧颖士的“依《春秋》义类为传百篇”，二是萧颖士附和太原王绪撰述以证己说。关于前者，从形式上看，是认为《史记》背离了《春秋》“为百王不易法”的宗旨，“失褒贬体，不足为训”，这是着眼于史学功能的说法。从内容上看，萧颖士是要改变既有的历史撰述所作的有关历史表述，不承认魏、晋禅代以及梁、陈禅代的记载，认为都是后者夺取了前者的统治权；又进而不承认陈朝的存在和隋朝的正当性，荒唐地“以唐土德承梁火德”等。萧颖士之所以这样来改写历史，据《新唐书》本传记，他本是萧梁皇朝“鄱阳王恢七世孙”，故有此论。如果说，萧颖士对魏、晋禅代与梁、陈禅代事的本质予以揭示还有些道理的话，那么他不承认陈朝的存在和隋朝的正统地位，并强制性地使李唐上承萧梁，那就成了荒诞至极的随意摆布历史的行为了。

---

① 欧阳修、宋祁：《新唐书》卷二〇二《文艺中·萧颖士传》，中华书局1975年版，第5768页。

萧颖士富于才华，史称："颖士四岁属文，十岁补太学生。观书一览即诵，通百家谱、书籀书。开元二十三年，举进士，对策第一。"[①] 他广交游，多识名人，且能"全其交"；又"乐闻人善，以推引后进为己任"，"天下推知人，称'萧功曹'"。[②] 这是萧颖士的长处和优点。然而他还有恃才傲物、放任不羁的一面，唐人郑处诲《明皇杂录》有这样一段记载：

> 萧颖士开元二十三年及第，恃才傲物，曼无与比，常自携一壶，逐胜郊野。偶憩于逆旅，独酌独饮。会有风雨暴至，有紫衣老人领一小童，避雨于此。颖士见其散冗，颇肆陵侮。逡巡，风定雨霁，车马卒至，老人上马，呵殿而去。颖士仓忙觇之，左右曰："吏部王尚书，名丘。"初，萧颖士常造门，未之面，极惊愕。明日，具长笺造门谢，丘命引至庑下，坐责之，且曰："所恨与子非亲属，当庭训之耳。"顷曰："子负文学之名，踞忽如此，止于一第乎？"颖士终扬州功曹。[③]

不论是《明皇杂录》作者郑处诲的"恃才傲物，曼无与比"的评价，还是吏部王尚书的严厉斥责，都说明萧颖士的恃才傲

---

① 欧阳修、宋祁：《新唐书》卷二〇二《文艺中·萧颖士传》，中华书局 1975 年版，第 5767 页。

② 欧阳修、宋祁：《新唐书》卷二〇二《文艺中·萧颖士传》，中华书局 1975 年版，第 5769 页。

③ 郑处诲：《明皇杂录》卷上，中华书局 1974 年版，第 14 页。

物、才大志小的矛盾性格，这应是他在史学批评上持偏执、狭隘的观点和态度的主观原因。

在中国史学批评史上，萧颖士的事例，真切地说明了一个道理：批评者的思想、心术是否端正，方法是否得当，在很大程度上决定着批评的效果，乃至于影响批评的得失成败。

上述裴光庭、萧颖士两例，在史学批评史上的价值在于，研究者可以从中判断什么是真正的、有益的史学批评，什么是虚假的、有害的“史学批评”。

在正史撰述史与史学批评这一严肃的话题之下，史注作者们作出的努力是应当受到关注的，本书第六章对此作了详尽的论述。史注家的史学批评思想及其主旨，如司马贞《史记索隐》后序中说的“剖盘根之错节”的精神，张守节《史记正义》序中表明“古典幽微，窃探其美”的主旨，颜师古《汉书叙例》旨在刊正“以意增益”“以意刊改”“意浮功浅”诸多注家之弊端而以“取信”为目标等，都是史学批评史上重要的思想遗产。

第二节　《唐会要》所载史学批评事例

一、评史官修史态度及其利弊得失

《唐会要》一百卷，由宋代学者王溥在唐代学者苏冕所撰《会要》四十卷和崔铉所撰《续会要》四十卷的基础上，补充晚唐史料并重新编次而成。[①] 这是典制体史书的一种表现形式，全书分为五百一十四目，是记载唐代典章制度的重要文献。其中卷六十三、卷六十四即史馆上、下两卷凡十三目：史馆移置、诸司应送史馆事例、修国史、在外修史、修史官、史馆杂录上、史馆杂录下、弘文馆、崇文馆、集贤院、崇言馆。本书仅就史馆上、下两卷所载有关史学批评的事例，作扼要的论述。

这里，先从评史官修史态度及其利弊得失谈起。

——评许敬宗"掌知国史，记事阿曲"。《唐会要·史馆上·史馆杂录上》记：

> 显庆二年二月已后，礼部尚书许敬宗常修国史，自掌知国史，记事阿曲。初，虞世南兄与许敬宗父同为宇文化及所害。封德彝时为内史舍人，备见其事，因谓人曰："虞世基被戮，世南则匍匐而请代；许善心被杀，敬宗则舞蹈以求生。"敬宗闻而衔之，及为德彝立传，盛加其罪恶。敬宗嫁女与左监门大将军钱九陇男，九陇本皇家隶人，敬宗贪财与婚，乃与九陇曲叙门阀，妄加功绩，并升与刘文静、长孙顺德同卷。敬宗子娶尉迟宝琳孙女，多得赂遗，及作宝琳父敬德传，乃云太宗作《威凤赋》以赐之，其《威凤赋》本是与长孙无忌。……其虚谬也如此。《高祖、太宗实录》，敬

① 参见瞿林东：《苏冕与会要——为会要体史书创立1200周年而作》，《安徽大学学报》（哲学社会科学版），2003年第5期。

播所修，颇多详直。敬宗又辄以己爱憎，曲事删改，论者尤之。①

这里指出许敬宗“记事阿曲”的几件事，如为封德彝立恶传，为贪图钱财而将钱九陇与刘文静、长孙无忌同卷合传，出于同样原因，又将唐太宗所作赋本是赠与长孙无忌者而写到尉迟敬德传中，尤其是对敬播等人所作的《高祖、太宗实录》明目张胆地“辄以己爱憎，曲事删改”，为论者所不齿。

许敬宗自恃位高权重，敢于曲笔作史，不料这种做法为唐高宗发现。《唐会要》记：显庆四年二月五日，“中书令许敬宗……受诏撰贞观二十三年已后，至显庆三年实录，成二十卷，添成一百卷。上以敬宗所纪多非实录，谓刘仁轨等曰：‘……昨观国史所书，多不周悉，卿等必须穷微索隐，原始要终，盛业鸿勋，咸使详备。’”② 唐高宗在谈话中所举“多非实录”数例，就包含了上述数事。

从《唐会要》所举事实来看，许敬宗这个人贪生怕死于前，贪图钱财于后，又曲叙门阀，毫不顾忌廉耻，这样的人身居高位而主修国史，或“记事阿曲”，或“曲事删改”，当不足怪。

——评史官吴兢不取人情，坚持直笔。武则天长安三年（703），张易之、张昌宗设计陷害御史大夫、知政事魏元忠，逼迫凤阁舍人张说“作证”，并“赂以高官”，张说颇犹豫。经宋

① 王溥：《唐会要》卷六三《史馆上·史馆杂录上》，上海古籍出版社2006年版，第1302页。
② 王溥：《唐会要》卷六三《史馆上·史馆杂录上》，上海古籍出版社2006年版，第1290页。

璟、刘知幾等人晓以大义，张说于“殿庭”对质时，直言“魏元忠实不反，总是昌宗令臣诬枉耳”。此事乃罢，但魏元忠、张说均被贬官。正是这一事件的延伸，得以显现出一位优秀史官的正直品质，史载：“后数年，（张）说拜黄门侍郎、同中书门下平章事，因至史馆，读《则天实录》，见论证对元忠事，乃谓著作佐郎、兼修国史吴兢曰：‘刘五修实录，论魏齐公事，殊不相饶假，与说毒手。’当时说验知是吴兢书之，所以假托刘子玄。兢从容对曰：‘是兢书之，非刘公修述。草本犹在，其人已亡，不可诬枉于幽魂，令相公有怪耳。’同修史官苏、宋等，见兢此对，深惊异之，乃叹曰：‘昔董狐古之良史，即今是焉。’说自后频祈请删削数字，兢曰：‘若取人情，何名为直笔。’”[①] 被喻为“古之良史”的吴兢，以其所著《贞观政要》流传至今并为世所重，加之其不取人情、不惧权势的直笔精神，自应在史学批评史上占有光辉的一页。

——史官路随论立传标准。《唐会要·史馆下》记：

> 永贞元年九月，书河阳三城节度使元韶卒，不载其事迹。史臣路随立议曰：“凡功名不足以垂后，而善恶不足以为诫者，虽富贵人，第书其卒而已。陶青、刘舍、许昌、薛泽、庄青翟、赵周皆为汉相，爵则通侯，而良史以为龌龊廉谨，备员而已，无能发明功名者，皆不立传。伯夷、庄周、

① 王溥：《唐会要》卷六四《史馆下·史馆杂录下》，上海古籍出版社 2006 年版，第 1305、1306 页。

墨翟、鲁连、王符、徐穉、郭泰皆终身匹夫，或让国立节，或养德著书，或出奇排难，或守道避祸，而传与周、召、管、晏同列。故富贵者有所屈，贫贱者有所伸。孔子曰：‘齐景公有马千驷，死之日，民无得而称焉；伯夷、叔齐饿于首阳之下，民到于今称之。’然则志士之欲以光辉于后者，何待于爵位哉！富贵之人，排肩而立，卒不能自垂于后者，德不修而轻义重利故也，自古及今，可胜数乎。”①

这是提出了历史人物入史的标准，按史官路随立议标准，只有功名足以垂后，而善恶足以为诫者，才可能有望写入史书；在这个标准面前，“富贵者”未必能入史，而“贫贱者”反倒有可能入史。从路随立议来看，这个标准的提出，也是受到史学史上前人著述的启发而提出来的，因而具有一定的理论价值。

——评“在外修史”的得失。唐代设有专职史馆供史官修史之用，但常有兼史职的京中官员调京外任职而修史未完成者，也有专职史官因各种原因而离京却仍须继续著史者，故有“在外修史”的现象。如开元八年（720），张说赴任并州，“可兼修国史，仍资史本就并州随军修撰”。又如，开元十四年（726），吴兢上奏，请求在家中完成“断自大业十三年，迄于开元十四年春三月，即皇家一代之典”，然并未获，“于是敕兢就集贤院修成其书，俄又令就史馆。及兢迁荆州司马，其书未能就。兢所

① 王溥：《唐会要》卷六四《史馆下·史馆杂录下》，上海古籍出版社2006年版，第1308-1309页。

修草本，兢亦自将。上令中使往荆州取得五十余卷，其纪事疏略，不堪行用”。①

显然，在史馆修史与“在外修史”是有很大的区别，后者不仅脱离了史馆这一机构，而且也脱离了史官群体和监修国史，各种问题的产生是避免不了的。正因为如此，对于“在外修史”这一做法，必然引起人们的关注和思考。因此，当开元二十五年（737）五月，左丞相张说受诏“在家修史”时，便有人提出批评。《唐会要·史馆上》记：

> 中书侍郎李元纮奏曰：“国史者，记人君善恶，国政损益，一字褒贬，千载称之。今张说在家修史，吴兢又在集贤院撰录，令国之大典，散在数所。且太宗别置史馆，在于禁中，所以重其职，而秘其事。望勒说等就史馆参详撰录，则典册旧草不坠矣。”从之。②

不论从哪一个方面来看，李元纮所奏都是合理的，尤其说到“人君善恶，国政损益，一字褒贬，千载称之”，是道出了问题的严重性。因此，玄宗准其奏：“从之。”

或许是有唐一代“在外修史”的现象实难避免，而真的完全加以改变又会影响修史的全局部署，故几十年后，又有大臣提

① 王溥：《唐会要》卷六三《史馆上·在外修史》，上海古籍出版社2006年版，第1296-1297页。

② 王溥：《唐会要》卷六三《史馆上·在外修史》，上海古籍出版社2006年版，第1297页。

出异议，《唐会要·史馆上》记：

> 长庆三年六月，中书侍郎、平章事、监修国史杜元颖奏："臣去年奉诏，命各据见在史官，分修《宪宗实录》。今缘沈传师改官，若更求人，选择非易。沈传师当分虽搜罗未周，条目纪纲，已粗有绪。窃以班固居乡里，而继成《汉书》；陈寿处私家，而专精《国志》；玄宗国史，张说在本镇兼修；代宗编年，令狐峘自外郡奏上。远考前代，近参本朝，皆可明征，实有成例。其沈传师一分，伏望勒就湖南修毕，先送史馆，与诸史官参详，然后闻奏。庶使官业责成，有始终之效；传闻摭实，无同异之差。"制可。[①]

杜元颖作为监修国史提出的问题，都是修史活动中的实际问题，如因"改官，若更求人，选择非易"。再说，"沈传师当分虽搜罗未周，条目纪纲，已粗有绪"。这都反映了修史中一些涉及实际处理的细节问题。在这种情形下，作为修史的领导者，杜元颖明确保证两点：一是"有始终之效"，二是"无同异之差"，请求"沈传师一分"在"湖南修毕"。因此，得到唐穆宗同意。

从唐玄宗开元八年（720）到唐穆宗长庆三年（823），"在外修史"引发的评论当不止这些，其中李元纮的批评是合理的，而杜元颖作为监修国史承担着重要责任，故在提出允许沈传师等

① 王溥：《唐会要》卷六三《史馆上·在外修史》，上海古籍出版社2006年版，第1297-1298页。

个别史官“在外修史”时，增加了一些保证措施和严格修史程序。这里所提出的问题及具体的处理存在着某种张力，自会引发后人的许多思考和实际处理上的细节安排。

二、评修史所据文献与史书体例

唐代史家大多尊重直笔、追求信史，故对修史所据文献十分谨慎。据《唐会要》记，唐宪宗元和十四年（819），史官李翱奏称：

> 臣等谬得秉笔史馆，以记录为职。夫劝善惩恶，正言直笔，记圣朝功德，述忠贤事业，载奸佞丑行，以传无穷者，史官之任也。凡人之事迹，非大善大恶，则众人无由知之。旧例皆访问于人，又取行状谥议，以为依据。今之作行状者，非门生即其故吏，莫不虚加仁义礼智，妄言忠肃惠和。如此不唯处心不实，苟欲虚美于所受恩而已也。盖亦为文者既非游、夏、迁、雄之列，务于华而忘其实，溺于词而弃其理。故为文则失《六经》之古风，纪事则非史迁之实录，不然则词句鄙陋，不能自成其文矣。由是事失其本，文害于理，而行状不足以取信。若使指事书实，不饰虚言，则必有人知其真伪。不然者，纵使门生故吏为之，亦不可谬作德善之事而加之矣。臣今请作行状者，但指事说实，直载其词，善恶功迹，皆据事足以自见矣。假令传魏徵，但记其谏诤之词，自足以为正直矣。如传段秀实，但记其倒用司农寺印，

以追逆兵，又以象笏击朱泚，自足以为忠烈矣。若考功定谥，见行状之不依此者，不得受谥。依此者乃下太常，及牒史馆。太常定谥后，亦以谥议牒送史馆。则行状之言，纵未可一一皆信，与其虚加妄言，都无事实者，犹山泽高下之不同也。史氏记录，须得本末，苟凭往例，皆是虚言，则使史官，何所为据？伏乞下臣所奏，使考功守行，臣等要知事实，辄敢陈论。[①]

李翱的这篇评论，由行状而发，但其理论意义实已超出了评论行状的范围，而涉及修史所据文献的真实可信与否。故具有普遍的参考价值。试对其作如下分析：

奏章首先表明“秉笔史馆”者的责任，而“正言直笔”是其核心；其次，直接指出现行的行状“不足以取信”，一是作者多为门生故吏，二是文风浮华，三是“词句鄙陋”，这种“事失其本，文害于理”的语言岂可为史书所用；再次，强调有价值的行状，凡所征引“皆据事足以自见”，如魏徵、段秀实者，只需直接记其言其事，便足以知其是怎样的人；最后，回到主题，即“史氏记录，须得本末”才是。读罢全篇，可知“事实”和“取信”是两个最重要的用语，而这正是史官最根本的职责和追求。在中国史学批评史上，李翱此文堪称卓识、名篇。

值得重视的是，李翱所论具有普遍的意义。早在元和七年

① 王溥：《唐会要》卷六四《史馆下·史馆杂录下》，上海古籍出版社2006年版，第1311页。

（812），唐宪宗已指出了类似的问题。《唐会要》载：“（元和）七年六月，上读《肃宗实录》，见大臣传多浮词虚美，因宣与史官，记事每要指实，不得虚饰。”[①] 皇帝对大臣的表现自应比常人更为关注，尽管宪宗同肃宗之间隔着代宗和德宗两朝，但终不会完全隔断这种关注的意向，因为除有种种文字记载的流传外，还有许多渠道的口耳相传，故唐宪宗对大臣传记的批评必有所根据。唐宪宗的上述批评，是否促成了李翱对行状的批评，亦未可知，但作为宪宗朝的史官，对宪宗关于《肃宗实录》的评论有所了解，应是情理之中的事情。

文献价值是史学批评关注的对象，同样，史书体例也是史学批评关注的对象，尤其是“国史”关乎最高统治者的部分，更是如此。唐德宗朝史官沈既济（沈传师之父）关于唐国史中的《则天本纪》的驳论，便是突出一例。《唐会要》记：

> 建中元年七月，左拾遗、史馆修撰沈既济以吴兢所撰《国史》则天事为本纪，奏议驳之，曰：“史氏之作，本乎惩劝，以正君臣，以维邦家，前端千古，后法万代。使其生不敢差，死不忘惧，纬人伦而经世道，为百王准的。不止属辞比事，以日系月而已。故善恶之道，在乎劝诫，劝诫之柄，在乎褒贬。是以《春秋》之义，尊卑、轻重、升降、

① 王溥：《唐会要》卷六四《史馆下·史馆杂录下》，上海古籍出版社2006年版，第1309页。

幾微仿佛，一字二字，必有微旨存焉。况鸿名大统，其可以贷乎？”①

这是以“《春秋》之义”为理论根据提出问题，强调史学的作用在于“本乎惩劝，以正君臣，以维邦家”。这里所指当是“以正君臣”为其针对所在。

沈既济批驳国史为武则天立本纪的事实根据是：其一，武则天从“内辅时政，厥功茂矣”走向“专制临朝”，从“专制临朝”走向“握图称箓，移远革名”，毁坏大唐的劣迹“难乎备述”。其二，“其后五王建策，皇运复兴”，“五王”即指唐中宗、睿宗、玄宗、肃宗、德宗。不论从武则天的“移运革名”来看，还是从“皇运复兴”来看，都不应为武则天立“本纪”，这是孔子说的“必也正名”的要求。总之，沈既济认为：“则天废国家历数，用周正朔，废国家太庙，立周七庙，鼎命革矣，徽号易矣，旗裳服色已殊矣。今安得以周氏年历，而列为唐书帝纪。征诸礼经，是谓乱名。”这是从理论上说到政治上，但要进一步落实到历史撰述上，沈既济自知有两个必须回答的问题，一是《史记》《汉书》均为吕后立本纪；二是不纪武则天，如何解决系年问题。尽管沈既济作了自我设题、自我解答，而从他试图用“纪称孝和，而事述太后”的折中形式处理系年问题来看，仍未对“岁首”“某年”如何表述作出具体处置。综上，这是一个非

① 王溥：《唐会要》卷六三《史馆上·修国史》，上海古籍出版社 2006 年版，第 1292-1293 页。

常复杂的问题。其“议驳”的结果是：“事虽不行，而史氏称之。”至于“事虽不行”的原因，这里未作任何说明，但有两个原因是显而易见的。第一个原因，是中宗朝和玄宗朝都曾修撰《则天实录》，《唐会要》记：“神龙二年五月九日，左散骑常侍武三思、中书令魏元忠、礼部尚书祝钦明及史官太常少卿徐彦伯、秘书少监柳冲、国子司业崔融、中书舍人岑羲、徐坚等，修《则天实录》二十卷，文集一百二十卷，上之。赐物各有差。”又“开元四年十一月十四日，修史官刘子玄、吴兢撰《睿宗实录》二十卷、《则天实录》三十卷、《中宗实录》二十卷成，以闻。又引古义，白于执政”。[①] 这说明中宗和玄宗都承认了武则天的皇帝身份。第二个原因，是纪年问题，倘果如沈既济所说，采用“纪称孝和，而事述太后”的做法，这就违背了多数史家讲求直笔的精神，尤其是刘知幾、吴兢等这样的史家。面对这两个实际存在的原因，关于沈既济的“议驳”，“事虽不行”也是情理中的事情。

关于这一“议驳”及其结果表明：在尊重历史实际与服从“《春秋》之义”面前，唐代史家选择了前者。这一选择也被后世史家所认可，故新、旧《唐书》都为武则天设置了本纪：《旧唐书》称“则天皇后本纪”，《新唐书》称“则天顺圣武皇后本纪”。

唐代史官评论修史所据文献与史书撰写体例，有时是密切联

① 以上见王溥：《唐会要》卷六三《史馆上·修国史》，上海古籍出版社2006年版，第1292-1294、1291页。

系在一起的。唐武宗会昌三年（843），大臣上奏谈有关时政记、起居注记、修国史方面的体例、制度问题。其中，对于修国史体例是这样表述的：

> 修史体例，臣等伏见近日实录，多云禁中言者，伏以君上与宰臣及公卿言，皆须众所闻见，方合书于史策。禁中之语，向外何由得知？或得于传闻，多出邪佞，便载史笔，实累鸿猷。向后日录中如有此类，并请刊削，更不得以此记述。又宰臣及公卿论事，行与不行，须有明据。或奏议允惬，必见褒称；或所论乖僻，固有惩责。在藩镇献表者有答诏；居要官启事者，亦合著明，并当昭然在众人耳目。或取舍在于堂案，或与夺形于诏敕，前代史书，载明奏议，无不由此。近见实录，多载密疏，言不彰其明听，事不显于当时，得自其家，实难取信。向后所载群臣章奏，其可否得失，须朝廷共知者，方可纪述，密疏并请不载。如此则书必可法，人皆守公，爱憎之志不行，褒贬之言必信。伏见近日实录，事多纰缪，若详求摭实，须举旧章。①

这里说的修史指的修撰实录，而内容是指“禁中之语”，可见所谓体例、形式和内容是密切联系的。可贵的是，这篇奏言提供了修撰实录中的一些细节和存在的弊端，即禁中之语和大臣密

---

① 王溥：《唐会要》卷六四《史馆下·史馆杂录下》，上海古籍出版社 2006 年版，第 1314-1315 页。

疏，“言不彰其明听，事不显于当时”，故“实难取信”。史官们提出修撰实录应做到“书必可法，人皆守公，爱憎之志不行，褒贬之言必信”，充分显示了史官们追求信史的精神。

这篇奏言关于“禁中之语”和大臣“密疏”的评价，同上述李翱关于行状的评论一样，具有普遍的意义。而这篇奏言显然也与十几年前即唐文宗大和五年（831）发生的《顺宗实录》修改案一事有关。《唐会要》记其事，写道：

大和五年，中书侍郎、监修国史路随奏曰：“臣昨面奉圣旨，以《顺宗实录》，颇非详实，委臣等重加刊正，毕日闻奏。伏以史册之作，劝诫所存；事有当书，理宜归实。匹夫美恶，尚不可诬；人君得失，无容虚载。况贞观已来累朝实录，有经重撰，不敢固辞。缘此书成于韩愈，今史官李汉、蒋係皆愈之子婿，若遣参校，或致私嫌。臣既职编修，盍命详正，及经奏请，事遂施行。今庶僚竞言，表章交奏，既迫群议，辄冒上闻。且韩愈所书，亦非出己，元和之后，已是相循。纵其密亲，岂害公理？使归本职，实谓正名。其实录伏望取旧记最错误者，宣付史馆，委之修定。”诏曰：“其实录中所书德宗、顺宗朝禁中事，起于谬传，殊非信史，宜令史官详正，其他不要更修。”初，韩愈撰《顺宗实录》，说禁中事颇切直，内官恶之，于上前屡言不实，故令刊正也。[1]

从上文中说到“累朝实录，有经重撰”，可知《顺宗实录》的修订、重撰并非偶然；从“韩愈撰《顺宗实录》，说禁中事颇切直，内官恶之”，可知实录的修撰也会涉宦官集团同官僚集团的矛盾、斗争，反映了史学与政治之关系的一个方面。大和五年（831）与会昌三年（843）这两件事，提供了皇家修史方面的一些信息，在史学批评史上很有意义。至于文献中说的“信”与“不信”，“实”与“不实”，还要看是什么人说的，是在什么情况下说的，才能定其是非曲直。

三、评帝王不亲览起居注

起居注是历史记载的一种形式，专指记录人君言行的著述。[2] 唐初，温大雅撰有《大唐创业起居注》三卷，今存。此后，有关唐朝皇帝的起居注都已不存。

起居注因其所记是关于当朝皇帝的言行，故甚为当朝皇帝所关注。唐太宗就是极关注起居注的皇帝，《唐会要》记载道：

贞观九年十月，谏议大夫朱子奢上表曰：“今月十六

① 王溥：《唐会要》卷六四《史馆下·史馆杂录下》，上海古籍出版社 2006 年版，第 1313 页。参见瞿林东：《韩愈与〈顺宗实录〉》，《社会科学战线》1979 年第 3 期；《关于〈顺宗实录〉的几个问题——兼答张国光同志》，《北京师范大学学报》（社会科学版）1982 年第 1 期。

② 魏徵等：《隋书》卷三三《经籍二》史部“起居注”篇小序称：“起居注者，录纪人君言行动止之事。……汉武帝有《禁中起居注》，后汉明德马后撰《明德起居注》，然则汉时起居，似在宫中，为女史之职。”（中华书局 1973 年版，第 966 页）

日，陛下出圣旨，发德音，以起居记录书帝王臧否，前代但藏之史官，人主不见，今欲亲自观览，用知得失。臣以为圣躬举无过事，史官所述，义归尽善。陛下独览起居，于事无失，若以此法传示子孙，窃有未喻。大唐虽七百之祚，天命无改，至于曾玄之后，或非上智。但中主庸君，饰非护短，见时史直辞，极陈善恶，必不省躬罪己，唯当致怨史官。但君上尊崇，臣下卑贱，有一于此，何地逃刑？既不能效朱云廷折，董狐无隐，排霜触电，无顾死亡，唯应希风顺旨，全身远害，悠悠千载，何所闻乎？所以前代不观，盖为此也。"①

朱子奢的表文对起居注的性质和作用作了明确的解释，同时也对"人主不见""前代不观"的原因作了说明。从一般的意义来看，这是防止"人主"亲览起居注产生不好印象而"致怨史官"，史官为避免因此而获罪，采取"希风顺旨，全身远害"的做法，不敢直笔记事。这样一来，"悠悠千载，何所闻乎"。从积极的意义来看，这种人君不亲览起居注的制度，正是为了鼓励史官秉笔直书的精神，倡导撰写信史的品格。朱子奢的这些话，说得很委婉，意即唐太宗本人"独览"无妨，"于事无关"；但"若以此法传示子孙，窃有未喻"。

然而，唐太宗这位"明君"还是希望能亲览起居注，了解

① 王溥：《唐会要》卷六三《史馆上·史馆杂录上》，上海古籍出版社 2006 年版，1300-1301 页。

一下其中的究竟，数年以后又提出同样的问题，史载：

（贞观）十六年四月二十八日，太宗谓谏议大夫褚遂良曰："卿知起居，记录何事，大抵人君得观之否？"对曰："今之起居，古之左右史，以记人君言行，善恶必书，庶几人主不为非法。不闻帝王躬自观史。"太宗曰："朕有不善，卿必记之耶？"遂良曰："守道不如守官，臣职当载笔，君举必书。"黄门侍郎刘洎曰："设令遂良不记，天下之人皆记之矣。"太宗谓房玄龄曰："国史何因不令帝王观见？"对曰："国史善恶必书，恐有忤旨，故不得见也。"太宗曰："朕意不同，今欲看国史，若善事固不须论，若有恶事，亦欲以为鉴诫。卿可撰录进来。"①

在这段记载中，唐太宗、褚遂良、刘洎、房玄龄四人的态度各不相同：褚遂良最为明确，似无商量余地；刘洎也很明确，并用"天下之人"说事；房玄龄显得中性一些，故唐太宗直接向房玄龄表明态度并提出要求。从唐太宗一贯重视史学的态度，以及他能正确对待魏徵诤谏的政治胸怀来看，他说的"今欲自看国史"的目的在于"以为鉴诫"，似非虚言。

按照唐太宗的要求，"房玄龄遂删略国史，表上。太宗见六

① 王溥：《唐会要》卷六三《史馆上·史馆杂录上》，上海古籍出版社2006年，1301页。按：吴兢《贞观政要》记唐太宗与褚遂良谈话在贞观十三年（639），与房玄龄谈话及下文房玄龄"删略国史"事在贞观十四年（640）（上海古籍出版社1978年版，第223-224页）。

月四日事，语多微文，乃谓玄龄曰：‘昔周公诛管、蔡，而周室安，季友鸩叔牙，而鲁国宁。朕之所以安社稷，利万人耳。史官执笔，何烦有隐，宜即改削，直书其事。’”① 看来，唐太宗“观见”国史的目的终于达到了，尽管不是起居注本身，而是经房玄龄“删略”后的国史，但终究是当时的史官所撰写的当时的“历史”。诚如朱子奢所说，若以此法“传示”后人，“窃有未喻”。如唐文宗于开成四年（839）“遣中使”至史官魏謩处取起居注“欲视之”，遭到拒绝，《旧唐书》记载这一史事，并保留了魏謩与唐文宗的一段对话：

> 紫宸入阁，遣中使取謩起居注，欲视之，謩执奏曰："自古置史官，书事以明鉴诫。陛下但为善事，勿畏臣不书。如陛下所行错忤，臣纵不书，天下之人书之。臣以陛下为文皇帝，陛下比臣如褚遂良。"帝又曰："我尝取观之。"謩曰："由史官不守职分，臣岂敢陷陛下为非法？陛下一览之后，自此书事须有回避。如此，善恶不直，非史也。遗后代，何以取信？"乃止。②

魏謩是唐太宗时名臣魏徵的五代孙，他对唐文宗说的一番话及相互间的对话，颇有其曾祖之风。唐文宗听了魏謩的意见，也就不再坚持，或许是受到某种启示的缘故。

---

① 王溥：《唐会要》卷六三《史馆上·史馆杂录上》，上海古籍出版社2006年版，1301页。
② 刘昫等：《旧唐书》卷一七八《魏謩传》，中华书局1975年版，第4569页。

关于起居注的性质、作用及其与人主关系，史官与“人主”的各自评论，当是身份不同所致。从史学批评的观点来看，人主不亲览起居注的制度，确是保障史官善恶必书、追求信史的措施之一。

第三节　杂史、笔记与史学批评

一、史学意识与史学批评意识

本节所述杂史与笔记，主要是指《新唐书·艺文志二》史部所著录的杂史类著作，以及《艺文志三》所著录的杂家类著作、小说家类的部分撰述，而其中的界限并不是截然划分的。近人刘叶秋先生用举例的方法，阐述了“唐代的笔记”之三种类型：一是“小说故事类的笔记”，二是“历史琐闻类的笔记”，三是“考据辩证类的笔记”,[①] 足为参考。本书着重讨论这些笔记中的史学批评问题，而不一一说明某一笔记的性质与类型，神仙怪异、小说虚构者，不在讨论范围之内。

在这里，首先值得关注的，是在这些杂史、笔记中，有的作者具有鲜明的史学意识乃至史学批评意识，这是其之所以应当受到关注的一个重要原因。

郑綮撰《开天传信记》一书，目的是要保存唐玄宗开元、天宝之际的盛世景象，他在此书的序文中写道：

---

① 刘叶秋：《历代笔记概述》，北京出版社 2011 年版，第 43-91 页。

余何为者也？累忝台郎，思勤坟典，用自修励。窃以国朝故事，莫盛于开元、天宝之际。服膺简策，管窥王业，参于闻听，或有阙焉。承平之盛，不可殒坠。辄因簿领之暇，搜求遗逸，传于必信，名曰《开天传信记》。斗筲微器，周鼎不节之咎，何已遐乎？好事者观其志、宽其愚，是其心也。[①]

书中记开元初，玄宗“励精理道，铲革讹弊，不六七年，天下大治”一类的史事，然其近半数篇帙，却也与神仙志怪、渲染祥瑞相关。

然而，郑綮不曾想到，在开天之盛的高峰，唐皇朝却开始走向衰落：安史之乱给唐朝君臣和民众带来了巨大的灾难，从李德裕所编的《次柳氏旧闻》一书的序言中，可以清晰地看到历史的变迁、岁月的沧桑，以及一本历史笔记产生的艰难过程。李德裕写道：

大和八年秋，八月乙酉，上于紫宸殿听政，宰臣涯已下奉职奏事。上顾谓宰臣曰：“故内臣力士终始事迹，试为我言之。”臣涯即奏云：“上元中，史臣柳芳得罪，窜黔中，时力士亦徙巫州，因相与周旋。力士以芳尝司史，为芳言先时禁中事，皆芳所不能知，而芳亦有质疑者。芳默识之。及

① 郑綮：《开天传信记序》，见王仁裕编：《开元天宝遗事十种》，上海古籍出版社 1985 年版，第 49 页。

还，编次其事，号曰《问高力士》。”上曰：“令访史氏，取其书。”臣涯等既奉诏，乃召芳孙度支员外郎璟询事。璟曰：“某祖芳，前从力士问诊缕，未竟，复著《唐历》，采摭义类尤相近者以传之，其余或秘不敢宣，或奇怪，非编录所宜及者，不以传。”今按求其书，亡失不获。臣德裕亡父先臣，与芳子吏部郎中冕，贞元初俱为尚书郎，后谪官，亦俱东出，道相与语，遂及高力士之说，且曰：“彼皆目睹，非出传闻，信而有征，可为实录。”先臣每为臣言之。臣伏念所忆授凡有十七事。岁祀久，遗稿不传。臣德裕非黄琼之达练，习见故事；愧史迁之该博，惟次旧闻。惧失其传，不足以对大君之问，谨录如左，以备史官之阙云。①

从这篇序文可以看出：唐玄宗开元、天宝年间宫中之事，经宦官高力士在唐肃宗上元年间（760—761）向同时遭贬的史官柳芳作了口述；其后，柳芳据此撰成《问高力士》。至唐文宗大和八年（834），文宗问及宰臣王涯有关高力士事，并要求“令访史氏，取其书”。王涯乃质询在朝廷任职的柳芳之孙柳璟，柳璟回复说，其祖曾著《唐历》一书，其余史事不宜流传，故不得知。此时，与王涯同时任职的李德裕，想到他父亲李吉甫曾与柳芳之子柳冕同时“谪官”“道相与语”，乃知高力士所说，并对李德裕言之。李德裕乃据此撰成《次柳氏旧闻》，“以备史官

① 李德裕：《次柳氏旧闻序》，见王仁裕编：《开元天宝遗事十种》，上海古籍出版社1985年版，第1页。

之阙”。可见这本杂史，涉及唐朝三代皇帝以及柳氏祖孙三代和李氏父子，姑且不论其价值如何，即说起产生经过，亦令人唏嘘不已。

在另一本笔记的序文中，可以看到作者对史馆修史活动的熟知，以及对修史而无文献作为依凭的无奈。唐末史官裴庭裕奉命修撰唐宣宗实录，他因缺少文献依据，而凭“耳目闻睹”撰成有关宣宗朝史事的《东观奏记》，其序称：

> 庭裕奉诏之日，惕不敢易，思摭实无隐，以成一朝之书。逾岁，条例竟未立。国朝故事，以左、右史修起居注，逐季送史馆，史馆别设修撰官。起居注外，又置日历。至修实录之日，取信于日历、起居注，参而成之。伏自宣宗皇帝宫车晏驾，垂四十岁，中原大乱，日历与起居注不存一字，致儒学之士搁笔未就。非官旷职，无凭起凡例也。
>
> 庭裕自为儿时，已多记忆，谨采宣宗朝耳目闻睹，撰成三卷。非编年之史，未敢闻于县官，且奏记于监国史晋国公，藏之于阁，以备讨论。①

这篇序文表明了作者的几点认识：一是当时的修史制度及其具体流程；二是无任何资料作为修撰实录的依据，只能“搁笔”；三是《东观奏记》“非编年之史”，只能“以备讨论”之

① 裴庭裕：《东观奏记序》，《明皇杂录·东观奏记》合订本，中华书局1994年版，第83页。

用。可以认为，这是一种严肃的史学意识。

在杂史、笔记的作者中，史学批评意识比较明确者，刘肃和李肇是有代表性的。刘肃所撰《大唐新语》（原称《大唐世说新语》）是模仿《世说新语》的一本笔记体撰述，他在此书序文中表达了对史书撰述史的关注以及他本人的志向所在，这样写道：

> 自庖牺画卦，文字聿兴，立记注之司，以存警诫之法。传称左史记言，《尚书》是也；右史记事，《春秋》是也。洎唐虞氏作，木火递兴，虽戢干戈，质文或异。而九丘八索，祖述莫殊。宣父删落其繁芜，丘明捃拾其疑阙，马迁创变古体，班氏遂业前书。编集既多，省览为殆。则拟虞卿、陆贾之作，袁宏、荀氏之录，虽为小学，抑亦可观，尔来记注，不乏于代矣。圣唐御寓，载几二百，声明文物，至化玄风，卓尔于百王，辉映于前古。肃不揆庸浅，辄为纂述，备书微婉，恐贻床屋之尤；全采风谣，惧招流俗之说。今起自国初，迄于大历，事关政教，言涉文词，道可师模，志将存古，勒成十三卷，题曰《大唐世说新语》。聊以宣之开卷，岂敢传诸奇人。①

这篇序作于唐宪宗元和二年（807），上距杜佑撰成《通典》

① 刘肃：《大唐新语》原序，中华书局 1984 年版，第 1 页。

时隔六年。序文对《春秋》《左传》《史记》《汉书》的特点作了概括，既而表明为了克服“编集既多，省览为殆”的目的，要仿照虞卿、陆贾、袁宏、荀悦的述作，即指《虞氏春秋》《楚汉春秋》《三国名臣颂》《申鉴》而言。大历是唐代宗的年号，表明作者是希望此书能够有反映一代之史的作用，即所谓“道可师模，志将存古”。

李肇的史学批评意识，主要是针对志怪类笔记和小说家笔记而言，他在所著《唐国史补》的序中写道：

> 《公羊传》曰：“所见异辞，所闻异辞。”未有不因见闻而备故实者。昔刘𫗧集小说，涉南北朝至开元，著为传记。予自开元至长庆撰《国史补》，虑史氏或阙则补之意，续传记而有不为。言报应，叙鬼神，征梦卜，近帷箔，悉去之；纪事实，探物理，辨疑惑，示劝戒，采风俗，助谈笑，则书之。仍分为三卷。[①]

李肇明确地表明，此书是续刘𫗧的《国朝传记》而作，但同样也明确地表明，凡“言报应，叙鬼神，征梦卜，近帷箔”等内容，一概不书，这是强调了此书“所见异辞，所闻异辞”的原则。

如此看来，杂史、笔记作者所具有的史学意识和史学批评意

---

① 李肇：《唐国史补》序，《唐国史补·因话录》合订本，上海古籍出版社1979年版，第3页。

识是存在的，有的甚至表现得很鲜明；而杂史、笔记的历史价值和史学价值，自也受到应有的重视。对于这种重视在方法论上应取辩证的态度，即必须认识到杂史、笔记固有的局限性。如有的书是凭记忆写成，有的书是在多次口耳相传的基础上写成，对其所叙史事则应审慎地看待和采用。又如像李肇这样严肃的作者，书中还是有所谓“虹霓飓风母”“人食雷公事”“鱼登龙门化”之类的传说入书，同样应审慎地对待。

二、评史家、史书

杂史、笔记批评史家、史书者，大多简要、明确，一般不作过多议论。这是其特点之一。

唐太宗在《修晋书诏》中，尖锐地批评当时所见诸家晋史，他对班固《汉书》、范晔《后汉书》在编纂上也提出过批评，《大唐新语》记：“太宗谓监修国史房玄龄曰：‘比见前后汉史，载扬雄《甘泉》《羽猎》、司马相如《子虚》《上林》、班固《两都赋》，此既文体浮华，无益劝戒，何暇书之史策。今有上书论事，词理可裨于政理者，朕或从或不从，皆须备载。’”[①] 唐太宗作为政治家，不赞同把学人的赋作写入史书，自有一定的道理，但汉赋作为当时流行的文体，且又是名人之佳作，对反映一个时代的文化尤其是文学上的成就与作者的思想倾向十分重要，收入史书也是合理的。甚至可以说，越是经历历史的积淀，越是

① 刘肃：《大唐新语》，中华书局 1984 年版，第 134 页。

显示出其价值所在。

蒋乂是有成就的史家，但他有一件事情却遭到时人的非议，这就是："蒋乂又撰《宰臣录》，每拜一相，旬月必献一卷，故得物议所嗤。"[①] 史家之间的学术友谊往往会成就学术史上的一段佳话，《唐国史补》记："柳芳与韦述友善，俱为史官。述卒后，所著书有未毕者，多芳与续之成轴也。"[②] 显然，这是对柳、韦二人友谊的赞扬，尤其是对柳芳续韦述书的品德的赞扬。此类事在唐代学人中还有柳宗元与刘禹锡的一段感人的佳话。刘禹锡写道：柳宗元去世前，"留书抵其友中山刘禹锡曰：'我不幸卒以谪死，以遗草累故人。'禹锡执书以泣，遂编次为四十五通，行于世"[③]。在学术史上，这种学人之间的学术友谊是应当大力称道的。

唐代多史学世家，唐人笔记中称道沈氏史学世家者极明显。赵璘《因话录》记：

> 沈吏部传师，性不流不矫，待物以和。观察三方，皆脂膏之地，去镇无余蓄。京城居处隘陋，不加一椽，所辟宾僚，无非名士。身没之后，家至贫苦，二子继业，并致时名，又以报施不妄。公先君礼部员外郎既济撰《建中实

① 李肇：《唐国史补》卷中，《唐国史补·因话录》合订本，上海古籍出版社1979年版，第42页。

② 李肇：《唐国史补》卷上，《唐国史补·因话录》合订本，上海古籍出版社1979年版，第20页。

③ 刘禹锡：《河东先生集》序，《柳河东集》上，上海人民出版社1974年版，书首第1页。

录》，体裁精简，虽宋、韩、范、裴亦不能过，自此之后，无有比者。公继世为史官，及出镇湖南、江西，奉诏在镇修《宪宗实录》，当时荣之。[①]

沈既济、沈传师父子先后撰《建中实录》《宪宗实录》，“并致时名”，“当时荣之”，有较大的社会影响。

对沈既济的史才，还有这样的说法：“韩、沈良史才。”李肇《唐国史补》记：“沈既济撰《枕中记》，庄生寓言之类。韩愈撰《毛颖传》，其文尤高，不下史迁。二篇真良史才也。”[②] 从这里可以看出，沈既济可与韩愈相提并论，足见其社会影响力不小；时人称赞文学作品的高雅，却以司马迁与“良史才”为标准，道出了司马迁与“良史才”实为人们所景仰，反映了史学在人们心目中的崇高位置。

刘知幾致书萧至忠，指出当时史馆修史不力并请辞史职事，在唐代受到学人关注，刘肃《大唐新语》卷九记：

刘子玄直史馆时，宰臣萧至忠、纪处讷等并监修国史。子玄以执政秉权，事多掣肘，辞以著述无功，求解史任。奏记于至忠等，其略曰：“伏见每汲汲于劝诱，勤勤于课责云：‘经籍事重，努力用心。’或岁序已奄，何时辍手。纲

① 赵璘：《因话录》卷二，《唐国史补·因话录》合订本，上海古籍出版社1979年版，第81页。

② 李肇：《唐国史补》卷下，《唐国史补·因话录》合订本，上海古籍出版社1979年版，第55页。

维不举，督课徒勤。虽威以刺骨之刑，勗以悬金之赏，终不可得也。语云：‘陈力就列，不能者止。’仆所以比者布怀知己，历讼群公，屡辞载笔之官，欲罢记言之职者，正为此耳。当今朝号得人，国称多士。蓬山之下，良直比肩；芸阁之间，英奇接武。仆既功亏刻鹄，笔未获麟，徒殚太官之膳，虚索长安之米。乞以本职，还其旧居，多谢简书，请避贤路。”文多不尽载。至忠惜其才，不许。宗楚客恶其正直，谓诸史官曰：“此人作书如是，欲置我于何地！”子玄著《史通》二十篇，备陈史册之体。①

这段记述与《新唐书·刘子玄传》相比，没有明确说到当时史馆修史有“五不可”，但其大意颇相近，恰可互相印证。

刘知幾的好友史官吴兢所撰《贞观政要》更是受到后人好评，《唐语林》卷二记：“宪宗问宰相曰：‘天子读何书即好？’权德舆对曰：‘《尚书》。哲王轨范，历历可见。’上曰：‘《尚书》曾读。’又问郑余庆曰：‘《老子》《列子》如何？’奏曰：‘《老子》述无为之化。若使资圣览，为理国之枢要，即未若《贞观政要》。’”② 由此可以看出，对于最高统治者适合阅读什

---

① 刘肃：《大唐新语》卷九，中华书局1984年版，第136页。

② 王谠：《唐语林》卷二，周勋初《唐语林校证》本，中华书局1987年版，第125页。按：王谠系宋人，其所撰《唐语林》系采唐人所著杂史、笔记、小说50余种，仿《世说新语》体例，分为52门，依其类例，纂成此书。其门类多于《世说新语》的36门。今人周勋初为之校证，用力甚勤，每条材料均于文后注明“本条原出”之书，便于查核。全书之末，附有参考书目及人名索引，颇便于使用。据此，王谠所纂之《唐语林》自可作唐人言论看待，而校证本亦堪称佳作。又按：此条引文，校证本称“本条不知原出何书”。

么书，唐宪宗、权德舆和郑余庆三人的看法是不一致的，而郑余庆之评《贞观政要》为“理国之枢要”，以及道出《贞观政要》的价值，可谓真知灼见。

三、评学术之史与专门之学及世风与文风

在唐人杂史、笔记中，其批评对象有时会涉及对此前之史家、史书的整体性品评，用今语言之，这是关于史学史的评价了。成书于唐宪宗元和年间的《大唐新语》卷末有一篇“总论”，作者刘肃写道：

> 史册之兴，其来久矣。……晋之董孤（按：《左传·宣公二年》作董狐）、楚之猗相（按：《国语·楚语下》作倚相），皆简牍椎轮也。仲尼因鲁史成文，著为《春秋》。尊君卑臣，去邪归正。……此《春秋》大旨也。故志曰：仲尼成《春秋》而乱臣贼子惧。又曰：拨乱世反诸正，莫近于《春秋》。《春秋》凭义以制法，垂文以行教，非徒皆以日系月编年叙事而已。后之作者无力，病诸司马迁意在博文综核疏略，后六经而先黄老，贱处士而宠奸雄；班固序废兴则褒时而蔑祖德，述政教则左理本而右典刑。此迁、固之所蔽也。然迁辞直而事备，固文赡而事详。若用其所长，盖其所短，则升堂而入室矣。范煜（按：当指范晔）绌公才而采私论，舍典实而饰浮言。陈寿意不迨文，容身远害，既乖直笔，空紊旧章。自兹已降，渐已陵替也。国家革隋之弊，

文笔聿修。贞观开元述作为盛，盖光于前代矣。自微言既绝，异端斯起，庄列以仁义为刍狗，申韩以礼乐为痈疣，徒有著述之名，无裨政教之阙。圣人遗训几乎息矣。昔荀爽纪汉事可为鉴戒者，以为《汉语》。今之所记，庶嗣前修。不尚奇正之谋，重文德也；不褒纵横之书，贼狙诈也；刊浮靡之词，归正也；损术数之略，抑末也。理国者以人为本，当厚生以顺天；立身者以学为先，必因文而辅教。纤微之善，罔不备书，百代之后，知斯言之可复也。①

这篇“总论”表明了以下几点认识：一是称道董狐、倚相熟习简牍，尤其盛赞孔子《春秋》之旨在于“凭义以制法，垂文以行教”，并非一般的编年叙事。二是批评司马迁、班固、范晔、陈寿；但马、班尚有所保留，即若“用其所长，盖其所短”，则可“升堂而入室”。质言之，在刘肃看来，《史记》《汉书》《后汉书》《三国志》，都不是足以称道的史书。三是盛赞贞观、开元年间的撰述成就，但此后又不行了，诸子之学一类的述作“徒有著述之名，无裨政教之阙”。四是《大唐新语》一书，是继承了东汉荀爽所著《汉语》一书“纪汉事可为鉴戒者”的宗旨，“重文德”，“贼狙诈”，“以人为本”，“以学为先”，达到“因文而辅教”的目的。

通观《大唐新语》总论全文，其评论孔子《春秋》，依历来

① 刘肃：《大唐新语》总论，中华书局1984年版，第202-203页。

的说法，可谓近是；其论《史记》《汉书》及其以后至唐太宗贞观年间以前之史学，几无可取之处，自不能成立；其论贞观、开元时期的史学，评价甚高但无实例，不便深论。其书成于唐宪宗元和二年（807），作者当知此时位居相位的杜佑及其所著《通典》的存在，而似毫无所知，或知之而不以为然，申言“圣人遗训几乎息矣”。以上数端，反映出作者识见的偏差与视野的狭窄。至于《大唐新语》的主旨，当可以肯定，但又被作者连同荀爽的《汉语》都一同被夸大了。在这里，史学批评史本身自然面临着一个尖锐的问题：批评者怎样合理地看待批评的对象？批评者如何合理地判定本人撰述的学术地位？这是同一问题的两个方面：处理得合理，无疑会扩大批评者的影响力，反之，则使批评者的影响力受到局限乃至产生负面的影响。因此，这是中国古代史学批评史上值得关注的一个问题。

唐代学人在论及经史关系时，关于《左传》一书的性质提出不同于前人的看法，《唐语林》卷二中有这样的记述：

文宗时，工部尚书陈商立汉文帝废丧议。又立《左氏》学议，以“孔子修经，褒贬善恶，类例分明，法家流也。左丘明为鲁史，载述时政，惧善恶失坠以日系月，本非扶助圣言，缘饰经旨，盖太史氏之流也。举之《春秋》，则明白而有实，合之《左氏》，则丛杂而无征。杜元凯曾不思孔子所以为经，当与《诗》《书》《周易》等列；丘明所以为史，当与司马迁、班固等列，二义不侔，乃参而贯之，故微旨有所未尽，婉章有所未一”。其后吴郡陆龟蒙亦引啖助、赵匡为证，正与商议同。①

这是明确地表明，不应把《左传》同《春秋》紧密地联系在一起，认为《春秋》“当与《诗》《书》《周易》等列”，《左传》“当与司马迁、班固等列”，而杜元凯（杜预）没有考虑到“孔子所以为经”“丘明所以为史”的区别。这篇“立《左氏》学议”，与《大唐新语·总论》都涉及前人撰述的评论，但前者的言辞要平和得多，而且在道理上，也有所剖析，给人以明确的判断；而对于批评对象“曾不思”的结果，也只是指出“微旨有所未尽，婉章有所不一”，显示出批评者的学术涵养。

杜预是著名经学家，他撰写的《春秋左氏传序》中有这样的话：“……故发传之体有三，而为例之情有五。”这就是“一曰微而显”，“二曰志而晦”，“三曰婉而成章”，“四曰尽而不污”，“五曰惩恶而劝善”，② 这是以传文作为《春秋》之例，故陈商指出是“丛杂而无征”，乃产生“未尽”“未一”之弊。这篇文字的作者在陈商之“立《左氏》学议”后面写了“其后吴郡陆龟蒙亦引啖助、赵匡为证，正与商议同”一句话，显然是在加重陈商观点的分量。

---

① 王谠：《唐语林》，周勋初《唐语林校证》本，中华书局 1987 年版，第 150－151 页。按：校证本说明：“本文系五代时人孙光宪之文而误入者。”考虑到文中所述之言与事俱为唐人，引之无妨，但自当明其或非唐人所作。

② 杜预：《春秋左氏传序》，见萧统编：《文选》卷四五，李善注本，中华书局 1977 年版，第 639 页。

唐人所撰杂史、笔记中，在学术史方面已经十分关注不同知识领域的“专门之学”，这是学术批评走向深入的表现之一。李肇《唐国史补》卷下“叙专门之学”是这方面很重要的一段评论：

> 大历已后，专学者有蔡广成《周易》，强象《论语》，啖助、赵匡、陆质《春秋》，施士丐《毛诗》（按：《唐语林》作施士匄），刁彝（按：《唐语林》作袁彝）、仲子陵、韦彤、裴茝讲《礼》，章廷珪、薛伯高、徐润并通经。其余地理则贾仆射，兵赋则杜太保，故事则苏冕、蒋乂，历算则董和（按：《唐语林》作董纯），天文则徐泽，氏族则林宝。[①]

李肇《唐国史补》所记唐代玄宗、肃宗、代宗、德宗、顺宗、宪宗、穆宗年间事，大历是代宗年号，至穆宗长庆年间，前后五六十年。其间，专门之学有《周易》《论语》《春秋》《毛诗》《礼》，以及通经、地理、兵赋、故事、历算、天文、氏族等。文中提到的学人多是一代名家，其中与史学关系密切者有贾耽的地理之学、杜佑的《通典》、苏冕的《会要》、蒋乂的国史修撰和林宝的姓氏之学。在中国学术史上，把知识领域加以分类成“专门之学”，并列举出一个时期之内的学术代表人物，这是较早的记载，在学术批评史上应受到关注。

---

① 李肇：《唐国史补》卷下，《唐国史补·因话录》合订本，上海古籍出版社1979年版，第54页。

李肇是一位视野开阔、善于宏观思考和综合概括的学人，他在与上文相近的一段题为“叙时文所尚”的记述中写道：

> 元和已后，为文笔则学奇诡于韩愈，学苦涩于樊宗师。歌行则学流荡于张籍。诗章则学矫激于孟郊，学浅切于白居易，学淫靡于元稹。俱名为“元和体”。大抵天宝之风尚党，大历之风尚浮，贞元之风尚荡，元和之风尚怪也。①

从学术批评的观点来看，关于“文笔”有“学奇诡”“学苦涩”；关于“歌行”则“学流荡”；关于“诗章”有“学矫激”“学浅切”“学淫靡”，合称“元和体”。这是讲流派与师承。同时，这里还讲到“天宝之风”“大历之风”“贞元之风”“元和之风”等学风和文风的变迁。这些，显现出一个批评家的气质和识见：只有在认真观察、仔细分析和比较判断的基础上，才能获得如此有意义的概括。

唐代杂史、笔记中的史学批评，不论是批评者还是批评对象，都具有广泛的社会性，表明了史学家及其撰述成果的社会影响力；而当史学也被认为是一种“专门之学”的时候，人们已从看待某一史家或某一史书上升到看待史学这一知识领域了。上述学术信息，对于中国古代史学批评史的进程来说，无疑是十分重要的。

---

① 李肇：《唐国史补》卷下，《唐国史补·因话录》合订本，上海古籍出版社1979年版，第57页。

结　语

一般说来，史学批评是推动史学发展的内在动力，就隋唐时期尤其是唐代的史学批评来看，这一内在联系显得尤为突出。这是由以下几个原因所促成的。

第一，唐朝立国后的几代皇帝都高度关注史学的发展，从他们发布的有关诏书可以看出，跟史学批评直接相关的一些重要问题，如对史学功用的认识，对撰写朝代史之必要性的认识，对旧史存在缺陷的严厉的批评态度，对“简择”史官的严格要求等，凡此，都对建构起大格局的唐代史学产生了积极作用。

第二，唐太宗贞观三年（629）设立史馆于禁中，突出了史学工作的重要性，也使大格局的唐代史学的实施有了制度上的保证。

第三，从唐高祖的《修六代史诏》、唐太宗的《修晋书诏》，到唐高宗的《简择史官诏》以及史馆的设立，这些包含着鲜明的史学批评思想所建构起来的史学大格局创造了多项史学成果：一是加深了对史学功用的自觉认识，所谓“多识前古，贻鉴将来”“大矣哉，盖史籍之为用也”，便是最直白的表述。二是修撰或重撰了前朝史，并使之成为一种制度，对后世产生深远的影响。三是新修《晋书》中包含了十六国史，使《晋书》成为完全意义上的晋史。四是梁、陈、齐、周、隋《五代史纪传》摒弃了南北朝互相诋毁的历史撰述立场。五是李延寿以纪传体撰成《南史》《北史》，从本质上实现了李大师“编年以备南北”的历史撰述主旨。六是《隋书·经籍志》写出了唐以前的目录学史（也可视为文献学史、学术批评史）概况，把《汉书·艺文志》的成就又向前推进了许多。总之，如若没有上述几道修史诏书提出的问题和史学批评所建构起来的史学大格局，这些成果是难以取得的。从“时势造英雄”的观点来看，刘知幾这样杰出的史学家，一方面能够写出《史通》一书，展示他的博学、富赡、智慧和卓识，另一方面又能够看到史馆修史存在的乱象，断言乱象下的史馆修史之“五不可”。如若不是在史学大格局的历史背景和现实环境的影响下，如若他不曾有“三为史臣，再入东观”的经历，这两方面的认识和成果，都是不容易获得的。

《隋书·经籍志》史部诸序和刘知幾的《史通》一书，是有体系的专文和专书，构成本卷的两个重要章节。在本书的第二卷中，作者论述了刘勰《文心雕龙·史传》篇作为史学批评史论纲的价值，并强调指出它的理论贡献。在本卷中，作者明确指出，《隋书·经籍志》史部诸序具有史学批评史雏形的学术地位：一是因为它对历史文献有清晰的分类，二是对各类历史文献的渊源流变均有简明的交代，三是间或发表评论，尤其是其

"大序"表明对史官学识的要求及其职责的重要性、历史撰述的内容及其社会价值，以及史官制度存在的流弊及私家著史兴起的状况，等等，可视为从"史"的视角概括了唐代以前历史撰述的渊源和史学批评的面貌。从史学批评史的发展来看，可以认为，《隋书·经籍志》史部诸序，上承《汉书·艺文志》与《文心雕龙·史传》篇，而下启刘知幾《史通》的史学批评宗旨及史学自身体系建构的思想。

对于《史通》一书，可以这样看待：它是在全面的史学批评的基础上，创建了史学自身建构的体系。这是很典型的反思与进取的辩证统一。对《史通》一书之所以在此时产生，以及关于它的内容生成、理论体系与史学价值等，我们不妨从几个方面予以考察、认识。第一个方面，是《史通》得以产生的历史条件：前代学人如扬雄、王充思想的影响；魏晋南北朝时期涌现出的丰富的史学成果，为史学反思、批评提供了大量的考察、研究对象；唐高祖、唐太宗时期建构起来的史学大格局，为史学发展创造的前所未有的史学氛围；刘知幾个人的兴趣与专长。有了这些条件，《史通》乃应运而生。第二个方面，是刘知幾本人所自述的三个不同时期的三种境界：少年读书时，"自小观书，喜谈名理"，"凡有异同，蓄诸方寸"；史馆修史时，"职思其忧，不惶启处，尝以载削余暇，商榷史篇，下笔不休，遂盈筐箧。于是区别类聚，编而次之"；《史通》成书时，"夫其书虽以史为主，而余波所及，上穷王道，下掞人伦，总括万殊，包吞千有"。这是读书、积累、撰述的三个过程，也是批评意识不断递进和史学体系形成的过程。第三个方面，是时人和后人的评价，从时人徐坚到明清学者，到近代学者梁启超，再到中国马克思主义史学家，这些评价，大多超过了刘知幾当时所渴望、所期待的那种程度，这正是《史通》的价值所在。

杜佑是政治家、史学家，柳宗元是思想家、史论家和史学批评家。杜佑、柳宗元在历史理论方面提出的问题，是他们那个时代最先进的历史观。他们在史学批评方面有自身的突出特点和学术魅力。杜佑以其丰富的从政经历和对史学的深刻理解，致使他的史学批评的显著特点，是鲜明的和坚定的史学经世致用思想。柳宗元作为思想家，更关注有关文献的思想倾向及其社会影响，这是他撰《非国语》的主旨。他们二人在史学批评上的不同特点是：杜佑重礼法，这从他在史论上的用语显示出的不同层次可以看得十分清楚；柳宗元则强调做人做事要坚守“直道”，他在致韩愈信中关于史官职守的评论，充分表明了这一特点。

隋唐时期关于史才、良史和史家修养等有关史学主体的讨论和批评，提出了一些新认识、新观念。随着史学的发展和史学影响的扩大，接触史学的人越来越多，而科举制的实施也促使更多的士人研读史书。因此，“良史”的观念受到广泛的关注，而其含义却并不相同。尽管这给史学批评增添了难度，但不论是从何种意义上讨论“良史”，都反映了人们对史学抱有新的期待与追求。此其一。其二，唐人在关于史书体裁的辩难中，提出了判定“良史”的标准，这就是“是非与众人同辨，善恶得圣人之中，不虚美，不隐恶，则为纪、为传、为编年，是皆良史矣”。这里包含着事实判断和价值判断的标准，为认知“良史”提供了理论的说明。其三，刘知幾的“史才三长”说，是关于史家修养的理论，这是他从史学批评和史学自身构成的思考中提炼出来的成果之一，其影响深远直至当代。千余年来，历代学人对“史才三长”说提出了内涵丰富的解释，有的还作了补充，使其更加合理、完善，但都是以“三长”为理论基础展开的。

史注是史学的一部分，史注中往往也包含着注家对所注文本或有关史学问题的批评。魏晋南北朝是史注大发展的时期，其中有的名注即含有史学批评的内容，如裴骃的《史记集解》、裴松之的《三国志注》、刘昭的《后汉书注》等。隋唐时期的颜师古《汉书注》、司马贞《史记索隐》、张守节《史记正义》、李贤等《后汉书注》皆属此类名注。通观颜师古《汉书叙例》全文，不失为关于注释史书的一篇纲领性文章，它既包含了对此前《汉书》注之得失的批评，也包含了对《汉书》新注的理念和要求。它的注史的出发点是“怅前代之未周，愍将来之多虑”；它的注史方法是“粗陈指例，式存扬榷”。这篇理论性很突出的文字，在史学批评和促进史注发展方面，具有重要的历史地位。

隋唐时期（尤其是唐代）史学批评在诸多领域的广泛展开，从不同侧面反映了史学批评的广度和深度，而且显示出史学批评从史学家、思想家、政治家那里逐渐走向更多士人的发展趋势。

概括说来，隋唐时期的史学批评，既有史学大格局的气势，又有深入细致的探讨，从而跟史学批评理论体系的提出相互呼应，相得益彰。

主要参考文献

一、马克思主义经典著作

中共中央马克思恩格斯列宁斯大林著作编译局：《马克思恩格斯文集》，北京：人民出版社 2009 年版。

中共中央马克思恩格斯列宁斯大林著作编译局：《列宁文集》，北京：人民出版社 2009 年版。

毛泽东：《毛泽东选集》，北京：人民出版社 1991 年版。

二、历史文献

《国语》，上海：上海古籍出版社 1978 年版。

《论语》，杨伯峻《论语译注》本，北京：中华书局 1958 年版。

《左传》，杨伯峻《春秋左传注》本，北京：中华书局 1981 年版。

《孟子》，杨伯峻《孟子译注》本，北京：中华书局 1960

年版。

《战国策》，上海：上海古籍出版社 1985 年版。

司马迁：《史记》，北京：中华书局 1959 年版。

班　固：《汉书》，北京：中华书局 1962 年版。

荀　悦：《汉纪》，《两汉纪》，北京：中华书局 2017 年版。

荀　悦：《申鉴》，黄省曾、孙启治《申鉴注校补》本，北京：中华书局 2012 年版。

袁　宏：《后汉纪》，《两汉纪》，北京：中华书局 2017 年版。

范　晔：《后汉书》，北京：中华书局 1965 年版。

陈　寿：《三国志》，北京：中华书局 1959 年版。

魏　收：《魏书》，北京：中华书局 1974 年版。

沈约等：《宋书》，北京：中华书局 1974 年版。

萧子显：《南齐书》，北京：中华书局 1972 年版。

萧统编：《文选》，李善注本，北京：中华书局 1977 年版。

刘　勰：《文心雕龙》，周振甫《文心雕龙注释》本，北京：人民文学出版社 1981 年版。

姚思廉：《梁书》，北京：中华书局 1973 年版。

李百药：《北齐书》，北京：中华书局 1972 年版。

道　宣：《广弘明集》，上海：上海古籍出版社 1991 年版。

李世民：《唐太宗集》，西安：陕西人民出版社 1986 年版。

令狐德棻等：《周书》，北京：中华书局 1971 年版。

魏徵等：《隋书》，北京：中华书局 1973 年版。

房玄龄等：《晋书》，北京：中华书局 1972 年版。

李延寿：《北史》，北京：中华书局 1974 年版。

李延寿：《南史》，北京：中华书局 1974 年版。

吴　兢：《贞观政要》，上海：上海古籍出版社 1978 年版。

刘知幾：《史通》，浦起龙《史通通释》本，上海：上海古籍出版社 2009 年版。

白居易：《白居易集》，北京：中华书局 1979 年版。

韩　愈：《韩昌黎文集》，上海：上海古籍出版社 1986 年版。

柳宗元：《柳河东集》，上海：上海人民出版社 1974 年版。

杜　佑：《通典》，北京：中华书局 1988 年版。

李吉甫：《元和郡县图志》，北京：中华书局 1983 年版。

李　肇：《唐国史补》，上海：上海古籍出版社 1979 年版。

刘　昫等：《旧唐书》，北京：中华书局 1975 年版。

欧阳修、宋　祁：《新唐书》，北京：中华书局 1975 年版。

欧阳修：《欧阳修全集》，北京：中国书店 1986 年版。

司马光：《资治通鉴》，北京：中华书局 1956 年版。

司马光：《稽古录》，北京：北京师范大学出版社 1988 年版。

宋敏求：《唐大诏令集》，北京：商务印书馆 1959 年版。

王　溥：《唐会要》，上海：上海古籍出版社 2006 年版。

王安石：《王安石全集》，上海：上海古籍出版社 1999 年版。

王钦若：《册府元龟》，北京：中华书局 1960 年版。

李　昉：《太平御览》，北京：中华书局 1960 年版。

李　昉：《文苑英华》，北京：中华书局 1966 年版。

吴　缜：《新唐书纠谬》，北京：中华书局 1985 年版。

曾　巩：《曾巩集》，北京：中华书局 1984 年版。

郑　樵：《通志二十略》，北京：中华书局 1995 年版。

沈　括：《梦溪笔谈》，上海：上海古籍出版社 1987 年版。

王应麟：《玉海》，南京：江苏古籍出版社，上海：上海书店 1987 年版。

王应麟：《困学纪闻》，上海：上海古籍出版社 2008 年版。

洪　迈：《容斋随笔》，上海：上海古籍出版社 1978 年版。

叶　适：《习学记言序目》，北京：中华书局 1977 年版。

晁公武：《郡斋读书志》，孙猛《郡斋读书志校证》本，上海：上海古籍出版社 2006 年版。

陈振孙：《直斋书录解题》，上海：上海古籍出版社 1987 年版。

吴仁杰：《两汉刊误补遗》，《丛书集成初编》，北京：中华书局 1991 年版。

袁　枢：《通鉴纪事本末》，北京：中华书局 1997 年版。

朱　熹：《资治通鉴纲目》，台北：商务印书馆 1986 年版。

黎靖德编：《朱子语类》，北京：中华书局 1986 年版。

叶　适：《习学记言序目》，北京：中华书局 1977 年版。

马端临：《文献通考》，北京：中华书局 2011 年版。

脱　脱等：《宋史》，北京：中华书局 1977 年版。

脱　脱等：《金史》，北京：中华书局 1975 年版。

胡应麟：《少室山房笔丛》，北京：中华书局 1958 年版。

王夫之：《读通鉴论》，北京：中华书局 1975 年版。

顾炎武：《日知录》，黄汝成《日知录集释》本，上海：上海古籍出版社 2006 年版。

王鸣盛：《十七史商榷》，上海：上海书店 2005 年版。

赵　翼：《廿二史札记》，王树民《廿二史札记校证》本，北京：中华书局 2013 年版。

赵　翼：《陔余丛考》，上海：上海古籍出版社 2011 年版。

董诰编：《全唐文》，北京：中华书局 1983 年版。

永瑢等：《四库全书总目》，北京：中华书局 1965 年版。

章学诚：《章学诚遗书》，北京：文物出版社 1985 年版。

章学诚：《文史通义》，叶瑛《文史通义校注》本，北京：中华书局 2014 年版。

阮元校刻：《十三经注疏》，北京：中华书局 1980 年版。

二十五史刊行委员会：《二十五史补编》，北京：中华书局 1955 年版。

三、近人及今人专书

侯外庐主编：《中国思想通史》，北京：人民出版社 1957 年版。

陈　垣：《史讳举例》，北京：科学出版社 1958 年版。

白寿彝：《学步集》，北京：生活·读书·新知三联书店 1962 年版。

龚自珍：《龚自珍全集》，上海：上海人民出版社 1975 年版。

白寿彝主编：《中国通史纲要》，上海：上海人民出版社 1980 年版。

刘　节：《中国史学史稿》，郑州：中州书画社 1982 年版。

白寿彝主编：《史学概论》，银川：宁夏人民出版社 1983 年版。

杨明照：《学不已斋杂著》，上海：上海古籍出版社 1985 年版。

尹达主编：《中国史学发展史》，郑州：中州古籍出版社 1987 年版。

梁启超：《饮冰室合集》，北京：中华书局 1989 年版。

白寿彝总主编：《中国通史》，上海：上海人民出版社 1989—1999 年版。

白寿彝：《中国史学史论集》，北京：中华书局 1999 年版。

瞿林东：《中国史学史纲》，北京：北京出版社 1999 年版。

白寿彝主编：《中国史学史教本》，北京：北京师范大学出版社 2000 年版。

蒋大椿、陈启能主编：《史学理论大辞典》，合肥：安徽教育出版社 2000 年版。

吴泽主编：《史学概论》，合肥：安徽教育出版社 2000 年版。

胡　适：《胡适全集》第 4 卷，合肥：安徽教育出版社 2003 年版。

王仲荦：《魏晋南北朝史》，上海：上海人民出版社 2003 年版。

瞿林东：《中国史学的理论遗产》，北京：北京师范大学出版社 2005 年版。

白寿彝主编：《中国史学史》（六卷本），上海：上海人民出版社 2006 年版。

刘家和：《史学、经学与思想》，上海：上海人民出版社 2006

年版。

蒙文通：《中国史学史》，上海：上海人民出版社2006年版。

谢保成：《中国史学史》，北京：商务印书馆2006年版。

金毓黻：《中国史学史》，北京：商务印书馆2007年版。

吴怀祺：《中国史学思想史》，北京：商务印书馆2007年版。

龚书铎、瞿林东主编：《中华大典·历史典·史学理论与史学史分典》，上海：上海古籍出版社2007年版。

应三玉：《〈史记〉三家注研究》，南京：凤凰出版社2008年版。

杜维运：《中国史学史》，北京：商务印书馆2010年版。

瞿林东：《中国古代历史理论》（三卷本），合肥：安徽人民出版社2011年版。

杨翼骧等：《增订中国史学史资料编年》，北京：商务印书馆2013年版。

朱维铮：《中国史学史讲义稿》，上海：复旦大学出版社2015年版。

瞿林东：《中国古代史学批评纵横》（增订本），重庆：重庆出版社2016年版。

索 引

B

班固 17、22、23、26、39、40、44、74、76、82、83、84、85、86、87、88、89、98、99、106、118、134、136、143、180、181、198、207、230、236、238、239、256、273、274、280、282、286、287、290、365、370

班彪 26、39、82、83、84、85、86、205、230、273、291、336

白居易 170、171

包恺 269、270

北史 4、6、9、13、22、29、34、53、55、56、57、58、59、60、61、62、68、220、331、332、334、376

北齐书 35、44、214、215、230、330、331、332、334、335

百家集谱 112、113

百家谱集钞 112、113

百家谱拾遗 112

白虎通 126

C

陈寿 18、44、45、77、103、104、140、147、198、205、221、224、225、230、249、323、328、370

崔善为 32、214

陈叔达 32、214

曹嘉之 47

褚遂良 50、56、215、357

曹操 51

崔鸿 77、102、324、328

陈涉 88、142、291、303

常璩　102、103、104
崔浩　163、198、325、328
岑文本　215、216、229、253
崔仁师　215
崔行功　215
蔡谟　256
崔駰　262
陈直　305
褚少孙　312、313
崔铉　341
长孙无忌　343
次柳氏旧闻　5、360、361
春秋　20、44、71、77、78、92、93、99、146、196、236、239、240、241、249、250、268、284、292、293、312、336、337、338、339、364、370、372、373
陈书　35、44、59、60、205、214、230、335
楚汉春秋　81、83、93、99、100、364

D

杜佑　4、5、6、10、74、167、168、169、170、171、172、173、174、175、176、177、178、179、180、181、182、183、184、185、186、187、319、363、371、373、378
董狐　11、76、163、165、203、206、212、284、370
窦琎　32、214
邓粲　47、221
窦建德　53
杜甫　170
杜预　372
独孤朗　217、219
杜正伦　218
董统　324、328
段秀实　349
杜元颖　347
东观汉记　51、80、104、274、276、291、321
帝王世纪　101、183
东南谱集钞　114
典语　133
大戴礼　177
德宗实录　219
大唐仪礼　255
大唐创业起居注　355
东观奏记　362
大唐（世说）新语　363、365、

367、369、370、371、372

F

房延祐　14
范晔　19、20、21、22、23、26、40、41、44、69、74、77、98、107、108、127、140、161、198、230、237、249、258、261、275、281、322、327、328、365、370
房玄龄　24、35、50、56、202、205、215、220、221、222、224、229、244、272、357、358
封德彝　32、214、343
苻坚　51、222
服虔　256、280、286
封建论　7、174、186、187
风俗通　133
法言　133
非国语　10、167、187、188、189、190、191、192、193、194、195、197、378
奉天录　233、234
范汉音训　295
范汉音　295

G

干宝　23、47、144、205、221、224、237、323、328
公羊高　161
郭子仪　170
公子絷　193
格希玄　259
哥舒翰　272
高子贡　301
高力士　361
国语　10、81、83、166、187、188、189、190、191、192、193、195、196
古史考　321、322、327
国朝传记　364

H

皇甫湜　5、202、208、237、241、242、243、248
汉献帝　39、92、98
何法盛　47、48
汉高祖　51、318
壶遂　86
皇甫谧　101
桓温　103、221、222
华峤　210
韩愈　167、170、171、197、198、199、200、201、217、231、247、

248、250、367、378
狐偃　193、196
胡应麟　205、234
汉书　11、22、39、44、45、49、64、67、70、71、74、77、80、82、83、85、93、98、99、103、104、106、118、123、135、136、143、146、147、180、181、182、183、205、236、238、252、253、255、256、257、258、259、260、268、269、270、271、272、273、274、275、276、277、278、279、280、281、282、283、286、287、288、289、291、293、294、295、298、299、300、313、319、321、322、328、329、335、337、351、364、365、370、371、376、377、379
后汉书　11、19、22、39、40、41、42、44、45、98、107、108、207、210、230、252、258、259、260、261、262、264、268、275、276、277、290、292、293、294、295、297、298、299、300、313、319、322、327、365、370
汉纪　28、38、39、40、41、78、92、95、98、99、104、136、238、240、322、328
后汉纪　28、230、236、261、275、322
汉晋春秋　47
后汉略　101
华夷帝王世纪　101
华阳国志　102、103、104、105
汉书刊繁　269
汉书决疑　270、295
汉书辩惑　277
汉书训纂　321
汉书集解音义　321
汉书音训　321
汉书注　321、379
汉书驳议　321
会要　341、373
汉语　370、371

J

晋明帝　24
晋武帝　25、210
贾谊　25、281、303
敬播　50、205、215、216、272、343
江永　89

贾执　112、115
贾渊　113、115
晋惠公　193
蒋乂　219、366、373
蒋系　219
江总　230
晋灼　256、285、288、295
姜买　292
姜止　292
晋灵公　293
晋书　4、9、13、24、34、37、42、47、48、49、50、51、52、53、56、76、93、96、97、98、102、202、213、215、216、220、221、222、223、224、225、228、229、230、244、245、246、323、327、328、337、376
晋纪　23、47、205、222、224、237
旧唐书　34、205、206、225、231、338、352、358
晋中兴书　47、48
晋阳秋　47、221、224、237
纪年　92、95、96、97
畿服经　118
旧五代史　209
金史　210
建中实录　231、367

K

孔子　11、26、44、74、89、107、108、161、180、198、203、206、236、243、249、303、351、370
孔绍安　32、214
孔颖达　56、141、215、229、268
匡衡　286
开天传信记　5、359
匡谬正俗　255

L

李德林　2、215、230、334、335
李世民　4、215、229、253
李延寿　4、8、9、13、29、50、53、56、57、58、59、60、61、62、68、105、215、220、331、332、334、376
李渊　4、32、53
刘知幾　5、8、10、11、14、15、16、50、74、99、104、125、126、127、128、130、131、132、133、134、135、136、137、138、139、140、141、142、143、144、145、146、147、148、149、150、151、

152、153、154、155、156、157、158、159、160、161、162、163、164、165、166、168、172、174、197、202、205、208、210、211、219、225、227、228、229、230、231、232、233、234、235、237、238、243、251、274、275、297、301、319、320、322、329、332、333、334、344、352、367、368、376、377、378、379
李翱　5、248、249、348、349、350、354
李百药　5、35、214、215、216、330、331、332、334、335
李德裕　5、271、360、361
李翰　5、10、167、171、172
刘肃　5、363、367、369、370
柳宗元　5、7、10、167、170、174、186、187、188、189、190、191、192、193、194、196、197、198、199、200、201、247、366、378
陆机　47、50、220
李大师　8、9、13、53、55、56、58、61、62、376
李贤　11、252、258、259、260、261、262、263、264、275、276、277、290、291、292、293、294、295、297、298、299、300、313、319、379
令狐德棻　30、31、32、33、34、35、50、56、214、215、219、221、230、254
李大亮　37、38
刘昭　42、77、275、295、297、298、379
李淳风　50、215、260
李超　53
朗茂　55
刘向　64、67、68、76、100、118、257、268
刘歆　64、67、68、76
刘勰　74、133、140、210、376
陆贾　100、161、364
柳芳　114、115、236、249、361、366
刘劭　133
陆景　133
李翘　170
李晨　170
刘晏　170

刘禹锡　170、366
陆贽　170
李吉甫　170、171、361
李至远　204
李彪　206
李安期　215、216
李怀俨　215
李义府　215、264
刘胤之　215
刘子翼　215
陆元仕　215
令狐峘　219、220
刘昫　225
卢思道　230
柳冕　249、250、361
李肇　250、363、364、365、367、373、374
李承乾　252、257、260、294、299
李治　258
刘讷言　259、271、276
刘伯庄　266、301、317
刘臻　269
李光弼　272
李善　276
梁商　292
柳虬　293、326、328
刘芳　295
陆士季　301
陆琼　335
陆从典　336
刘文静　343
路随　344、345
李元纮　346、347
刘洎　357
柳璟　361
刘悚　364
梁书　2、35、44、59、113、114、205、214、230
礼记　73、74、159、166、178、258
梁末代纪　101
吕布本事　101
梁帝谱　112
论衡　133
理道要诀　169

M

马端临　74
孟子　139
孟浩　210
马总　236

毛颖传　250

明皇杂录　340

N

牛弘　2、326、329

南史　76、163、165

南史（书名）　4、6、9、13、34、53、55、56、57、58、59、60、61、62、208、376

南齐书　13、55、58、108、109、113、147、324、333、334

南中八郡志　104

南族谱　112

O

欧阳询　32、214

欧阳修　225

P

裴松之　11、298、321、323、327、379

裴矩　32、119、120、214

浦起龙　130、151、156、158

裴子野　324、328

裴度　170

裴光庭　202、239、241、249、337、338、341

裴骃　266、268、300、301、306、310、379

裴炎　271

裴庭裕　362

Q

乾隆　6

秦始皇　36

阮孝绪　68、72、90、91、123

谯周　104、224、322、327

秦穆公　193、227

齐太史　198、219

齐武帝　208

丘冠先　208

钱大昕　211、297、316、318

齐抗　217

秦景昞　271

秦景通　271

钱九陇　343

齐书　2、3、334

七录　68、72、73、90、123

七志　67、68、123

齐梁帝谱　112

人物志　133

齐春秋　324

S

隋文帝　3、8、9、13、14、15、17、178、270、334
司马光　6、60、74、207
苏轼　7
司马贞　11、252、264、265、266、298、301、302、304、306、307、311、312、315、316、317、318、341、379
司马迁　20、21、25、26、27、28、30、40、44、56、74、76、81、82、83、85、86、87、88、89、101、106、126、134、140、141、142、165、190、198、201、205、207、212、236、239、245、250、268、273、274、291、300、305、306、315、321、367、370
沈约　23、44、45、47、58、59、77、108、146、147、230、324、328、333
石勒　24、51
司马懿　24、50、51
司马炎　25
隋炀帝　36、272
司马彪　41、77、221、223、224、275、281
孙盛　47、221、222、224、237
司马师　50
司马昭　50
司马谈　81、86、88、89、141、230
上官仪　215、216
史佚　166
叔向　179、180
司空季子　196
宋孝王　198
沈既济　204、231、249、250、350、351、352、367
宋璟　216
苏颋　216
苏林　256
沈重　269
司马相如　278、290
眭弘　285
孙程　291
邵晋涵　316
苏冕　341、373
沈传师　347、350、367
隋书　8、9、14、15、16、20、21、24、33、35、44、47、56、58、63、66、67、68、69、70、71、72、90、

93、101、119、123、124、146、147、214、215、216、230、245、246、255、260、270、273、275、285、293、320、334、335、376、377

史通　5、8、10、14、15、74、99、103、125、126、127、129、130、131、133、139、140、141、142、145、150、151、157、163、166、172、174、197、208、210、211、219、227、233、237、238、301、319、320、322、329、332、333、334、376、377、378

史记　11、20、25、27、28、30、44、45、49、56、74、80、81、82、83、86、87、88、89、93、98、99、101、106、118、136、141、143、146、165、182、236、238、264、265、266、268、270、273、274、275、280、281、287、291、300、301、302、303、304、305、306、307、308、309、310、311、312、313、315、316、317、318、321、327、335、336、337、338、339、351、364、370、371

三国志　11、44、45、80、104、140、147、204、205、209、225、230、298、321、323、327、328、370

史记索隐　11、252、264、265、266、269、298、301、302、341、379

史记正义　11、252、264、267、268、269、298、301、302、341、379

宋书　13、19、23、44、45、55、58、59、60、108、109、146、147、328、333、334

尚书　20、42、117、134、141、146、257、258

世本　71、81、83

说文　89

四库全书总目　90

申鉴　98、364

四库总目提要　101

山阳公载记　101

十五代略　101

十六国春秋　102、324、328

顺宗实录　171、231、354、355

史记音义　266、300、301、317、

321
史记集解　266、300、301、379
四库提要辩证　297
三国志评　321
三国志注　321、323、379
肃宗实录　350
世说新语　363
三国名臣颂　364

T

唐太宗　1、4、6、8、9、13、15、24、34、35、36、37、38、39、40、41、42、43、44、45、46、47、48、49、50、52、53、76、77、94、98、105、140、213、215、218、220、229、244、245、246、253、259、263、272、329、331、337、343、355、356、357、358、365、375
唐玄宗　1、216、218、219、239、249、337、338
唐高祖　4、8、9、13、30、31、33、34、53、94、105、214、218、222、226、259、375
檀道鸾　47
太史公　141、236、299、302、304、307、315、316
田文　160
唐高宗　213、219、258、264、290、291、343、375
唐俭　214
唐宪宗　217、350、369
唐穆宗　217、219、249、347
唐德宗　217、218、233、249
唐睿宗　258
唐中宗　351
唐文宗　358
通典　4、6、7、10、74、167、168、169、171、172、173、174、175、176、177、178、179、180、182、183、184、186、187、239、319、363、371、373
唐国史补　5、250、364、366、367、373
唐会要　12、206、276、341、342、343、344、346、347、348、350、352、354、355
太史公书　71、336
唐历　236、361
通历　236
通鉴纪事本末　237、239、243、261
统史　237

唐语林　368、371

W

王劭　2、3、101
王孝籍　2
魏澹　2、8、9、13、14、15、16、17、18、19、20、25、26、27、28、29、30、35、77、237、329、331
魏徵　5、24、32、35、206、214、215、216、230、253、254、328、349、357、358
魏收　8、9、14、15、16、18、20、21、22、23、28、29、35、58、59、77、108、198、206、325、328、329、330、331、332、333、334、335
王隐　18、47、48、198、221、224、323、328、329
王敬业　32、214
王莽　39
王仲荦　49
王羲之　50、220
王鸣盛　60、61、260、295、297
王俭　67、68、112、113、123、208
王国维　89
魏宏　104
王僧孺　112、113
王弘　115
王充　133、377
吴兢　134、154、198、205、206、219、253、343、344、345、352、368
韦昭　163、295
王孙圉　166
王叔文　170
王肃　205
韦述　205、240、366
韦安仁　215
韦瓘　217、219
王长文　221
武则天　258、261、264、351、352
王仲通　270
王勃　277
王先谦　294
吴均　324
王溥　341
尉迟敬德　343
温大雅　355
魏謩　358
王涯　361
魏书　2、8、9、13、14、15、16、

17、18、20、22、23、28、29、30、35、55、58、59、108、109、225、237、325、328、329、330、331、332、333、334、335

文选　23

文献通考　74

吴越春秋　93、99、100、101

王司空新集诸州谱　112

文心雕龙　133、140、376、377

文史通义　211、235

五经正义　255、268

武德令　255

问高力士　361

X

辛德源　2、14

许善心　2、123

徐坚　5、134、378

辛元植　14

萧统　23

荀悦　28、38、39、40、41、78、92、95、98、99、136、144、236、238、240、328、364

萧瑀　32、214

萧德言　32、214

谢沈　47、48、221、223

习凿齿　47、198、221、222

萧子云　47、48

徐广　47、221、222、266、300、301

许敬宗　50、215、326、328、342、343

萧子显　58、77、108、333

萧宏　59、60

荀勖　67、68

项羽　142、291、303

奚齐　193

萧颖士　202、239、240、241、338、339、340、341

辛丘驭　215

薛元超　215、216

谢晦　222

薛道衡　230

萧该　269、270、295

萧何　285

萧望之　285

荀况　289

许悼公　292

荀爽　370、371

续汉书　41、42、77、223、224、275

续晋阳秋　47

姓氏英贤谱　112
西域图记　119
孝经　176
新唐书　201、225、232、338、339、352、359、368
新五代史　209
西京杂记　287
续会要　341
宪宗实录　367

Y

虞世南　5、229
颜师古　11、32、56、205、214、215、216、252、253、254、255、256、257、258、260、264、270、272、277、278、279、280、281、282、283、284、285、286、287、288、289、294、295、298、299、300、341、379
颜之推　14、253、300
袁宏　28、77、230、236、240、261、275、322、328、364
姚思廉　32、35、59、205、214、215、229、230、271
殷闻礼　32、214
虞俭　32
虞预　47、48、221
叶适　52
姚察　59、205、215
杨晔　101
应劭　133、256、286、295、318
扬雄　133、268、290、377
鱼豢　161
杨炎　170、204
袁枢　206、237、239、243、261
阳仁卿　215
于志宁　215、229、260
虞溥　221、222
虞世基　230
姚康　236
颜思鲁　254
颜相时　254
颜游秦　254、270、295
于仲文　269
杨汪　269、272
姚珽　271
殷侑　276
杨素　335、336
虞卿　364
越绝书　99、101
益部耆旧传　103、104

益州谱　112
颜氏家训　253
颜师古集　255
因话录　366

Z

朱温　2
郑綮　5、359、360
朱敬则　5、134、202、226、227、228
张守节　11、252、264、267、268、298、301、302、304、305、307、315、316、317、318、341、379
左丘明　27、165、187、198
赵翼　29、30、59、61、205、206、209、263、281
祖孝孙　32、214
左史倚相　44、166、204、245
臧荣绪　47、48、50、77
郑忠　47
郑樵　52、74、111、207
郑默　67、68
周公　89
挚虞　118
章学诚　132、211、231、235
赵鞅　160
张璠　161
赵简子　166
郑玄　176
子产　179
张释之　180、181
重耳　193、196
卓子　193
郑惟忠　202、228、229、231、232
张说　206、216、219、289、343、344、345、346
章惇　206
赵雄　206
张鹭　208
张辅　210、244、245、281
张文恭　215
赵弘智　215、271
赵元一　233、234
张大安　259
张嘉会　265
邹诞生　266、300、301
赵盾　284、293
张晏　286、289
赵穿　293
臧竞　295
郑处诲　340

朱子奢　356、358
赵璘　366
周史　2
资治通鉴　6、60、74、243
左传　27、78、81、83、92、102、135、136、165、166、180、187、203、204、236、238、240、312、364、371、372
周书　44、215、216、229、230
周礼　80、178
战国策　81、83、93、99、100
正史考略　89
正史削繁　91
周易　92、373
诸姓谱　112
诸郡物产土俗记　118
贞观政要　154、253、344、368、369
枕中记　250
则天本纪　350

本作品中文简体版权由湖南人民出版社所有。
未经许可，不得翻印。

图书在版编目（CIP）数据

中国古代史学批评的深入：隋唐时期 / 瞿林东，朱露川著．—长沙：湖南人民出版社，2020.7（中国古代史学批评史 / 瞿林东主编；第三卷）

ISBN 978-7-5561-2437-4

I. ①中… II. ①瞿… ②朱… III. ①史学史—研究—中国—隋唐时代 IV. ① K092.4

中国版本图书馆 CIP 数据核字（2020）第 036440 号

ZHONGGUO GUDAI SHIXUE PIPING DE SHENRU（SUITANG SHIQI）

中国古代史学批评的深入（隋唐时期）

主　　编　瞿林东
著　　者　瞿林东　朱露川
责任编辑　黎晓慧　贺　娅
装帧设计　杨发凯
责任印制　肖　晖
责任校对　曾诗玉

发行出版　湖南人民出版社［http://www.hnppp.com］
地　　址　长沙市营盘东路3号
邮　　编　410005
经　　销　湖南省新华书店

印　　刷　长沙超峰印刷有限公司
版　　次　2020年7月第1版
　　　　　2020年7月第1次印刷
开　　本　710 mm × 1000 mm　　1/16
印　　张　28.5
插　　页　1
字　　数　295千字
书　　号　ISBN 978-7-5561-2437-4
定　　价　139.00元

营销电话：0731-82681529　（如发现印装质量问题请与出版社调换）